日本共産党第28回大会決定集

2020・1・14～18

第28回党大会への志位委員長のあいさつ

日本共産党綱領

第27回党大会　第８回中央委員会総会
綱領一部改定案についての提案報告

第27回党大会　第８回中央委員会総会
綱領一部改定案　志位委員長の結語

綱領一部改定案についての中央委員会報告

綱領一部改定案の討論　志位委員長の結語

〈資料〉第28回大会議案　日本共産党綱領一部改定案

第一決議（政治任務）

第一決議案についての中央委員会報告

第一決議案（政治任務）の討論　小池書記局長の結語

第二決議（党建設）

第二決議案についての中央委員会報告

第二決議案（党建設）の討論　山下副委員長の結語

中央委員会の選出基準と構成について、ほか

第28回党大会での志位委員長の閉会あいさつ

大会で選出された新中央委員会、ほか

日本共産党規約

目次

第28回党大会への 志位委員長のあいさつ

2020年1月14日

大会にお集まりの代議員および評議員のみなさん。

インターネット中継をご覧の全国のみなさん。

私は、ここに、日本共産党第28回大会の開会を宣言いたします。（拍手）

そして、この党大会の準備と成功のために力をつくされたすべての党員のみなさんに、党中央委員会を代表して、心からの感謝と連帯のあいさつを送ります。（拍手）

亡くなられた同志への追悼

前大会は、２０１７年1月に開かれましたが、それから現在までの3年間に、全国で1万３８２８人の同志が亡くなりました。そのお一人お一人が、新しい日本をめざし、日本国民の利益をまもり、世界の平和と社会進歩を願う初心を貫いて、日本共産党員として最後まで活動されてきた方々であります。

深い敬意をこめて、これらの同志をしのび、ここに黙とうをささげたいと思います。ご起立をお願いします。

黙とう。

黙とうを終わります。ご着席ください。

在日の大使館の方々の紹介

この大会には、会議を傍聴していただくよう、日本で活動されている各国の大使館の方々を来賓としてご招待いたしました。日本のアイウエオ順で、イラク、パレスチナ、ハンガリー、東ティモール、ベトナム、ボツワナ、マダガスカル、モルドバ、ラオス。以上の9の国の大使あるいは外交官の方々にご出席をいただきました。（拍手）

遠いところまで、わざわざお越しいただいたことに心からのお礼を申し上げるとともに、相互理解と友好が深まることを心から願うものであります。（拍手）

来賓の方々への歓迎と感謝

みなさん。

前大会以降の3年間、市民と野党の共闘は、さまざまな困難や試練をのりこえて、大きく前進しています。この大会には、この共闘にともにとりくんでいる多くの友人のみなさんを来賓としてお招きしています。

政党と会派では、立憲民主党、国民民主党、社民党、沖縄の風、碧水会《へきすいかい》——野党共闘をともにたたかっている3政党・2会派の代表の方々、さらに共闘の発展のために特別の尽力をいただいているゲストから、このあと、ごあいさつをいただきます。（拍手）

国民運動、市民運動の代表のみなさんもお招きしています。古くから肩を並べてたたかってきた友人とともに、この間の共闘で力をあわせてともにたたかってきた新しい友人――戦争させない・9条壊すな！総がかり行動実行委員会、安保法制の廃止と立憲主義の回復を求める市民連合、首都圏反原発連合の代表の方々からも、ごあいさつをいただく予定であります。

岩手県・達増《たっそ》拓也知事、埼玉県・大野元裕知事、沖縄県・玉城《たまき》デニー知事をはじめ地方自治体の首長、諸団体の代表、外国の政党・組織などから、たくさんの心のこもったメッセージをいただいております。のちほどご紹介させていただきます。

さらに、地元、熱海市の齊藤栄市長は、4回連続で、大会にご出席いただき、ごあいさつをいただく予定であります。（拍手）

私は、日本共産党中央委員会を代表して、大会に参加してくださった来賓の方々、この大会に温かい連帯の気持ちを寄せてくださったすべての方々に、熱い歓迎と感謝の気持ちを申し上げるものです。（拍手）

「追及」とともに「希望」を

みなさん。

市民と野党の共闘をさらにどのように発展させるか。私は、ここで、共闘にのぞむ日本共産党の基本姿勢について述べておきたいと思います。

昨年8月、私は、3回の国政選挙での共闘の到達点に立って、野党連合政権に向けた話し合いを始めることを呼びかけました。これまでに、立憲民主党、国民民主党、社民党、れいわ新選組との党首会談が実現し、「安倍政権を倒し、政権を代え、立憲主義を取り戻す」という方向での一致が確認されたことは、重要な前進だと考えています。

いかにして、このプロセスを成功させ、来たるべき総選挙で勝ち、安倍政権を倒し、新しい政治を築くか。日本共産党は、次の二つの基本姿勢を堅持して、共闘の発展のために貢献したいと決意しています。

第一は、安倍政治の問題点を「追及」することと、国民が未来に「希望」がもてる新しい選択肢を示すことを、一体にとりくむことであります。

いま安倍政権は、政治のモラル崩壊という面でも、内政・外交の行き詰まりという面でも、政権末期の様相を呈しています。もういいかげんに、こんな政治は終わりにしなくてはなりません（「そうだ」の声、拍手）。「桜を見る会」疑惑、カジノ汚職をはじめ、その問題点を徹底的に追及することは、野党の重大な責任であります。安倍政権によって壊されてきた民主政治、ゆがめられてきた行政システム、官僚システムを再建し、隠されてきた文書を明るみに出し、不正を洗いざらい明らかにする。私は、そのこと自体が、日本に新しい政治を築くうえで避けてとおることのできない、大義ある仕事であることを強調したいと思います。（拍手）

同時に、それと一体に、国民が未来に希望がもてる新しい選択肢を示すことが大切であります。私たちは、安倍政治からの転換の方向として、第一に、憲法にもとづき、立憲主義、民主主義、平和主義を回復する、第二に、格差をただし、暮らし・家計応援第一の政治にきりかえる、第三に、多様性を大切にし、個人の尊厳を尊重する政治を築く――この三つの方向は、すでに野党の共通の立場になっていると考えます。

これらを共闘の理念にすえ、政権をともにつくる意思を確認し、政権が実行する政策を練り上げ、不一致点に政権としてどう対応するかもきちんと話し合う。総選挙にむけて、国民のみなさんに「ここに未来をたくそう」と受け取っていただける希望ある政権の選択肢をつくるために、胸襟《きょうきん》を開いて話し合い、あらゆる知恵と力をつくす決意を申し上げるものです。（拍手）

多様性の中の統一

第二は、野党がそれぞれの違いを大切にし、相互にリスペクト――敬意をもって接し、一致点で団結する――私たちは、「多様性の中の統一」と呼んでいますが、この姿勢を貫くことであります。

私たち日本共産党と、他の野党の方々とは、異なる政策や理念、世界観があります。違いがあるからこそ、別の政党を構成しています。しかし、お互いの違いを認め合い、個性を尊重しあい、一致点でしっかり団結する――これが政党間の協力・共闘の当たり前の姿ではないでしょうか。

日本共産党は、日米安保条約、自衛隊、天皇の制度などで独自の政策をもっています。資本主義をのりこえて社会主義・共産主義にすすむという展望をもっています。私たちは、これらの独自の政策や展望を大いに語ります。同時に、それを共闘に押し付けることは決してありません。こうした態度をお互いに貫くことこそ、共闘を強く、しなやかに発展させる最大の保障となるのではないでしょうか。

私は、先日、「市民連合」の呼びかけ人で上智大学教授の中野晃一さんと対談する機会がありました。そのなかで中野さんは、「野党が多様性を掲げている以上は、そこにいたる道のりも多様性を前提としていくことが不可欠です」と言われました。多様性を大切にする政治をめざす、そこにいたる道も多様性を大事にする。その通りではないでしょうか。野党間で多様性を互いに尊重しあってこそ、「多様性を大切にし、個人の尊厳を尊重する政治を築く」ことができる。これが私たちの確信であります。

「追及」とともに「希望」を、「多様性の中の統一」――私たちは、この二つの基本姿勢を堅持して、市民と野党の共闘を成功させ、野党連合政権をつくるために、とことん力をつくすことを、表明するものであります。（拍手）

大会の歴史的意義

みなさん。

共闘の発展のためにも、日本共産党自身が力をつけ、躍進することは、私たちに課せられた重要な責任であります。

この大会は、わが党の歴史でも特別の歴史的意義をもつ大会であります。

16年ぶりに綱領の改定を議題としています。わが党の綱領路線は、１９６１年の第8回党大会でその土台がつくられ、２００４年の第23回党大会で全面改定が行われ、党の進路を照らす羅針盤として、大きな生命力を発揮してきました。今回の綱領一部改定案は、世界情勢論を中心に行い、それとの関係で未来社会論の一部を改定するものですが、それは、綱領の全体に新鮮で豊かな生命力を吹き込むことになるでしょう。綱領一部改定についての報告は、私が担当します。

大会の第一決議案（政治任務）は、来た

るべき総選挙にむけて、市民と野党の共闘の発展と、日本共産党の躍進という「二つの大仕事」をやり抜く方針を明らかにしています。いかにして、この「二つの大仕事」の両方を統一的にやりとげるか。これはわが党にとっての重要な課題となっていますが、この問題に対する基本姿勢の解明も含めて、小池晃書記局長が第一決議案についての報告を行います。

大会の第二決議案（党建設）は、２０２２年――党創立１００周年をめざす党建設の大方針を示しています。共闘の発展のなかで、新しい絆、新しい友人が広がり、強く大きな党をつくるかつてない歴史的条件が生まれています。それをいかにして党建設の前進へと結実させるか。この課題の死活的な重要性を考え、党の歴史で初めて、大会決議案で党建設を別建てにしました。山下芳生副委員長が第二決議案についての報告を行います。

歴史的党大会の大成功を

みなさん。

この大会は、次の二つの任務をになっています。

第一は、綱領一部改定案、第一決議案、第二決議案――三つの大会議案を練り上げ、決定することであります。全党討論の締めくくりとなる大会での討論によって、全党の英知と経験を総結集して、大会議案をさらに練り上げ、豊かに深め、私たちの進路を照らす科学的羅針盤として、立派に仕上げようではありませんか。（拍手）

第二は、党綱領と大会決議の具体化、実践の先頭にたつ新しい中央委員会を選出することであります。熟達したベテランの幹部とともに、将来性のある若い幹部がのびのびとその力を発揮でき、女性が存分にその力を発揮できる新しい中央委員会を選出することも、この大会の重要な任務であります。

代議員および評議員のみなさん。

日本の前途にとっても、わが党の前途にとっても、文字通り歴史的意義をもつ第28回党大会を、力をあわせて大成功させようではありませんか（拍手）。そのことを心から呼びかけて、あいさつを終わります。

（拍手）

（「しんぶん赤旗」２０２０年1月15日付）

日本共産党綱領

（第28回党大会　2020年1月18日採択）

一、戦前の日本社会と日本共産党

（一）日本共産党は、わが国の進歩と変革《へんかく》の伝統を受けつぎ、日本と世界の人民の解放闘争《かいほうとうそう》の高まりのなかで、一九二二年七月一五日、科学的社会主義《かがくてきしゃかいしゅぎ》を理論的な基礎とする政党として、創立された。

当時の日本は、世界の主要な独占資本主義国《どくせんしほんしゅぎこく》の一つになってはいたが、国を統治《とうち》する全権限《ぜんけんげん》を天皇が握《にぎ》る専制政治《せんせいせいじ》（絶対主義的《ぜったいしゅぎてき》天皇制《てんのうせい》）がしかれ、国民から権利と自由を奪うとともに、農村では重い小作料《こさくりょう》で耕作農民をしめつける半封建的《はんほうけんてき》な地主制度《じぬしせいど》が支配し、独占資本主義も労働者の無権利と過酷《かこく》な搾取《さくしゅ》を特徴としていた。この体制のもと、日本は、アジアで唯一《ゆいいつ》の帝国主義国《ていこくしゅぎこく》として、アジア諸国にたいする侵略《しんりゃく》と戦争の道を進んでいた。

党は、この状況を打破《だは》して、まず平和で民主的な日本をつくりあげる民主主義革命《みんしゅしゅぎかくめい》を実現することを当面の任務とし、ついで社《しゃ》会主義革命《かいしゅぎかくめい》に進むという方針のもとに活動した。

（二）党は、日本国民を無権利状態においてきた天皇制の専制支配を倒し、主権在民《しゅけんざいみん》、国民の自由と人権をかちとるためにたたかった。

党は、半封建的な地主制度をなくし、土地を農民に解放するためにたたかった。

党は、とりわけ過酷な搾取によって苦しめられていた労働者階《ろうどうしゃかい》級《きゅう》の生活の根本的な改善、すべての勤労者、知識人、女性、青年の権利と生活の向上のためにたたかった。

党は、進歩的、民主的、革命的な文化の創造と普及のためにたたかった。

党は、ロシア革命と中国革命にたいする日本帝国主義の干渉《かんしょう》戦争、中国にたいする侵略戦争に反対し、世界とアジアの平和のためにたたかった。

党は、日本帝国主義の植民地《しょくみんち》であった朝鮮、台湾の解放と、アジアの植民地・半植民地諸民族の完全独立を支持してたたかった。

（三）日本帝国主義は、一九三一年、中国の東北部への侵略戦争を、一九三七年には中国への全面侵略戦争を開始して、第二次世界大戦に道を開く最初の侵略国家となった。一九四〇年、ヨーロッパにおけるドイツ、イタリアのファシズム国家と軍事同盟《ぐんじどうめい》を結成し、一九四一年には、中国侵略の戦争をアジア・太平洋全域に拡大して、第二次世界大戦の推進者となった。

帝国主義戦争と天皇制権力の暴圧によって、国民は苦難《くなん》を強《し》いられた。党の活動には重大な困難があり、つまずきも起こったが、多くの日本共産党員は、迫害《はくがい》や投獄《とうごく》に屈することなく、さまざまな裏切りともたたかい、党の旗を守って活動した。このたたかいで少なからぬ党員が弾圧《だんあつ》のため生命を奪われた。

他のすべての政党が侵略と戦争、反動の流れに合流するなかで、日本共産党が平和と民主主義の旗を掲げて不屈《ふくつ》にたたかい続けたことは、日本の平和と民主主義の事業にとって不滅の意義をもった。

侵略戦争は、二千万人をこえるアジア諸国民と三百万人をこえる日本国民の生命を奪った。この戦争のなかで、沖縄は地上戦の戦場となり、日本本土も全土にわたる空襲《くうしゅう》で多くの地方が焦土《しょうど》となった。一九四五年八月には、アメリカ軍によって広島、長崎に世界最初の原爆が投下され、その犠牲者《ぎせいしゃ》は二十数万人にのぼり（同年末までの人数）、日本国民は、核兵器の惨害《さんがい》をその歴史に刻み込んだ被爆《ひばく》国民となった。

ファシズムと軍国主義《ぐんこくしゅぎ》の日独伊三国同盟が世界的に敗退するなかで、一九四五年八月、日本帝国主義は敗北し、日本政府はポツダム宣言を受諾《じゅだく》した。反ファッショ連合国によるこの宣言は、軍国主義の除去と民主主義の確立を基本的な内容としたもので、日本の国民が進むべき道は、平和で民主的な日本の実現にこそあることを示した。これは、党が不屈に掲げてきた方針が基本的に正しかったことを、証明したものであった。

二、現在の日本社会の特質

（四）第二次世界大戦後の日本では、いくつかの大きな変化が起こった。

第一は、日本が、独立国としての地位を失い、アメリカへの事実上の従属国《じゅうぞくこく》の立場になったことである。

敗戦後の日本は、反ファッショ連合国を代表するという名目《めいもく》で、アメリカ軍の占領下《せんりょうか》におかれた。アメリカは、その占領支配をやがて自分の単独支配に変え、さらに一九五一年に締結《ていけつ》されたサンフランシスコ平和条約と日米安保条約《にちべいあんぽじょうやく》では、沖縄の占領支配を継続するとともに、日本本土においても、占領下に各地につくった米軍基地の主要部分を存続させ、アメリカの世界戦略の半永久的《はんえいきゅうてき》な前線基地《ぜんせんきち》という役割を日本に押しつけた。日米安保条約は、一九六〇年に改定されたが、それは、日本の従属的な地位を改善するどころか、基地貸与条約《きちたいよじょうやく》という性格にくわえ、有事のさいに米軍と共同して戦う日米共同作戦条項《じょうこう》や日米経済協力の条項などを新しい柱として盛り込み、日本をアメリカの戦争にまきこむ対米従属的《たいべいじゅうぞくてき》な軍事同盟《ぐんじどうめい》条約に改悪・強化したものであった。

第二は、日本の政治制度における、天皇絶対の専制政治《せんせいせいじ》から、主権在民《しゅけんざいみん》を原則とする民主政治への変化である。この変化を代表したのは、一九四七年に施行《しこう》された日本国憲法《にほんこくけんぽう》である。この憲法は、主権在民、戦争の放棄《ほうき》、国民の基本的人権、国権《こっけん》の最高機関としての国会の地位、地方自治など、民主政治の柱となる一連の民主的平和的な条項を定めた。形を変えて天皇制の存続を認めた天皇条項は、民主主義《みんしゅしゅぎ》の徹底に逆行する弱点を残したものだったが、そこでも、天皇は「国政に関する権能《けんのう》を有しない」ことなどの制限条項が明記された。

この変化によって、日本の政治史上はじめて、国民の多数の意思にもとづき、国会を通じて、社会の進歩と変革を進めるという道すじが、制度面で準備されることになった。

第三は、戦前、天皇制の専制政治とともに、日本社会の半封建《はんほうけん》的《てき》な性格の根深い根源となっていた半封建的な地主制度《じぬしせいど》が、農地《のうち》改革《かいかく》によって、基本的に解体されたことである。このことは、日本独占資本主義《どくせんしほんしゅぎ》に、その発展のより近代的な条件を与え、戦後の急成長を促進《そくしん》する要因の一つとなった。

日本は、これらの条件のもとで、世界の独占資本主義国の一つとして、大きな経済的発展をとげた。しかし、経済的な高成長にもかかわらず、アメリカにたいする従属的な同盟という対米関係の基本は変わらなかった。

（五）わが国は、高度に発達した資本主義国でありながら、国土や軍事などの重要な部分をアメリカに握《にぎ》られた事実上の従属国となっている。

わが国には、戦争直後の全面占領の時期につくられたアメリカ軍事基地の大きな部分が、半世紀を経ていまだに全国に配備され続けている。なかでも、敗戦直後に日本本土から切り離されて米軍の占領下におかれ、サンフランシスコ平和条約でも占領支配の継続が規定された沖縄は、アジア最大の軍事基地とされている。沖縄県民を先頭にした国民的なたたかいのなかで、一九七二年、施政権返還《しせいけんへんかん》がかちとられたが、米軍基地の実態は基本的に変わらず、沖縄県民は、米軍基地のただなかでの生活を余儀《よぎ》なくされている。アメリカ軍は、わが国の領空、領海をほしいままに踏みにじっており、広島、長崎、ビキニと、国民が三たび核兵器の犠牲《ぎせい》とされた日本に、国民に隠して核兵器持ち込みの「核密約《かくみつやく》」さえ押しつけている。

日本の自衛隊は、事実上アメリカ軍の掌握《しょうあく》と指揮のもとにおかれており、アメリカの世界戦略の一翼を担《にな》わされている。

アメリカは、日本の軍事や外交に、依然として重要な支配力をもち、経済面でもつねに大きな発言権を行使している。日本の政府代表は、国連その他国際政治の舞台で、しばしばアメリカ政府の代弁者の役割を果たしている。

日本とアメリカとの関係は、対等・平等の同盟関係では決してない。日本の現状は、発達した資本主義諸国のあいだではもちろん、植民地支配《しょくみんちしはい》が過去のものとなった今日の世界の国際関係のなかで、きわめて異常な国家的な対米従属の状態にある。アメリカの対日支配は、明らかに、アメリカの世界戦略とアメリカ独占資本主義の利益のために、日本の主権と独立を踏みにじる帝国主《ていこくしゅ》義的《ぎてき》な性格のものである。

（六）日本独占資本主義は、戦後の情勢のもとで、対米従属的な国家独占資本主義として発展し、国民総生産では、早い時期にすべてのヨーロッパ諸国を抜き、アメリカに次ぐ地位に到達するまでになった。その中心をなす少数の大企業は、大きな富をその手に集中して、巨大化と多国籍企業化《たこくせききぎょうか》の道を進むとともに、日本政府をその強い影響のもとに置き、国家機構の全体を自分たちの階級的利益の実現のために最大限に活用してきた。国内的には、大企業・財界が、アメリカの対日支配と結びついて、日本と国民を支配する中心勢力の地位を占めている。

大企業・財界の横暴な支配のもと、国民の生活と権利にかかわる多くの分野で、ヨーロッパなどで常識となっているルールがいまだに確立していないことは、日本社会の重大な弱点となっている。労働者は、過労死《かろうし》さえもたらす長時間・過密労働《かみつろうどう》や著しく差別的な不安定雇用に苦しみ、多くの企業で「サービス残業」という違法の搾取《さくしゅ》方式までが常態化している。雇用保障でも、ヨーロッパのような解雇規制《かいこきせい》の立法も存在しない。

女性差別の面でも、国際条約に反するおくれた実態が、社会生活の各分野に残って、国際的な批判を受けている。公権力による人権の侵害をはじめ、さまざまな分野での国民の基本的人権の抑《よく》圧《あつ》も、重大な状態を残している。

日本の工業や商業に大きな比重を占め、日本経済に不可欠の役割を担う中小企業は、大企業との取り引き関係でも、金融面、税制面、行政面でも、不公正な差別と抑圧を押しつけられ、不断《ふだん》の経営悪化に苦しんでいる。農業は、自立的な発展に必要な保障を与えられないまま、「貿易自由化」の嵐にさらされ、食料自給《しょくりょうじきゅう》率《りつ》が発達した資本主義国で最低の水準に落ち込み、農業復興《ふっこう》の前《ぜん》途《と》を見いだしえない状況が続いている。

国民全体の生命と健康にかかわる環境問題でも、大企業を中心とする利潤《りじゅん》第一の生産と開発の政策は、自然と生活環境の破壊を全国的な規模で引き起こしている。

日本政府は、大企業・財界を代弁して、大企業の利益優先の経済・財政政策を続けてきた。日本の財政支出の大きな部分が大型公共事業など大企業中心の支出と軍事費とに向けられ、社会保障への公的支出が発達した資本主義国のなかで最低水準にとどまるという「逆立《さかだ》ち」財政は、その典型的な現われである。

その根底には、反動政治家や特権官僚と一部大企業との腐敗した癒着《ゆちゃく》・結合がある。絶えることのない汚職・買収・腐敗の連鎖は、日本独占資本主義と反動政治の腐朽《ふきゅう》の底深さを表わしている。

日本経済にたいするアメリカの介入は、これまでもしばしば日本政府の経済政策に誤った方向づけを与え、日本経済の危機と矛盾《むじゅん》の大きな要因となってきた。「グローバル化（地球規模化）」の名のもとに、アメリカ式の経営モデルや経済モデルを外から強引に持ち込もうとする企《くわだ》ては、日本経済の前途にとって、いちだんと有害で危険なものとなっている。

これらすべてによって、日本経済はとくに基盤の弱いものとなっており、二一世紀の世界資本主義の激動する情勢のもとで、日本独占資本主義の前途には、とりわけ激しい矛盾と危機が予想される。

日本独占資本主義と日本政府は、アメリカの目したの同盟者としての役割を、軍事、外交、経済のあらゆる面で積極的、能動的に果たしつつ、アメリカの世界戦略に日本をより深く結びつける形で、自分自身の海外での活動を拡大しようとしている。

軍事面でも、日本政府は、アメリカの戦争計画の一翼を担いながら、自衛隊の海外派兵の範囲と水準を一歩一歩拡大し、海外派兵を既成事実化《きせいじじつか》するとともに、それをテコに有事立法や集団的《しゅうだんてき》自衛権《じえいけん》行使への踏み込み、憲法改悪など、軍国主義《ぐんこくしゅぎ》復活の動きを推進する方向に立っている。軍国主義復活をめざす政策と行動は、アメリカの先制攻撃戦略《せんせいこうげきせんりゃく》と結びついて展開され、アジア諸国民との対立を引き起こしており、アメリカの前線基地の役割とあわせて、日本を、アジアにおける軍事的緊張の危険な震源地《しんげんち》の一つとしている。

対米従属と大企業・財界の横暴な支配を最大の特質とするこの体制は、日本国民の根本的な利益とのあいだに解決できない多くの矛盾をもっている。その矛盾は、二一世紀を迎えて、ますます重大で深刻なものとなりつつある。

三、二一世紀の世界

（七）二〇世紀は、独占資本主義《どくせんしほんしゅぎ》、帝国主義《ていこくしゅぎ》の世界支配をもって始まった。この世紀のあいだに、人類社会は、二回の世界大戦、ファシズムと軍国主義《ぐんこくしゅぎ》、一連の侵略《しんりゃく》戦争など、世界的な惨《さん》禍《か》を経験したが、諸国民の努力と苦闘《くとう》を通じて、それらを乗り越え、人類史の上でも画期《かっき》をなす巨大な変化が進行した。

多くの民族を抑圧《よくあつ》の鎖のもとにおいた植民地体制《しょくみんちたいせい》は完全に崩壊し、民族の自決権は公認の世界的な原理という地位を獲得し、百を超える国ぐにが新たに政治的独立をかちとって主権国家となった。これらの国ぐにを主要な構成国とする非同盟諸国会議《ひどうめいしょこくかいぎ》は、国際政治の舞台で、平和と民族自決の世界をめざす重要な力となっている。

国民主権の民主主義の流れは、世界の大多数の国ぐにで政治の原則となり、世界政治の主流となりつつある。人権の問題では、自由権とともに、社会権の豊かな発展のもとで、国際的な人権保障の基準がつくられてきた。人権を擁護《ようご》し発展させることは国際的な課題となっている。

国際連合の設立とともに、戦争の違法化《いほうか》が世界史の発展方向として明確にされ、戦争を未然《みぜん》に防止する平和の国際秩序《こくさいちつじょ》の建設が世界的な目標として提起された。二〇世紀の諸経験、なかでも侵略戦争やその企《くわだ》てとのたたかいを通じて、平和の国際秩序を現実に確立することが、世界諸国民のいよいよ緊急切実な課題となりつつある。

これらの巨大な変化のなかでも、植民地体制の崩壊は最大の変化であり、それは世界の構造を大きく変え、民主主義と人権、平和の国際秩序の発展を促進《そくしん》した。

（八）一九一七年にロシアで十月社会主義革命《じゅうがつしゃかいしゅぎかくめい》が起こり、第二次世界大戦後には、アジア、東ヨーロッパ、ラテンアメリカの一連の国ぐにが、資本主義からの離脱《りだつ》の道に踏み出した。

最初に社会主義への道に踏み出したソ連では、レーニンが指導した最初の段階においては、おくれた社会経済状態からの出発という制約にもかかわらず、また、少なくない試行錯誤《しこうさくご》をともないながら、真剣に社会主義をめざす一連の積極的努力が記録された。とりわけ民族自決権の完全な承認を対外政策の根本にすえたことは、世界の植民地体制の崩壊を促すものとなった。

しかし、レーニン死後、スターリンをはじめとする歴代指導部は、社会主義の原則を投げ捨てて、対外的には、他民族への侵略と抑圧という覇権主義《はけんしゅぎ》の道、国内的には、国民から自由と民主主義を奪い、勤労人民を抑圧する官僚主義《かんりょうしゅぎ》・専制主義《せんせいしゅぎ》の道を進んだ。「社会主義」の看板を掲げておこなわれただけに、これらの誤りが世界の平和と社会進歩の運動に与えた否定的影響は、とりわけ重大であった。

日本共産党は、科学的社会主義《かがくてきしゃかいしゅぎ》を擁護する自主独立《じしゅどくりつ》の党として、日本の平和と社会進歩の運動にたいするソ連覇権主義の干渉《かんしょう》にたいしても、チェコスロバキアやアフガニスタンにたいするソ連の武力侵略にたいしても、断固としてたたかいぬいた。

ソ連とそれに従属《じゅうぞく》してきた東ヨーロッパ諸国で一九八九～九一年に起こった支配体制の崩壊は、社会主義の失敗ではなく、社会主義の道から離れ去った覇権主義と官僚主義・専制主義の破産であった。これらの国ぐにでは、革命の出発点においては、社会主義をめざすという目標が掲げられたが、指導部が誤った道を進んだ結果、社会の実態としては、社会主義とは無縁な人間抑圧型の社会として、その解体を迎えた。ソ連覇権主義という歴史的な巨悪《きょあく》の崩壊は、大局的な視野で見れば、世界の平和と社会進歩の流れを発展させる新たな契機となった。それは、世界の革命運動の健全な発展への新しい可能性を開く意義をもった。

（九）植民地体制の崩壊と百を超える主権国家の誕生という、二〇世紀に起こった世界の構造変化は、二一世紀の今日、平和と社会進歩を促進する生きた力を発揮しはじめている。

一握りの大国が世界政治を思いのままに動かしていた時代は終わり、世界のすべての国ぐにが、対等・平等の資格で、世界政治の主人公になる新しい時代が開かれつつある。諸政府とともに市民社会が、国際政治の構成員《こうせいいん》として大きな役割を果たしていることは、新しい特徴である。

「ノーモア・ヒロシマ、ナガサキ（広島・長崎をくりかえすな）」という被爆者《ひばくしゃ》の声、核兵器廃絶《はいぜつ》を求める世界と日本の声は、国際政治を大きく動かし、人類史上初めて核兵器を違法化する核兵器禁止条約《きんしじょうやく》が成立した。核兵器を軍事戦略《ぐんじせんりゃく》の柱にすえて独占体制を強化し続ける核兵器固執《こしつ》勢力のたくらみは根づよいが、この逆流は、「核兵器のない世界」をめざす諸政府、市民社会によって、追い詰められ、孤立しつつある。

東南アジアやラテンアメリカで、平和の地域協力《ちいききょうりょく》の流れが形成され、困難や曲折《きょくせつ》を経ながらも発展している。これらの地域が、紛争の平和的解決をはかり、大国の支配に反対して自主性を貫き、非核地帯条約《ひかくちたいじょうやく》を結び核兵器廃絶の世界的な源泉《げんせん》になっていることは、注目される。とくに、東南アジア諸国連合（ASEAN）が、紛争の平和的解決を掲げた条約を土台に、平和の地域共同体をつくりあげ、この流れをアジア・太平洋地域に広げていることは、世界の平和秩序への貢献《こうけん》となっている。

二〇世紀中頃につくられた国際的な人権保障の基準を土台に、女性、子ども、障害者《しょうがいしゃ》、少数者、移住労働者、先住民《せんじゅうみん》などへの差別をなくし、その尊厳《そんげん》を保障する国際規範《きはん》が発展している。ジェンダー平等を求める国際的潮流《ちょうりゅう》が大きく発展し、経済的・社会的差別をなくすこととともに、女性にたいするあらゆる形態の暴力を撤廃《てっぱい》することが国際社会の課題となっている。

（一〇）巨大に発達した生産力を制御《せいぎょ》できないという資本主義の矛盾《むじゅん》は、現在、広範な人民諸階層の状態の悪化、貧富の格差の拡大、くりかえす不況と大量失業、国境を越えた金融投機《きんゆうとうき》の横行、環境条件の地球的規模での破壊、植民地支配の負の遺産の重大さ、アジア・中東・アフリカ・ラテンアメリカの国ぐにでの貧困など、かつてない大きな規模と鋭さをもって現われている。

とりわけ、貧富の格差の世界的規模での空前の拡大、地球的規模でさまざまな災厄《さいやく》をもたらしつつある気候変動《きこうへんどう》は、資本主義体制が二一世紀に生き残る資格を問う問題となっており、その是正《ぜせい》・抑制を求める諸国民のたたかいは、人類の未来にとって死活《しかつ》的《てき》意義をもつ。

世界のさまざまな地域での軍事同盟《ぐんじどうめい》体制の強化や、各種の紛争で武力解決を優先させようとする企て、国際テロリズムの横行、排外主義《はいがいしゅぎ》の台頭などは、緊張を激化させ、平和を脅かす要因となっている。

なかでも、アメリカが、アメリカ一国の利益を世界平和の利益と国際秩序の上に置き、国連をも無視して他国にたいする先制攻《せんせいこうこう》撃戦略《げきせんりゃく》をもち、それを実行するなど、軍事的覇権主義に固執していることは、重大である。アメリカは、地球的規模で軍事基地をはりめぐらし、世界のどこにたいしても介入、攻撃する態勢《たいせい》を取り続けている。そこには、独占資本主義に特有の帝国主義的侵略性が、むきだしの形で現われている。これらの政策と行動は、諸国民の独立と自由の原則とも、国連憲章《こくれんけんしょう》の諸原則とも両立できない、あからさまな覇権主義、帝国主義の政策と行動である。

いま、アメリカ帝国主義は、世界の平和と安全、諸国民の主権と独立にとって最大の脅威となっている。

その覇権主義、帝国主義の政策と行動は、アメリカと他の独占資本主義諸国とのあいだにも矛盾や対立を引き起こしている。また、経済の「グローバル化」を名目《めいもく》に世界の各国をアメリカ中心の経済秩序に組み込もうとする経済的覇権主義も、世界の経済に重大な混乱をもたらしている。

軍事的覇権主義を本質としつつも、世界の構造変化のもとで、アメリカの行動に、国際問題を外交交渉によって解決するという側面が現われていることは、注目すべきである。

いくつかの大国で強まっている大国主義・覇権主義は、世界の平和と進歩への逆流となっている。アメリカと他の台頭する大国との覇権争いが激化し、世界と地域に新たな緊張をつくりだしていることは、重大である。

（一二）この情勢のなかで、いかなる覇権主義にも反対し、平和の国際秩序を守る闘争、核兵器の廃絶をめざす闘争、軍事同盟に反対する闘争、諸民族の自決権を徹底して尊重しその侵害を許さない闘争、民主主義と人権を擁護し発展させる闘争、各国の経済主権の尊重のうえに立った民主的な国際経済秩序を確立するための闘争、気候変動を抑制し地球環境を守る闘争が、いよいよ重大な意義をもってきている。

平和と進歩をめざす勢力が、それぞれの国でも、また国際的にも、正しい前進と連帯をはかることが重要である。

日本共産党は、労働者階級《ろうどうしゃかいきゅう》をはじめ、独立、平和、民主主義、社会進歩のためにたたかう世界のすべての人民と連帯し、人類の進歩のための闘争を支持する。

なかでも、国連憲章にもとづく平和の国際秩序か、独立と主権を侵害する覇権主義的な国際秩序かの選択が、問われている。日本共産党は、どんな国であれ覇権主義的な干渉、戦争、抑圧、支配を許さず、平和の国際秩序を築き、核兵器のない世界、軍事同盟のない世界を実現するための国際的連帯を、世界に広げるために力をつくす。

世界史の進行には、多くの波乱や曲折、ときには一時的な、あるいはかなり長期にわたる逆行もあるが、帝国主義・資本主義を乗り越え、社会主義に前進することは、大局的には歴史の不可避《ふかひ》的《てき》な発展方向である。

四、民主主義革命と民主連合政府

（一二）現在、日本社会が必要としている変革《へんかく》は、社会主義革《しゃかいしゅぎかく》命《めい》ではなく、異常な対米従属《たいべいじゅうぞく》と大企業・財界の横暴な支配の打《だ》破《は》――日本の真の独立の確保と政治・経済・社会の民主主義的《みんしゅしゅぎてき》な改革の実現を内容とする民主主義革命である。それらは、資本主《しほんしゅ》義《ぎ》の枠内《わくない》で可能な民主的改革であるが、日本の独占資本主義《どくせんしほんしゅぎ》と対米従属の体制を代表する勢力から、日本国民の利益を代表する勢力の手に国の権力を移すことによってこそ、その本格的な実現に進むことができる。この民主的改革を達成することは、当面する国民的な苦難《くなん》を解決し、国民大多数の根本的な利益にこたえる独立・民主・平和の日本に道を開くものである。

（一三）現在、日本社会が必要とする民主的改革の主要な内容は、次のとおりである。

〔国の独立・安全保障・外交の分野で〕

1　日米安保条約《にちべいあんぽじょうやく》を、条約第十条の手続き（アメリカ政府への通告）によって廃棄《はいき》し、アメリカ軍とその軍事基地を撤退させる。対等平等の立場にもとづく日米友好条約《にちべいゆうこうじょうやく》を結ぶ。

経済面でも、アメリカによる不当な介入を許さず、金融・為替《かわせ》・貿易を含むあらゆる分野で自主性を確立する。

2　主権回復後《しゅけんかいふくご》の日本は、いかなる軍事同盟《ぐんじどうめい》にも参加せず、すべての国と友好関係を結ぶ平和・中立・非同盟《ひどうめい》の道を進み、非同盟諸国会議に参加する。

3　自衛隊については、海外派兵立法をやめ、軍縮の措置《そち》をとる。安保条約廃棄後のアジア情勢の新しい展開を踏まえつつ、国民の合意での憲法《けんぽう》第九条の完全実施（自衛隊の解消《かいしょう》）に向かっての前進をはかる。

4　新しい日本は、次の基本点にたって、平和外交を展開する。

――日本が過去におこなった侵略《しんりゃく》戦争と植民地支配《しょくみんちしはい》の反省を踏まえ、アジア諸国との友好・交流を重視する。紛争の平和的解決を原則とした平和の地域協力《ちいききょうりょく》の枠組《わくぐ》みを北東アジアに築く。

――国連憲章《こくれんけんしょう》に規定された平和の国際秩序《こくさいちつじょ》を擁護《ようご》し、この秩序を侵犯《しんぱん》・破壊するいかなる覇権主義的《はけんしゅぎてき》な企《くわだ》てにも反対する。

――人類の死活にかかわる核戦争の防止と核兵器の廃絶《はいぜつ》、各国人民の民族自決権の擁護、全般的軍縮とすべての軍事同盟の解体、外国軍事基地の撤去をめざす。

――一般市民を犠牲《ぎせい》にする無差別テロにも報復《ほうふく》戦争にも反

対し、テロの根絶のための国際的な世論と共同行動を発展させる。

——日本の歴史的領土である千島列島《ちしまれっとう》と歯舞群島《はぼまいぐんとう》・色丹島《しこたんとう》の返還をめざす。

——多国籍企業《たこくせききぎょう》の無責任な活動を規制し、地球環境を保護するとともに、一部の大国の経済的覇権主義をおさえ、すべての国の経済主権の尊重および平等・公平を基礎とする民主的な国際経済秩序の確立をめざす。

——紛争の平和解決、災害、難民、貧困、飢餓《きが》などの人道問題にたいして、非軍事的な手段による国際的な支援活動を積極的におこなう。

——社会制度の異《こと》なる諸国の平和共存《へいわきょうぞん》および異なる価値観《かちかん》をもった諸文明間の対話と共存の関係の確立に力をつくす。

〔憲法と民主主義の分野で〕

1 現行憲法の前文をふくむ全条項《ぜんじょうこう》をまもり、とくに平和的民主的諸条項の完全実施をめざす。
2 国会を名実《めいじつ》ともに最高機関とする議会制民主主義の体制、反対党を含む複数政党制《ふくすうせいとうせい》、選挙で多数を得た政党または政党連合が政権を担当する政権交代制は、当然堅持《けんじ》する。
3 選挙制度、行政機構、司法制度などは、憲法の主権在民《しゅけんざいみん》と平和の精神にたって、改革を進める。
4 地方政治では「住民が主人公」を貫き、住民の利益への奉仕を最優先の課題とする地方自治を確立する。
5 国民の基本的人権を制限・抑圧《よくあつ》するあらゆる企てを排除し、社会的経済的諸条件の変化に対応する人権の充実をはかる。労働基本権を全面的に擁護する。企業の内部を含め、社会生活の各分野で、思想・信条の違いによる差別を一掃する。
6 ジェンダー平等社会をつくる。男女の平等、同権をあらゆる分野で擁護し、保障する。女性の独立した人格を尊重し、女性の社会的、法的な地位を高める。女性の社会的進出・貢《こう》献《けん》を妨げている障害を取り除く。性的指向《せいてきしこう》と性自認《せいじにん》を理由とする差別をなくす。
7 教育では、憲法の平和と民主主義の理念を生かした教育制度・行政の改革をおこない、各段階での教育諸条件の向上と教育内容の充実につとめる。
8 文化各分野の積極的な伝統を受けつぎ、科学、技術、文化、芸術、スポーツなどの多面的な発展をはかる。学問・研究と文化活動の自由をまもる。
9 信教の自由を擁護し、政教分離《せいきょうぶんり》の原則の徹底をはかる。
10 汚職・腐敗・利権の政治を根絶するために、企業・団体献金を禁止する。
11 天皇条項については、「国政に関する権能《けんのう》を有しない」などの制限規定の厳格《げんかく》な実施を重視し、天皇の政治利用をはじめ、憲法の条項と精神からの逸脱《いつだつ》を是正《ぜせい》する。
党は、一人の個人が世襲《せしゅう》で「国民統合」の象徴となるという現制度は、民主主義および人間の平等の原則と両立するものではなく、国民主権の原則の首尾《しゅび》一貫《いっかん》した展開のためには、民主共和制の政治体制の実現をはかるべきだとの立場に立つ。天皇の制度は憲法上の制度であり、その存廃《そんぱい》は、将来、情勢が熟したときに、国民の総意によって解決されるべきものである。

〔経済的民主主義の分野で〕

1 「ルールなき資本主義」の現状を打破し、労働者の長時間労働や一方的解雇《かいこ》の規制を含め、ヨーロッパの主要資本主義諸国や国際条約などの到達点も踏まえつつ、国民の生活と権利を守る「ルールある経済社会」をつくる。

2 大企業にたいする民主的規制を主な手段として、その横暴な経済支配をおさえる。民主的規制を通じて、労働者や消費者、中小企業と地域経済、環境にたいする社会的責任を大企業に果たさせ、国民の生活と権利を守るルールづくりを促進《そくしん》するとともに、つりあいのとれた経済の発展をはかる。経済活動や軍事基地などによる環境破壊と公害に反対し、自然保護と環境保全のための規制措置を強化する。

3 食料《しょくりょう》自給率《じきゅうりつ》の向上、安全・安心な食料の確保、国土の保全など多面的機能を重視し、農林水産政策の根本的な転換をはかる。国の産業政策のなかで、農業を基幹《きかん》的な生産部門として位置づける。

4 原子力発電所は廃止し、核燃料《かくねんりょう》サイクルから撤退し、「原発ゼロの日本」をつくる。気候変動《きこうへんどう》から人類の未来を守るため早期に「温室効果ガス排出量《はいしゅつりょう》実質ゼロ」を実現する。環境とエネルギー自給率の引き上げを重視し、再生可能エネルギーへの抜本的転換をはかる。

5 国民各層の生活を支える基本的制度として、社会保障制度の総合的な充実と確立をはかる。子どもの健康と福祉、子育ての援助のための社会施設と措置の確立を重視する。日本社会として、少子化傾向の克服に力をそそぐ。

6 国の予算で、むだな大型公共事業をはじめ、大企業・大銀行本位の支出や軍事費を優先させている現状をあらため、国民のくらしと社会保障に重点をおいた財政・経済の運営をめざす。大企業・大資産家《だいしさんか》優遇の税制をあらため、負担能力《ふたんのうりょく》に応じた負担という原則にたった税制と社会保障制度の確立をめざす。

7 すべての国ぐにとの平等・互恵《ごけい》の経済関係を促進し、南北問題や地球環境問題など、世界的規模の問題の解決への積極的な貢献をはかる。

（一四） 民主主義的な変革は、労働者、勤労市民、農漁民、中小企業家、知識人、女性、青年、学生など、独立、民主主義、平和、生活向上を求めるすべての人びとを結集した統一戦線《とういつせんせん》によって、実現される。統一戦線は、反動的《はんどうてき》党派とたたかいながら、民主的党派、各分野の諸団体、民主的な人びととの共同と団結をかためることによってつくりあげられ、成長・発展する。当面のさしせまった任務にもとづく共同と団結は、世界観や歴史観、宗教的信条の違いをこえて、推進されなければならない。

日本共産党は、国民的な共同と団結をめざすこの運動で、先頭にたって推進する役割を果たさなければならない。日本共産党が、高い政治的、理論的な力量と、労働者をはじめ国民諸階層と広く深く結びついた強大な組織力をもって発展することは、統一戦線の発展のための決定的な条件となる。

日本共産党と統一戦線の勢力が、積極的に国会の議席を占め、国会外の運動と結びついてたたかうことは、国民の要求の実現にとっても、また変革の事業の前進にとっても、重要である。

日本共産党と統一戦線の勢力が、国民多数の支持を得て、国会で安定した過半数を占めるならば、統一戦線の政府・民主連合政府をつくることができる。日本共産党は、「国民が主人公」を一貫した信条として活動してきた政党として、国会の多数の支持を得て民主連合政府をつくるために奮闘する。

統一戦線の発展の過程《かてい》では、民主的改革の内容の主要点のすべてではないが、いくつかの目標では一致し、その一致点にもとづく統一戦線の条件が生まれるという場合も起こりうる。党は、その場合でも、その共同が国民の利益にこたえ、現在の反動支配を打破してゆくのに役立つかぎり、さしあたって一致できる目標の範囲で統一戦線を形成し、統一戦線の政府をつくるために力をつくす。

また、全国各地で革新・民主の自治体を確立することは、その地方・地域の住民の要求実現の柱となると同時に、国政における民主的革新的な流れを前進させるうえでも、重要な力となる。

民主連合政府の樹立は、国民多数の支持にもとづき、独占資本主義と対米従属の体制を代表する支配勢力の妨害や抵抗を打ち破るたたかいを通じて達成できる。対日支配の存続に固執《こしつ》するアメリカの支配勢力の妨害の動きも、もちろん、軽視することはできない。

このたたかいは、政府の樹立をもって終わるものではない。引き続く前進のなかで、民主勢力の統一と国民的なたたかいを基礎に、統一戦線の政府が国の機構の全体を名実ともに掌握《しょうあく》し、行政の諸機構が新しい国民的な諸政策の担い手となることが、重要な意義をもってくる。

民主連合政府は、労働者、勤労市民、農漁民、中小企業家、知識人、女性、青年、学生など国民諸階層・諸団体の民主連合に基盤をおき、日本の真の独立の回復と民主主義的変革を実行することによって、日本の新しい進路を開く任務をもった政権である。

（一五）民主主義的変革によって独立・民主・平和の日本が実現することは、日本国民の歴史の根本的な転換点となる。日本は、アメリカへの事実上の従属国《じゅうぞくこく》の地位から抜け出し、日本国民は、真の主権を回復するとともに、国内的にも、はじめて国の主人公となる。民主的な改革によって、日本は、戦争や軍事的緊張の根源であることをやめ、アジアと世界の平和の強固な礎《いしずえ》の一つに変わり、日本国民の活力を生かした政治的・経済的・文化的な新しい発展の道がひらかれる。日本の進路の民主的、平和的な転換は、アジアにおける平和秩序の形成の上でも大きな役割を担い、二一世紀におけるアジアと世界の情勢の発展にとって、重大な転換点の一つとなりうるものである。

五、社会主義・共産主義の社会をめざして

（一六）日本の社会発展の次の段階では、資本主義《しほんしゅぎ》を乗り越え、社会主義《しゃかいしゅぎ》・共産主義《きょうさんしゅぎ》の社会への前進をはかる社会主義的変革《へんかく》が、課題となる。

社会主義的変革の中心は、主要な生産手段《せいさんしゅだん》の所有・管理・運営を社会の手に移す生産手段の社会化である。社会化の対象となるのは生産手段だけで、生活手段については、この社会の発展のあらゆる段階を通じて、私有財産が保障される。

生産手段の社会化は、人間による人間の搾取《さくしゅ》を廃止し、すべての人間の生活を向上させ、社会から貧困をなくすとともに、労働時間の抜本的な短縮を可能にし、社会のすべての構成員《こうせいいん》の人間的発達を保障する土台をつくりだす。

生産手段の社会化は、生産と経済の推進力《すいしんりょく》を資本の利潤《りじゅん》追求から社会および社会の構成員の物質的精神的な生活の発展に移し、経済の計画的な運営によって、くりかえしの不況を取り除き、環境破壊や社会的格差の拡大などへの有効な規制を可能にする。

生産手段の社会化は、経済を利潤第一主義の狭い枠組《わくぐ》みから解《かい》放《ほう》することによって、人間社会を支える物質的生産力の新たな飛躍的な発展の条件をつくりだす。

社会主義・共産主義の日本では、民主主義《みんしゅしゅぎ》と自由の成果をはじめ、資本主義時代の価値ある成果のすべてが、受けつがれ、いっそう発展させられる。「搾取の自由」は制限され、改革の前進のなかで廃止をめざす。搾取の廃止によって、人間が、ほんとうの意味で、社会の主人公となる道が開かれ、「国民が主人公」という民主主義の理念は、政治・経済・文化・社会の全体にわたって、社会的な現実となる。

さまざまな思想・信条の自由、反対政党を含む政治活動の自由は厳格《げんかく》に保障される。「社会主義」の名のもとに、特定の政党に「指導」政党としての特権を与えたり、特定の世界観を「国定《こくてい》の哲学《てつがく》」と意義づけたりすることは、日本における社会主義の道とは無縁であり、きびしくしりぞけられる。

社会主義・共産主義の社会がさらに高度な発展をとげ、搾取や抑圧《よくあつ》を知らない世代が多数を占めるようになったとき、原則としていっさいの強制のない、国家権力そのものが不必要になる社会、人間による人間の搾取もなく、抑圧も戦争もない、真に平等で自由な人間関係からなる共同社会《きょうどうしゃかい》への本格的な展望が開かれる。

人類は、こうして、本当の意味で人間的な生存と生活の諸条件

をかちとり、人類史の新しい発展段階に足を踏み出すことになる。

（一七）社会主義的変革は、短期間に一挙《いっきょ》におこなわれるものではなく、国民の合意のもと、一歩一歩の段階的な前進を必要とする長期の過程《かてい》である。

その出発点となるのは、社会主義・共産主義への前進を支持する国民多数の合意の形成であり、国会の安定した過半数を基礎として、社会主義をめざす権力がつくられることである。そのすべての段階で、国民の合意が前提となる。

日本共産党は、社会主義への前進の方向を支持するすべての党派や人びとと協力する統一戦線《とういつせんせん》政策を堅持《けんじ》し、勤労市民、農漁民、中小企業家にたいしては、その利益を尊重しつつ、社会の多数の人びとの納得《なっとく》と支持を基礎に、社会主義的改革の道を進むよう努力する。

日本における社会主義への道は、多くの新しい諸問題を、日本国民の英知《えいち》と創意《そうい》によって解決しながら進む新たな挑戦と開拓《かいたく》の過程となる。日本共産党は、そのなかで、次の諸点にとくに注意を向け、その立場をまもりぬく。

（1）生産手段の社会化は、その所有・管理・運営が、情勢と条件に応じて多様な形態をとりうるものであり、日本社会にふさわしい独自の形態の探究が重要であるが、生産者が主役という社会主義の原則を踏みはずしてはならない。「国有化《こくゆうか》」や「集団化《しゅうだんか》」の看板で、生産者を抑圧する官僚専制《かんりょうせんせい》の体制をつくりあげた旧ソ連の誤りは、絶対に再現させてはならない。

（2）市場経済を通じて社会主義に進むことは、日本の条件にかなった社会主義の法則的な発展方向である。社会主義的改革の推進にあたっては、計画性と市場経済とを結合させた弾力的で効率的な経済運営、農漁業・中小商工業など私的な発意《はつい》の尊重などの努力と探究が重要である。国民の消費生活を統制したり画一化《かくいっか》したりするいわゆる「統制経済《とうせいけいざい》」は、社会主義・共産主義の日本の経済生活では全面的に否定される。

（一八）これまでの世界では、資本主義時代の高度な経済的・社会的な達成を踏まえて、社会主義的変革に本格的に取り組んだ経験はなかった。発達した資本主義の国での社会主義・共産主義への前進をめざす取り組みは、二一世紀の新しい世界史的な課題である。

発達した資本主義国での社会主義的変革は、特別の困難性をもつとともに、豊かで壮大な可能性をもった事業である。この変革は、生産手段の社会化を土台に、資本主義のもとでつくりだされた高度な生産力、経済を社会的に規制・管理するしくみ、国民の生活と権利を守るルール、自由と民主主義の諸制度と国民のたたかいの歴史的経験、人間の豊かな個性などの成果を、継承し発展させることによって、実現される。発達した資本主義国での社会変革は、社会主義・共産主義への大道《だいどう》である。日本共産党が果たすべき役割は、世界的にもきわめて大きい。

日本共産党は、それぞれの段階で日本社会が必要とする変革の諸課題の遂行に努力をそそぎながら、二一世紀を、搾取も抑圧もない共同社会の建設に向かう人類史的な前進の世紀とすることをめざして、力をつくすものである。

第27回党大会 第8回中央委員会総会

綱領一部改定案についての提案報告

幹部会委員長 志位 和夫

2019年11月4日報告
2020年1月18日採択

目 次

中央役員のみなさん、インターネット中継をご覧の全国のみなさん、おはようございます。私は、幹部会を代表して、来年一月の第二八回党大会に提案する日本共産党綱領一部改定案についての提案報告を行います。綱領一部改定案は、文書で配布しておりますので、それを見ながらお聞きください。

二〇〇四年の第二三回党大会での綱領改定から十六年が経過しました。改定された綱領は、その後の内外情勢の進展のなかで、全体としてその生命力が鮮やかに実証されています。戦後かつてない新しい共闘の流れが始まり、いよいよ綱領が規定した民主的改革の課題を現実のものとしていく時代がやってきました。

今回の綱領一部改定は、綱領第三章・世界情勢論を中心に行い、それとの関係で第五章・未来社会論の一部を改定するものとします。なお、第四章・民主主義革命論についても、第三章の改定にともなって、必要最小限の改定を行うことにします。

一部改定案の基本的な考え方と、改定の主要な内容について

まず綱領一部改定案の基本的な考え方と、改定の主要な内容について報告します。

二〇世紀の人類史の変化の分析にたって、二一世紀の世界の発展的な展望をとらえる

二〇〇四年の綱領改定で、世界情勢論は全面的な改定が行われました。

一九六一年に決めた綱領の世界情勢論のベースになっていたのは、当時、国際的定説とされていた「二つの陣営」論という世界の見方でした。すなわち、一方の陣営は、アメリカを中心とした「帝国主義の陣営」であり、戦争と侵略の政策を展開している。他方の陣営は、「反帝国主義の陣営」であり、平和、独立、社会進歩のためにたたかっている。この「二つの陣営」の対決が世界情勢を決めていくという見方でした。

しかし、この世界論には大きな問題点がありました。その最大の問題点は、「反帝国主義の陣営」のなかにソ連覇権主義という巨悪が含まれていたことでした。それにくわえて、こうした図式的な二分法では、世界の生きた、豊かな、複雑な動きがとらえられないという問題点がありました。

日本共産党は、この図式から抜け出して、科学的社会主義の立場から世界をありのままにとらえる努力を一歩一歩積み重ねてきましたが、二〇〇四年に改定された綱領は、「二つの陣営」論を基本的に清算し、新しい世界情勢論を明らかにするものとなりました。その全体を貫く根本的立場は、二〇世紀に進行した人類史の巨大な変化の分析にたって、二一世紀の世界の発展的な

展望をとらえるというところにあります。

こうした綱領の世界情勢論の根本的立場は、その後の世界の激動のなかで大きな生命力を発揮しています。そこでのべられた多くの命題は今日も正確で有効であります。そうした根本的立場および諸命題は、一部改定案に引き継ぐとともに、さらに発展させることにしました。

同時に、この十六年間の国際情勢の進展とともに、見直しが求められる問題が生まれています。また、この間の国際情勢の進展のなかで、新しく綱領に盛り込むべき重要な動きも明瞭になってきています。

一部改定案は、今日も正確で有効な諸命題については最大限そのまま引き継ぎつつ、見直しが必要な部分について修正を行い、新しく盛り込むべき問題について補強を行うという考え方にたって作成しました。

主要な改定の三つの内容——世界情勢論の組み立ての一定の見直しも

その主要な改定の内容は、以下の三点であります。

第一に、綱領第七節で、二〇世紀に起こった世界の変化のなかでも、植民地体制の崩壊が「世界の構造変化」というべき最大の変化だったことを明記したうえで、新たに第九節を設け、この構造変化が「二一世紀の今日、平和と社会進歩を促進する生きた力を発揮しはじめている」ことを、核兵器廃絶にむけた新たな前進、平和の地域協力の流れの形成・発展、国際的な人権保障の新たな発展などの諸点で、具体的に明らかにしました。

第二に、現綱領第八節の「今日、重要なことは、資本主義から離脱したいくつかの国ぐにで、政治上・経済上の未解決の問題を残しながらも、『市場経済を通じて社会主義へ』という取り組みなど、社会主義をめざす新しい探究が開始され、人口が一三億を超える大きな地域での発展として、二一世紀の世界史の重要な流れの一つになろうとしている」との規定は、二〇〇四年の綱領改定時には合理的根拠のある規定でしたが、今日の中国の実態にてらして現実にあわなくなっており、これを削除することを提案しています。

この改定は、この部分の削除にとどまらず、二一世紀の世界をどう見るかの全体にかかわる重要な改定であり、綱領の世界情勢論の全体の組み立ての一定の見直しを求めるものとなりました。

第三に、第二の点ともかかわって、綱領第五章・未来社会論の最後の節——社会主義への発展の時代的・国際的条件をのべた第一七節——一部改定案では第一八節は、見直しを行いました。発達した資本主義国での社会変革が社会主義・共産主義への大道であること、そこには特別の困難性とともに、豊かで壮大な可能性があることをまとまってのべました。

以下、具体的に改定の内容について提案報告を行います。

綱領第七節「二〇世紀の世界的な変化と到達点」——二つの点を補強

まず綱領第三章の表題は、「世界情勢——二〇世紀から二一世紀へ」から、「二一世紀の世界」へと変更しました。

現綱領の第七節について報告します。この節は、「二〇世紀の世界的な変化と到達点」を主題とした節であります。二〇世紀に人類が努力と苦闘によって達成した「人類史の上でも画期をなす巨大な変化」について、植民地体制の崩壊、国民主権の民主主義の発展、平和の国際秩序の三つの角度から叙述しています。この節は、二一世紀の世界をとらえるさいの土台となるきわめて重要な節であり、一部改定案では現綱領の叙述をそのまま引き継ぎ、二つの点で補強を行いました。

人権の問題を補強——人権の擁護・発展は「国際的な課題となった」

第一は、二〇世紀に起こった世界的な変化の内容として、次のように人権の問題を補強したことであります。

「人権の問題では、自由権とともに、社会権の豊かな発展のもとで、国際的な人権保障の基準がつくられてきた。人権を擁護し発展させることは国際的な課題となっている」

二〇世紀は、人類社会がかちとった人権の流れが太く豊かに発展し、一九四五年の国連憲章、一九四八年の世界人権宣言、一九六六年の国際人権規約をはじめとする「国際的な人権保障」の仕組みがつくられたという点でも、画期的な進歩をなす世紀となりました。この立場から現綱領を補強しました。

ここで、一部改定案が「人権を擁護し発展させることは国際的な課題となっている」と規定づけていることに注目してほしいと思います。第二次世界大戦までの時期は、人権問題は、国内問題とされ、外国からの口出しは無用という問題として扱われてきました。しかし、日本でもドイツでも、ファシズムと軍国主義による人権の蹂躙《じゅうりん》が、未曽有《みぞう》の犠牲を生んだ第二次世界大戦への道を開いたという歴史の教訓を踏まえ、戦後、「国際的な人権保障」という考え方が登場しました。二一世紀の世界においては、人権を擁護し発展させることは、単なる国内問題でなく、「国際的な課題」となった——国際社会における各国の義務となったという規定は、実践的にも大きな意義をもつものであります。

植民地体制の崩壊を「世界の構造変化」と明記し、変化を立体的に把握できるように

第二は、二〇世紀に起こった世界的な変化のなかでも、植民地体制の崩壊のもつ意義を特記したことであります。

現綱領では、二〇世紀に起こった世界的な変化を、植民地体制の崩壊、国民主権の民主主義の発展、平和の国際秩序の三つの点から特徴づけています。そのどれもが人類史的意義をもつ偉大な変化ですが、この三つは並列のものではありません。三つのなかでも最大の変化は、植民地体制の崩壊によって、百を超える国ぐにが新たに政治的独立をかちとって主権国家になったことにありました。それは「世界の構造変化」とも呼ぶべき変化でした。

他の二つの変化は、それぞれの発展過程がありますが、それぞれが植民地体制の崩壊という「世界の構造変化」によって大きく促進されることになりました。そもそも植民地支配は、民主主義や人権と両立しえません。その崩壊は、民族自決権をあらゆる人権の土台として世界公認の原理におしだすとともに、世界の民主主義と人権の流れの豊かな発展をもたらしました。また、植民地体制の崩壊は、世界の力関係を大きく変え、一九八〇年代以降の時期に国連総会で大国の無法な侵略が次々と断罪されるようになるなど、国連憲章にもとづく平和の国際秩序を発展させるうえでも巨大な力を発揮しています。

以上を踏まえ、一部改定案では、第七節の結びに、「これらの巨大な変化のなかでも、植民地体制の崩壊は最大の変化であり、それは世界の構造を大きく変え、民主主義と人権、平和の国際秩序の発展を促進した」と明記しました。植民地体制の崩壊を「世界の構造を大きく変えた」――「世界の構造変化」と明記し、この変化を軸に、三つの変化を立体的に把握できるように、叙述を補強しました。

綱領第八節――「社会主義をめざす新しい探究が開始……」の削除を提案する

二〇〇四年の綱領改定における判断には合理的根拠があった

次に現綱領の第八節について報告します。

現綱領の第八節は、「社会主義の流れの総括と現状」を主題にした節ですが、大きな改定が必要になりました。

その最大の問題点は、現綱領が、中国、

ベトナム、キューバについて、「社会主義をめざす新しい探究が開始」され、「人口が一三億を超える大きな地域での発展として、二一世紀の世界史の重要な流れの一つとなろうとしている」と規定していることです。

〈判断の基準にした立場について〉

二〇〇四年の綱領改定のさい、わが党は、こうした評価を、私たち自身の自主的判断として行いました。その判断の基準としたのは次のような立場であります。二〇一四年の第二六回党大会への中央委員会報告を紹介したいと思います。

「私たちは、中国、ベトナムなどの現状を評価する場合に、何よりも重要になるのは、それぞれの国の指導勢力が社会主義の事業に対して真剣さ、誠実さをもっているかどうかにあると考えています。

ただし、私たちは、中国やベトナムの国のなかに住んでいるわけではありませんから、これらの国の指導勢力の真剣さや誠実さをはかる基準としては、対外的な関係――外部にあらわれた事実を評価するしかありません。つまり、私たちが対外的にこういう国ぐにの指導勢力と接して、私たち自身が判断するしかありません。あるいは、これらの国ぐにが現実にとっている対外路線を分析して判断するしかありません」

〈中国について綱領でのべている判断をもつにいたった経過〉

こうした基準にてらし、私たちが、二〇〇四年の綱領改定当時、「社会主義をめざす新しい探究が開始」されていると判断したことには、合理的根拠がありました。

中国についていえば、私たちが綱領でのべているような判断をもつにいたったのは、一九九八年の日中両共産党の関係正常化と、それ以降の数年間の一連の体験にもとづくものでした。とくに、九八年の関係正常化のさい、当時の中国指導部が、毛沢東時代の覇権主義的干渉の誤りを率直に認め、「真剣な総括と是正」を公式に表明したことは、「社会主義の事業に対する真剣さ、誠実さ」を強く感じさせる出来事でした。二〇〇三年のイラク戦争に反対を貫いたことも、中国に対する肯定的評価を形成する体験となりました。現綱領の規定は、そうした経験と認識にもとづくものでした。

は、節々で直接に伝えてきた〉

同時に、現綱領では、「社会主義をめざす新しい探究が開始」されたというのは、これらの国ぐにの方向性についての認識・判断であって、その国で起こっているすべてを肯定するものではないことを、「政治上・経済上の未解決の問題を残しながらも」というただし書きで明確にしています。また、わが党は、これらの国ぐにの将来について、楽観的、固定的に見ているわけではないことを、くりかえし表明してきました。わが党は、この立場から、中国に対しても、内政不干渉の原則を守りつつ、国際的な性格をもつ問題点については、節々でわが党の見解を直接に伝えてきました。

中国の国際政治における問題点――前大会での批判と、この三年間の動き

〈第二七回党大会で「新しい大国主義・覇権主義の誤り」を具体的に指摘〉

この数年来、中国の国際政治における動向に、綱領の認識にかかわるような、見過ごすことのできない問題点があらわれてきました。

二〇一七年一月に開催した第二七回党大会では、今日の中国に、「新しい大国主義・覇権主義の誤り」があらわれていることを、核兵器問題での深刻な変質、東シナ海と南シナ海での力による現状変更をめざす動き、国際会議の民主的運営をふみにじる覇権主義的なふるまい、日中両党で確認してきた原則に相いれない態度――の四点にわたって具体的に指摘しました。そして、こうした誤りが今後も続き、拡大するなら、「社会主義の道から決定的に踏み外す危険」が現実のものになりかねないことを警告するとともに、「誤りを真剣に是正し、国際社会の信頼をえる大道に立つことを求める」と表明しました。

〈この三年間、中国は問題点をいっそう深刻にする行動をとっている〉

前大会から三年間、中国は、残念ながら、これらの問題点を是正するどころか、いっそう深刻にする行動をとっていると判断せざるをえません。

――第一に、核兵器問題での変質がいっそう深刻になっています。

中国は、核兵器保有五大国（P5）の一員として核兵器禁止条約への敵対の立場をとってきました。中国は、昨年七月に、「P5プロセス」の調整役を引き受け、核兵器禁止条約反対・発効阻止の立場をとり、「核兵器のない世界」をめざす動きへの妨害者としての姿をあらわにしています。他の核保有大国と競争しつつ核兵器の近代化・増強を進めていることも重大であります。

――第二に、東シナ海と南シナ海での覇権主義的行動も深刻化しています。

中国公船による尖閣諸島の領海侵入、接続水域入域が激増・常態化しています。昨年（二〇一八年）、日中首脳が相互往来し、両国首脳が、日中関係について、「正常な発展の軌道に戻すことができた」と評価しました。にもかかわらずその後、領海侵犯、接続水域入域は、今年に入って大きく増えています。両国関係の「正常化」を喧《けん》伝《でん》しながら、領海侵犯を常態化させるというのは、きわめて不誠実な態度だといわなければなりません。中国側にどんな言い分があろうと、他国が実効支配している地域に対して、力によって現状変更を迫ることは、国連憲章および友好関係原則宣言などが定めた紛争の平和的解決の諸原則に反するものであり、強く抗議し、是正を求めるものであります。

南シナ海について、中国は、二〇一四年以降、大規模な人工島建設、爆撃機も離着陸できる滑走路、レーダー施設や長距離地対空ミサイルの格納庫、兵舎などの建設を進めてきました。中国政府は、当初は、「軍事化を進める意図はない」とのべていましたが、今では「防衛施設を配備するのは極めて正常であり、中国の主権の範囲内」と、公然と軍事拠点化を正当化し、軍事的支配を強化しています。二〇一六年、仲裁裁判所の裁定が、南シナ海水域におけ

る中国の権利主張を退け、力による現状変更を国際法違反と断じたにもかかわらず、これを一切無視して軍事化を進める傍若《ぼうじやく》無人《ぶじん》な態度は、国連憲章と国際法の普遍的に承認された原則にてらして許されるものではありません。

——第三に、国際会議の民主的運営をふみにじる横暴なふるまい、日中両党で確認された原則に背く行動についても、それを是正する態度はとられませんでした。第二七回党大会決議では、二〇一六年、マレーシアのクアラルンプールで開催されたアジア政党国際会議（ＩＣＡＰＰ）総会で、中国共産党代表団が、同会議の宣言起草委員会が全員一致で確認した内容——核兵器禁止条約の速やかな交渉開始の呼びかけ——を、最後になって一方的に覆すという覇権主義的ふるまいをとったこと、この問題をめぐるわが党代表団との協議のなかで「覇権主義」という悪罵を投げつける態度をとったことを厳しく批判しました。

前党大会直前の二〇一七年一月十二日、私は、中国共産党中央委員会の指示で党本部を訪れた程永華中国大使（当時）の求めで会談を行いました。この会談の内容について、多少ふみ込んで明らかにしておきたいと思います。会談のなかで、大使は、わが党の決議案がのべた「新しい大国主義・覇権主義」など中国に対する批判的内容の削除を求めました。私は、それをきっぱり拒否し、なぜわが党がそうした表明をするのかを全面的かつ詳細にのべ、中国側に誤りの是正を求めるとともに、わが党の立場を中国共産党指導部に伝えるよう要請しました。

さらに私は、会談のなかで、「中国共産党代表団がアジア政党国際会議でとったふるまいを、中国共産党中央委員会として是とするのか、非とするのか。本国に問い合わせ、回答を持ってきてほしい」と求めました。大使は「北京に報告する」と答えました。しかし、この三年間、中国共産党からは何らの回答もありませんでした。これらの経過にてらして、わが党は、クアラルンプールで中国共産党代表団がとった覇権主義的ふるまいの問題は、中国共産党中央委員会自身の問題だとみなさざるをえません。そこに、「社会主義の事業への誠実さ、真剣さ」を見いだすことはできません。

——第四に、これらの諸問題にくわえて、人権問題が深刻化しています。

香港で、今年六月に、自由と民主主義を求める、全体として平和的な大規模デモが起こった当初から、中国政府は「組織的暴動」と非難し、これへの抑圧的措置をとる香港政府に全面的な支持を与えてきました。警察による実弾発砲によって負傷者が出たさいにも、それを正当化する態度をとりました。深圳に武装警察部隊を展開させ、武力による威嚇を行いました。わが党は、デモ参加者が、いかなる形態であれ暴力をきびしく自制し、平和的方法で意見を表明することが大切だと考えます。同時に、表現の自由と平和的集会の権利は、国際的な人権保障の基準でも明確に認められている権利であり、香港政府による抑圧的措置、およびそれを全面的に支持し、武力による威嚇を行った中国政府の対応に反対します。「一国二制度」のもと、事態が平和的な話し合いで解決されることを強く望むものです。

さらに、最近、ウイグル自治区で、大規模な恣意《しい》的勾留、人権弾圧が中国当局によって行われていることを深く憂慮しています。国連の人種差別撤廃委員会は、昨年九月、中国に関する総括所見を発表し、多数のウイグル人やムスリム系住民が法的手続きなしに長期にわたって強制収容されて

「再教育」が行われていることなどについて、「切実な懸念」を表明しました。ウイグルにおける人権問題も重大な国際問題となっており、わが党は中国当局に対し人権抑圧の中止を強く求めるものです。

〈「社会主義をめざす新しい探究が開始」された国と判断する根拠は、もはやなくなった〉

以上のべた中国の行動は、どれも、社会主義の原則や理念と両立しえないものといわなければなりません。中国について、わが党が、「社会主義をめざす新しい探究が開始」された国と判断する根拠は、もはやなくなりました。

以上を踏まえて、綱領第八節の「今日、重要なことは、資本主義から離脱したいくつかの国ぐにで、……社会主義をめざす新しい探究が開始され、人口が一三億を超える大きな地域での発展として、二一世紀の世界史の重要な流れの一つとなろうとしていることである」との規定の全体を削除することを提案するものです。

ベトナムとキューバについて

ベトナムについては、わが党は、両党指導部間の交流を通じて、ベトナムが「政治上・経済上の未解決の問題」を抱えつつも、社会主義の事業に対して「真剣さ、誠実さ」をもってのぞんでいることを確認してきました。核兵器禁止条約など国際政治の中心課題でも協力してきました。ベトナムが取り組んでいるドイモイ（刷新）の事業の成功を願うものであります。

キューバについては、長年にわたる米国の敵視政策のもとで自主的な国づくりの努力を続けてきたこと、核兵器廃絶で積極的役割を果たしていることを評価しています。同時に、ベネズエラ問題で、民主主義と人権を破壊し独裁を強めるマドゥロ体制を支え、ラテンアメリカに分断を持ち込む役割を果たしていることを深く憂慮しています。

なお、「社会主義をめざす新たな探究の開始」が、「二一世紀の世界史の重要な流れの一つ」とはみなせなくなるもとで、今後は、個々の国についての体制的な判断・評価はせず、事実にそくしてありのままに見ていくことにします。

ソ連論は、二〇世紀論を補足するものとして位置づける

こうした改定にともなって、現綱領の第八節の綱領的位置づけを見直すことが必要になってきます。

〈「二つの体制が共存する時代」という特徴づけは成り立たなくなった〉

現綱領の第八節は、「資本主義が世界を支配する唯一の体制とされた時代」は、「過去のものとなった」として、二〇世紀を、「二つの体制が共存する時代」への移行・変化が起こった世紀としてとらえています。そして、こうした時代的な特徴は、ソ連・東欧での体制崩壊で終わったわけではなく、「二つの体制の共存」という点でも、新しい展開が見られるところに、二一世紀を迎えた世界情勢の重要な特徴があると強調しています。

しかし、「社会主義をめざす新しい探究

が開始」以下の規定を削除する立場にたつならば、当然、「二つの体制が共存する時代」という特徴づけは成り立たなくなります。そこで、綱領第八節冒頭の「資本主義が世界を支配する唯一の体制とされた時代」は「過去のものとなった」という規定は、削除することにします。

〈二〇世紀に起こった「世界の構造変化」との関係でソ連論を位置づけた〉

そうした認識の発展のもと、綱領第八節のソ連論をどうあつかうか。

現綱領のソ連論の叙述そのものは正確なものであり、一部改定案では、そのまま残すことにしました。旧ソ連社会に対する評価を抜きにして、二一世紀の世界の現状を的確に分析することも、社会主義・共産主義の未来の展望を語ることもできないからです。日本国民との関係でも、この問題での誤解を解き、わが党の先駆性を語ることは、引き続き重要な課題であります。

ただしその綱領的位置づけは、見直す必要があります。現綱領では、ソ連論に二一世紀における「社会主義をめざす新しい探究」につながる位置づけをあたえていますが、こうした位置づけが成り立たなくなるもとで、一部改定案では、二〇世紀に起こった「世界の構造変化」との関係でソ連論を位置づけることにしました。

こうした観点から、一部改定案では、ロシア革命の世界史的意義として、「とりわけ民族自決権の完全な承認を対外政策の根本にすえたことは、世界の植民地体制の崩壊を促すものとなった」という補強を行いました。さらに、ソ連の崩壊がもたらした新たな可能性について、「世界の平和と社会進歩の流れを発展させる新たな契機となった」という補強を行いました。

こうして一部改定案においては、綱領第八節――ロシア十月革命から始まる資本主義から離脱した国ぐにの動きは、第七節でのべられている「二〇世紀の世界的な変化と到達点」を補足する節として、すなわち二〇世紀論の一部として位置づけることにしたいと思います。

以上が綱領第八節に関する改定の提案であります。

綱領第九節――「世界の構造変化」が生きた力を発揮しはじめている

二一世紀の世界の発展的な展望を、二つの角度からとらえる

それでは二一世紀の世界をどうとらえるか。一部改定案では、「二〇世紀に起こった世界の構造変化」という土台のうえに、二一世紀の世界の発展的な展望を、次の二つの角度からありのままにとらえるという整理を行いました。

第一は、「世界の構造変化」が、平和と社会進歩を促進する生きた力を発揮しはじめているという角度であります。その叙述のために新しく第九節をもうけました。

第二は、世界資本主義の諸矛盾から、世界をとらえるという角度であります。現綱領の第九節の内容をもとに、一部改定案では第一〇節でこの角度からの分析を行いました。

一握りの大国から、世界のすべての国ぐにと市民社会に、国際政治の主役が交代した

まず綱領の第九節について報告します。

この節は、「世界の構造変化と二一世紀の世界の新しい特徴」を主題に、新たにもうけたものです。

〈世界の構造変化」が世界史の本流としての力を発揮しはじめた〉

この節の冒頭では、次のようにのべています。

「植民地体制の崩壊と百を超える主権国家の誕生という、二〇世紀に起こった世界の構造変化は、二一世紀の今日、平和と社会進歩を促進する生きた力を発揮しはじめている」

この特徴づけは、二一世紀の今日の特徴づけとして、二〇一四年一月に開催した第二六回党大会決定でのべ、その後の党の決定でもくりかえし確認してきたものです。

「世界の構造変化」そのものは二〇世紀に起こったものであり、二〇世紀の進行それ自体に大きな影響を及ぼしましたが、二一世紀の今日になって、いよいよ世界史の本流としての力を発揮しはじめた――そういう意味合いをこめた特徴づけですが、それを綱領に明記することにしたいと思います。

〈二一世紀の新しい特徴――諸政府とともに市民社会が大きな役割〉

続くパラグラフでは、次のようにのべています。

「一握りの大国が世界政治を思いのまま動かしていた時代は終わり、世界のすべての国ぐにが、対等・平等の資格で、世界政治の主人公になる新しい時代が開かれつつある。諸政府とともに市民社会が、国際政治の構成員として大きな役割を果たしていることは、新しい特徴である」

このパラグラフは、「二一世紀とはどんな時代か」について、総論をのべています。

「世界のすべての国ぐにが、対等・平等の資格で、世界政治の主人公になる新しい時代」という特徴づけは、国際情勢の分析にとどまらず、日本共産党が野党外交で世界に働きかけてきた強い実感に裏付けられたものであります。わが党は、日本の平和団体とともに、二〇一〇年のNPT（核不拡散条約）再検討会議、二〇一七年の核兵器禁止条約の国連会議などに代表団を派遣し、会議の成功のために活動しましたが、それらの国際会議で会議運営の要《かなめ》の職につき、生き生きと主役を演じていたのは、途上国や新興国、非同盟諸国の代表だったことが、実に印象的でした。

一部改定案が、「諸政府とともに市民社会が、国際政治の構成員として大きな役割を果たしている」ことを、二一世紀の新しい特徴とのべていることに、注目してほしいと思います。もともと国連は、その憲章のなかで非政府組織の役割を認めています

が、国際会議への市民の参加が飛躍的に拡大していったのは一九九〇年代以降であります。環境、人権、開発、女性問題などをテーマとした国連主催の世界会議に市民社会代表が参加し、大きな役割を発揮するようになりました。核兵器問題など、安全保障、平和と軍縮の分野でも被爆者を先頭に市民社会代表が重要な役割を発揮するようになりました。その背景には、とくにソ連崩壊後、国際政治で積極的役割を発揮するようになった非同盟運動を構成する途上国のイニシアチブがありました。「世界の構造変化」は、非同盟運動の台頭をもたらすとともに、市民社会が国際政治の構成員として、大きな役割を発揮する状況を生みだしたのであります。

一握りの大国から、世界のすべての国ぐにと市民社会に、国際政治の主役が交代した――ここに二一世紀の世界の希望ある新しい特徴があることを強調したいと思います。

核兵器禁止条約――国際政治の主役交代を象徴的に示す歴史的出来事に

一部改定案では、続いて、「二〇世紀の世界の構造変化」のもとで二一世紀に起こった前向きの変化について、核兵器問題、平和の地域協力の流れ、国際的な人権保障の三つの具体的問題について、明らかにしています。

〈その画期的意義を戦後の核兵器問題の国際交渉の歴史のなかでとらえる〉

核兵器問題について、一部改定案では次のようにのべています。

「『ノー・モア・ヒロシマ、ナガサキ（広島・長崎をくりかえすな）』という被爆者の声、核兵器廃絶を求める世界と日本の声は、国際政治を大きく動かし、人類史上初めて核兵器を違法化する核兵器禁止条約が成立した。核兵器を軍事戦略の柱にすえて独占体制を強化し続ける核兵器固執勢力のたくらみは根づよいが、この逆流は、『核兵器のない世界』をめざす諸政府、市民社会によって、追い詰められ、孤立しつつある」

二〇一七年七月に国連で圧倒的多数の賛成で採択された核兵器禁止条約は、「世界の構造変化」のもとで、一握りの大国から、世界の多数の国ぐにと市民社会に、国際政治の主役が交代したことを、最も象徴的に示す歴史的出来事となりました。その画期的意義を、戦後の核兵器問題の国際交渉の歴史のなかでとらえることが重要であります。

〈核保有大国を主役とする交渉は、矛盾と破綻に直面した〉

戦後、核兵器問題の交渉の主役の座は、長い間、米ソを中心とする核保有大国が独占し、その内容は核兵器廃絶ではなく、核軍備競争のルールをつくることでした。その最悪の例は、一九六三年の部分的核実験停止条約――地下核実験を合法化する条約であり、この条約のもとで核軍拡競争が加速していきました。

一九六八年に締結されたNPTも、五大国だけに核兵器保有の権利を認めるという前例のない差別的で不平等な条約でした。それでも国際社会がこの条約を受け入れたのは、NPT第六条で、核保有国が核軍備撤廃の義務を負うことを約束したからでした。

しかし、核保有国はこの約束を裏切り続け、核軍拡競争は一九八〇年代中頃にはピークを迎え、一時は六万発をこえる核兵器が世界に蓄積されるところまで危機が深刻になりました。他方、新たな核保有国が次々と生まれ、核不拡散＝核独占体制そのものが矛盾と破綻に直面しました。

〈核兵器交渉の「主役交代」――逆流は「追い詰められ、孤立しつつある」〉

こうしたもと一九九〇年代後半から、ＮＰＴ第六条を生かして「核兵器のない世界」に進もうという国際的機運が大きく広がります。そこで核兵器交渉の主役に躍り出てきたのが、アジア・アフリカ・ラテンアメリカの途上国を中心とする非同盟諸国でした。途上国・新興国・先進国からなる「新アジェンダ連合」も積極的役割を果たしました。そして、この時期に、核兵器交渉のもう一つの主役として、被爆者を先頭とする市民社会の存在と役割が飛躍的に拡大し、諸国政府との共同が発展しました。一握りの核保有大国から、世界の多数の国ぐにと市民社会へと、「主役交代」が起こったのであります。

その最初の大きな成果が、二〇〇〇年のＮＰＴ再検討会議で、核保有国に「自国核兵器の完全廃絶」を約束させた最終文書を採択したことでした。さらに二〇一〇年のＮＰＴ再検討会議では、「核兵器のない世界」を達成し維持するための「必要な枠組み」を確立するための「特別な取り組み」を行うことを最終文書にもりこみ、核兵器禁止条約への道を開く大きな成果を得ました。二〇一七年の核兵器禁止条約の成立は、こうした世界史的流れが生みだした画期的成果にほかなりません。

核兵器禁止条約は、核保有大国の圧力や妨害にもかかわらず、発効に必要な五〇カ国の半分を超える三三カ国が批准し、発効は時間の問題となっています。一部改定案がのべているように、核兵器固執勢力のたくらみは根づよいが、世界史の大局でみるならば、この逆流は、「追い詰められ、孤立しつつある」。ここに確信をもち、国内外の連帯を強め、「核兵器のない世界」を実現するために力をつくそうではありませんか。

平和の地域協力の流れ――東南アジアとラテンアメリカ

〈この流れが形成された根底にも、「世界の構造変化」がある〉

一部改定案では、続いて、平和の地域協力の流れについて次のようにのべています。

「東南アジアやラテンアメリカで、平和の地域協力の流れが形成され、困難や曲折をへながらも発展している。これらの地域が、紛争の平和的解決をはかり、大国の支配に反対して自主性を貫き、非核地帯条約を結び核兵器廃絶の世界的な源泉になっていることは、注目される。とくに、東南アジア諸国連合（ＡＳＥＡＮ）が、紛争の平和的解決を掲げた条約を土台に、平和の地域共同体をつくりあげ、この流れをアジア・太平洋地域に広げていることは、世界の平和秩序への貢献となっている」

こうした流れが形成された根底にも、「世界の構造変化」があります。

東南アジアは、第二次世界大戦までは、そのほとんどが植民地支配のもとに置かれましたが、戦後、次々と独立をかちとり、植民地体制の世界的崩壊の先陣を切りました。しかし、戦後も、この地域には大国による「分断と敵対」がもちこまれました。「分断と敵対」に覆われていたこの地域を、「平和と協力」の地域へと変貌させる一大契機となったのが、一九六七年に設立された東南アジア諸国連合（ＡＳＥＡＮ）でした。

ラテンアメリカの国ぐには、二〇世紀の初頭は、多くの国ぐにが形式的には独立しつつも、実質的には従属国の地位に置かれていました。第二次世界大戦後も、「米国の裏庭」と呼ばれたように、米国の強い従属下に置かれ、無法な介入・侵略がくりかえされました。しかし、二〇世紀の終わりから二一世紀にかけて、多くの国ぐにで軍事独裁政権が倒されて民主主義の覚醒がもたらされるとともに、「米国の裏庭」とされてきた地域は、米国から自立した地域へと変わりました。対米自立と平和の流れが広がるもと、二〇一一年、中南米カリブ海諸国共同体（ＣＥＬＡＣ）が設立されました。

一部改定案がのべているように、この二つの地域が、紛争の平和的解決、大国支配に対する自主性、核兵器廃絶などを共通の特徴とする、平和の地域協力の流れをつくりだしていることは、注目されます。

〈二つの地域の平和への動きは、発展の度合いを異にしている〉

同時に、この二つの地域の平和への動きは、発展の度合いを異にしていることも、指摘しておかなければなりません。

東南アジア諸国連合（ＡＳＥＡＮ）は、結成から半世紀を超え、紛争の平和的解決を掲げた東南アジア友好協力条約（ＴＡＣ）を土台として、重層的な平和と安全保障の仕組みをつくりあげ、それを域外に広げつつ、その強化・発展をはかってきています。大国の介入によって加盟国に分断をもたらす動きもありますが、忍耐力と柔軟性を発揮して、団結と自主性を守ってきています。とくに、二〇一九年六月のＡＳＥＡＮ首脳会議で、「ＡＳＥＡＮインド太平洋構想」が採択されたことは注目されます。同構想は、ＴＡＣをインド太平洋での友好協力においても外交指針とし、広大なインド太平洋を「対抗でなく対話と協力の地域」にしようという壮大な提唱であります。こうしたＡＳＥＡＮの努力は、一部改定案がのべているように「世界の平和秩序への貢献」であり、わが党はこれを強く支持し、連帯を表明するものであります。

ラテンアメリカでは、この数年間に顕在化したベネズエラ危機が、この地域全体に分断をもたらし、ＣＥＬＡＣは事実上の機能停止に陥っています。その前途には大きな困難と曲折が予想されますが、「米国の裏庭」から自主的な国づくりへの転換という歴史的発展を逆行させることは誰にもできません。また、この大陸で生まれた世界で最初の非核地帯条約であるトラテロルコ条約を履行するための機構――中南米カリブ海核兵器禁止機構（ＯＰＡＮＡＬ）は、核兵器禁止条約の国連会議の直前に条約採択に向けた特別会合を開催するなど、核兵器廃絶のうえで重要な国際的役割を果たしています。わが党は、この大陸で生まれた平和の地域協力の流れが、ベネズエラ危機をのりこえて発展することを、心から願うものであります。

平和の地域協力の枠組みを構築することは、日本の平和と安定にとっても緊急の課題となっています。わが党は、東南アジア諸国連合（ＡＳＥＡＮ）がつくりだした平和の地域協力の枠組みを、北東アジアにも広げるために力をつくすものです。

国際的な人権保障の新たな発展、ジェンダー平等を求める国際的潮流

一部改定案では、続いて、国際的な人権保障について次のようにのべています。

「二〇世紀中頃につくられた国際的な人権保障の基準を土台に、女性、子ども、障害者、少数者、移住労働者、その他の弱い立場にある人びとへの差別をなくし、その尊厳を保障する国際規範が発展している。ジェンダー平等を求める国際的潮流が大きく発展し、経済的・社会的差別をなくすこととともに、女性にたいするあらゆる形態の暴力を撤廃することが国際社会の課題となっている」

〈「世界の構造変化」と、人権保障の豊かな発展〉

ここで一部改定案がのべている「弱い立場にある人びとへの差別をなくし、その尊厳を保障する国際規範」とは、一九七九年の女性差別撤廃条約、八九年の子どもの権利条約、九〇年の移住労働者権利条約、九二年の「少数者の権利宣言」、二〇〇六年の障害者権利条約、〇七年の「先住民の権利宣言」など、二〇世紀末から二一世紀にかけて実現した一連の国際条約・宣言のことであります。

これらの人権保障の豊かな発展をかちとった力は、全世界の草の根からの運動にありますが、植民地支配の崩壊という「世界の構造変化」は、国際的な人権保障の発展にも大きな積極的影響をおよぼしました。途上国が国際社会の不可欠の構成員としての地位を占めるようになるもとで、途上国の人権問題――貧困、差別、暴力などの問題に光があたるようになり、そのことが先進国も含めた世界全体の新しい人権保障の発展を促す――こうしたダイナミックな過程が進んでいます。

〈ジェンダー平等を求める国際的潮流の発展について〉

ジェンダー平等を求める国際的潮流の発展も、こうした「世界の構造変化」のなかに位置づけることができます。

国連の発足当初における女性問題の取り組みは、先進国の要求を反映して、政治、教育、職業、家族関係などにおける女性差別の廃止――「平等」を目標にしていました。植民地体制が崩壊して途上国が国連の構成員になるもとで、「貧困からの解放＝開発なくして女性の地位向上はない」――「開発」という主張が広がりました。先進国と途上国のこれらの要求は統合され、豊かなものとなっていきました。

こうしたもと、一九七九年に女性差別撤廃条約が成立します。「世界の女性の憲法」と呼ばれるこの画期的条約の具体化と実践は、世界の草の根のたたかいを背景に発展していきます。差別には「直接差別」だけでなく、一見中立のように見えるが女性に不利に働く「間接差別」や、より弱い立場の女性などに対する「複合差別」があることが共通の認識になり、その是正の措置をとることが求められるようになっていきました。女性に対する暴力が、実質的な男女の平等を阻んでいる大きな原因であるとの認識が広がり、一九九三年の国連総会で「女性に対する暴力撤廃宣言」が全会一致で採択されました。

ジェンダー（社会的・文化的性差）平等という概念は、こうした人権の豊かで多面的な発展のなかから生まれたものであります。国連では、一九九五年、北京で開かれた第四回世界女性会議の行動綱領で、「ジェンダー平等」「ジェンダーの視点」などを掲げたことが大きな契機となり、二〇〇〇年に開催された国連ミレニアム総会で確認された「ミレニアム開発目標」の一つにジェンダー平等と女性の地位向上の促進が掲げられました。二〇一五年、「ミレニアム開発目標」の後継として採択された「持続可能な開発目標」でも、ジェンダー平等は目標の一つに掲げられ、すべての目標に「ジェンダーの視点」がすえられました。

世界でも日本でも、「#MeToo（ミー・トゥー）」、「#WithYou（ウィズ・ユー）」などを合言葉に、性暴力をなくし、性の多様性を認め合い、性的指向と性自認を理由とする差別をなくし、誰もが尊厳を持って生きることができる社会を求める運動が広がっていることは、人類の歴史的進歩を象徴する希望ある出来事であります。

こうして二一世紀は、国際的人権保障という点でも、豊かな発展が開花する時代となっています。すべての個人が尊厳を持って生きることのできる日本と世界をつくるために、力をつくそうではありませんか。

綱領第一〇節――世界資本主義の諸矛盾から、二一世紀の世界をとらえる

次に綱領の第一〇節について報告します。

この節は、世界資本主義の諸矛盾から、二一世紀をとらえることを主題としています。一部改定案の第一〇節は、現綱領の第九節の内容を基本的に生かし、必要な修正・補強を行いました。

世界資本主義の諸矛盾――貧富の格差の拡大、地球的規模での気候変動について

〈資本主義の諸矛盾、二つの世界的な大問題を特記〉

この節の冒頭は、「巨大に発達した生産力を制御できないという資本主義の矛盾」の七つのあらわれについてのべています。「広範な人民諸階層の状態の悪化、貧富の格差の拡大、くりかえす不況と大量失業、国境を越えた金融投機の横行、環境条件の地球的規模での破壊、植民地支配の負の遺産の重大さ、アジア・中東・アフリカ・ラテンアメリカの国ぐにでの貧困」の

七つであります。この七つは、その一つひとつが利潤第一主義の体制が生みだしている深刻な矛盾であり、人類がこの体制をのりこえて社会主義にすすむ必然性を示すものとなっています。

一部改定案のこの叙述は、現綱領の規定を引き継いだものとなっています。一カ所だけ、世界の貧困の記述について、絶対的貧困については、サハラ以南のアフリカなど一部地域を除いて削減されているという事実を踏まえて、修正を行いました。

そのうえで、一部改定案は、これらの諸矛盾のなかでも世界的に大問題となっている二つの問題を次のように特記しました。

「貧富の格差の世界的規模での空前の拡大、地球的規模でさまざまな災厄をもたらしつつある気候変動は、資本主義体制が二一世紀に生き残る資格を問う問題となっており、その是正・抑制を求める諸国民のたたかいは、人類の未来にとって死活的意義をもつ」

〈貧富の格差――世界的規模でも、発達した資本主義国の内部でも拡大の一途〉

貧富の格差が、世界的規模でも、発達した資本主義国の内部でも、拡大の一途をたどっています。

グローバルな金融取引が拡大する中で、一部の大資産家に空前の富が集中しています。アメリカの『フォーブス』誌は、一九八七年以来、毎年、「世界のビリオネア」――一〇億ドル以上の資産保有者リストを発表していますが、八七年には「ビリオネア」は世界全体で一四〇人、資産総額は二九五〇億ドルだったのが、二〇一九年には「ビリオネア」は世界全体で二一五三人、資産総額は八・七兆ドルと、三十二年間で実に二十九倍にも膨れ上がっています。八・七兆ドルという額は、アフリカのGDPの実に四年分に匹敵します。世界的規模での格差拡大が目のくらむような規模で進んでいるのです。

発達した資本主義国の内部でも格差は拡大し続けています。OECD（経済協力開発機構）が二〇一四年十二月に発表したリポートは、「大半のOECD諸国では、過去三十年間で富裕層と貧困層の格差が最大になった」とのべました。OECD諸国には、わが党がめざす「ルールある経済社会」に近い到達点をもつ国ぐにもありますが、そういう国ぐにも含めて、ほぼ例外なく格差が拡大し、現代の資本主義社会は、貧富の格差が史上最悪となっているのであります。

マルクスは、『資本論』で、資本の蓄積が進むと、一方に「富の蓄積」、他方に「貧困の蓄積」が進むことを指摘し、「資本主義的蓄積の一般的法則」と呼びましたが、世界の資本主義の現実は、この法則が働いていることを証明しています。

〈気候変動――資本主義というシステムの根本からの変革が問われる〉

地球的規模での気候変動もきわめて深刻であります。

今年九月の「国連気候行動サミット」で、十六歳のスウェーデンの環境活動家グレタ・トゥンベリさんが「人びとは苦しみ、死にかけ、生態系全体が崩壊しかけている」と世界に訴えたことは、大きな反響を呼びました。

二〇一五年に採択された「パリ協定」は、世界の平均気温上昇を産業革命前と比較して二度より十分低く抑え、一・五度に抑制する努力目標を設定し、そのために二一世紀後半までに人間活動による温室効果ガスの排出量を実質的にゼロにする方向性を打ち出しました。一・五度の上昇であっても、深刻な熱波、嵐、水不足、山林火災、食料生産の不安定化などが生じるとされていますが、現在提出されている各国の目標の合計では、二一世紀末には約三度の気温上昇が起こると予測され、そうなった場合の破壊的影響ははかりしれないものがあります。

地球的規模の気候変動に対しては、資本主義の枠内でもその抑制のための緊急で最大の取り組みが強く求められていますが、かりに抑制ができないとなれば、資本主義というシステムそのものを根本から変革することが求められるでしょう。資本主義という制度は、新しい制度へとその席を譲らなければならなくなるでしょう。

こうした意味で、一部改定案では、貧富の格差、気候変動という二大問題について、「資本主義体制が二一世紀に生き残る資格を問う問題」と位置づけました。そして世界各国でこの人類的問題を打開しようという運動が起こっていることを踏まえて、そうした運動への連帯の気持ちを込めて、「その是正・抑制を求める諸国民のたたかいは、人類の未来にとって死活的意義をもつ」と強調しました。

アメリカ帝国主義、いくつかの大国で強まっている大国主義・覇権主義

続いて一部改定案では、資本主義世界の政治的諸矛盾についてのべています。現綱領では、この問題の冒頭に核兵器問題をあげていますが、この問題は第九節に移し、前向きの変化に重点をおいた記述としました。緊張を激化させ、平和を脅かす諸要因として、この間、世界における重大な逆流となっている「国際テロリズムの横行、排外主義の台頭」を補足しました。

〈アメリカの帝国主義的侵略性について〉

一部改定案では、帝国主義と覇権主義について、現綱領の到達点を踏まえつつ、必要な補強を行いました。

二〇〇四年の綱領改定では、帝国主義について重要な理論的発展を行いました。植民地体制が崩壊し、植民地支配を許さない国際秩序がつくられた今日においては、「ある国を帝国主義と呼ぶときには、その国が独占資本主義の国だということを根拠にするのではなく、その国が現実にとっている政策と行動の内容を根拠にすべきであり、とくに、その国の政策と行動に侵略性が体系的に現れているときに、その国を帝国主義と呼ぶ」という立場を表明し、「現在アメリカがとっている世界政策は、まぎれもなく帝国主義」（第二二回党大会第七回中央委員会総会）だということを明らかにしました。

こうしたアメリカ帝国主義の規定づけは、現在も的確であります。同時に、現綱領の記述には、「新しい植民地主義」、「『世界の警察官』と自認」、「世界の唯一の超大国」など、現状にあわなくなっている要素もあります。

一部改定案では、それらの要素を削除し、アメリカの帝国主義的侵略性を、①「国連をも無視して他国にたいする先制攻撃戦略をもち、それを実行するなど、軍事的覇権主義に固執している」こと、②「地球的規模で軍事基地をはりめぐらし、世界のどこにたいしても介入、攻撃する態勢を取り続けている」ことの二つの点で特徴づ

けました。二つ目の点についていえば、アメリカは、国防総省の公表資料でも――実際にはもっと多いと言われておりますが――、世界の四五の国に、五一四カ所もの外国軍事基地をもち、常時介入・攻撃態勢をとっていますが、このような国は世界にアメリカ一国しか存在しません。

「いま、アメリカ帝国主義は、世界の平和と安全、諸国民の主権と独立にとって最大の脅威となっている」

この綱領の命題は、今日においても強調されなければなりません。

〈「世界の構造変化」をふまえた弾力的なアメリカ論を明記〉

そのうえで、一部改定案では、次のように補足しました。

「軍事的覇権主義を本質としつつも、世界の構造変化のもとで、アメリカの行動に、国際問題を外交交渉によって解決するという側面が現われていることは、注目すべきである」

わが党は、この間の大会決定で、「世界の構造変化」のもと、アメリカの動向を「いつでもどこでも覇権主義・帝国主義の政策と行動をとる」という捉え方でなく、時と場所によっては、外交交渉による解決を模索する側面もあらわれうるという、複眼の捉え方の重要性を強調してきました。

この立場から、ブッシュ（息子）政権二期目の対朝鮮半島政策、オバマ政権初期の核兵器政策、トランプ政権の対朝鮮半島政策など、米国に前向きの動きがあらわれた時には評価し、それを促す対応をしてきました。こうした弾力的なアメリカ論は大きな生命力を発揮してきており、この立場を一部改定案に明記しました。

そのさい、一部改定案が、「軍事的覇権主義を本質としつつも」と強調していることに注目してほしいと思います。あくまでも本質は軍事的覇権主義にあるが、国際世論の圧力をうけて外交交渉による解決もあらわれうるという捉え方が大切であります。

〈いくつかの大国で強まっている大国主義・覇権主義について〉

さらに、一部改定案では、次のように補足しました。

「いくつかの大国で強まっている大国主義・覇権主義は、世界の平和と進歩への逆流となっている。アメリカと他の台頭する大国との覇権争いが激化し、世界と地域に新たな緊張をつくりだしていることは、重大である」

ここでいう「いくつかの大国」で、主として念頭に置いているのは、中国、ロシアであります。中国、ロシアに現れた大国主義・覇権主義、米中、米ロの覇権争いとその有害な影響という角度も、綱領の世界論の視野に入れておく必要があります。

米中の対立は、かつての米ソ対決と異なり、資本主義的世界市場のなかで、経済的には相互依存を深めるもとでの、覇権争いと捉えられるべき性格の問題であります。同時に、この対立が、軍事的対立にも及び、軍事衝突の危険もはらむ事態も生まれていることへの警戒が必要となっています。

綱領第一一節――国際連帯の諸課題――どんな国であれ覇権主義を許さない

綱領第一一節は、国際連帯の諸課題を主題としています。

現綱領の記述にくわえて、「民主主義と人権を擁護し発展させる闘争」、「気候変動を抑制し地球環境を守る闘争」を、新たな課題として綱領上も位置づけました。

変更をくわえた点は、「二つの国際秩序の選択」についての叙述であります。

現綱領には、「国連憲章にもとづく平和の国際秩序か、アメリカが横暴をほしいままにする干渉と侵略、戦争と抑圧の国際秩序かの選択が、いま問われていることは、重大である」という特徴づけがあります。

これは二〇〇〇年に開かれた第二二回党大会で、当時、アメリカがアジアでもヨーロッパでも軍事同盟を侵略的に強化し、国連憲章にそむく戦争体制の準備を具体化するもとで、提起した課題でした。その後の二〇〇三年のイラク戦争をめぐる事態の流れのなかで、この課題は、文字通り国際政治の中心課題として浮き彫りになり、それを綱領改定のさいに明記しました。

しかし、この特徴づけは見直す必要があります。今日の世界で、アメリカの軍事的覇権主義が突出した危険をもっていることは疑いありませんが、中国、ロシアによる覇権主義も台頭し、それぞれが自らの「覇権主義的な国際秩序」の押しつけをはかっているからであります。

そこで、一部改定案では、この特徴づけを、「国連憲章にもとづく平和の国際秩序か、独立と主権を侵害する覇権主義的な国際秩序かの選択が、問われている」という、より包括的な規定にあらためました。

そして、「どんな国であれ覇権主義的な干渉、戦争、抑圧、支配を許さず、平和の国際秩序を築く」という命題を強く押し出しました。

日本共産党は、相手がアメリカであれ、旧ソ連であれ、中国であれ、あらゆる覇権主義と正面からたたかい続けてきた自主独立の党であります。一部改定案のこの命題は、そうした党の綱領ならではの重みがある命題であることを、強調したいと思います。

綱領第四章――第三章の改定にともなって必要最小限の改定を行う

次に綱領第四章「民主主義革命と民主連合政府」について報告します。

一部改定案では、第三章の改定にともなって、次の諸点について、最小限の改定を行うことを提案しています。どれも現綱領の第一二節――一部改定案の第一三節「現在、日本社会が必要とする民主的改革の主要な内容」にかかわる改定であります。

――「国の独立・安全保障・外交の分野で」の第四項の最初のパラグラフ、アジア諸国との友好・交流の項に、「紛争の平和的解決を原則とした平和の地域協力の枠組みを北東アジアに築く」を補足します。二〇一四年の第二六回党大会で提唱した「北東アジア平和協力構想」を踏まえた叙述です。

――「憲法と民主主義の分野で」の第三項「一八歳選挙権を実現する」は、すでに現実のものとなりましたので削除します。

――第六項に、「ジェンダー平等社会をつくる」「性的指向と性自認を理由とする差別をなくす」を補強します。

――「経済的民主主義の分野で」の第三項は、現綱領では、農林水産政策とエネルギー政策の転換が一体的にのべられていますが、一部改定案では、それを二つの項に分けて次のように記述します。

「3　食料自給率の向上、安全・安心な食料の確保、国土の保全など多面的機能を重視し、農林水産政策の根本的な転換をはかる。国の産業政策のなかで、農業を基幹的な生産部門として位置づける。

4　原子力発電所は廃炉にし、核燃料サイクルから撤退し、『原発ゼロの日本』をつくる。気候変動から人類の未来を守るため早期に『温室効果ガス排出ゼロ』を実現する。環境と自給率の引き上げを重視し、再生可能エネルギーへの抜本的転換をはかる」

それぞれが第三章の改定にともなう改定であります。

綱領第五章――発達した資本主義国での社会変革は、社会主義・共産主義への大道

次に、綱領第五章「社会主義・共産主義の社会をめざして」の改定について報告します。

この章は二〇〇四年の綱領改定で、全面的に書き改められた章です。綱領改定によって、「生産手段の社会化」を社会主義的変革の中心にすえるとともに、労働時間の抜本的短縮による「社会のすべての構成員の人間的発達」を保障する社会という、マルクス本来の未来社会論が生きいきとよみがえりました。二〇〇四年の綱領改定のこれらの核心的内容は、一部改定案でも全面的に引き継いでいます。

一部改定案で、見直しを加えたのは、綱領第五章の最後の節――現綱領第一七節、社会主義への発展の時代的・国際的条件をのべた部分であります。

三つの流れから社会主義をめざす流れが成長・発展するという特徴づけを削除する

現綱領では、第一七節の第一パラグラフ、第二パラグラフで、二一世紀における社会主義への発展の時代的・国際的条件として、発達した資本主義諸国での人民の運動、資本主義を離脱して社会主義への道を探究する国ぐに、政治的独立をかちとり経済的発展の道を探究しているアジア・中東・アフリカ・ラテンアメリカの国ぐにの人民の運動――こうした三つの流れから「資本主義を乗り越えて新しい社会をめざす流れが成長し発展することを、大きな時代的特徴としている」とのべています。

この特徴づけは、見直しが必要であります。すでにのべたように、一部改定案では、「社会主義をめざす新たな探究の開始」が、「二一世紀の世界史の重要な流れの一つ」とはみなせなくなったとして、綱領から削除することを提案しているからです。この立場に立てば、三つの流れから社会主義をめざす流れが成長し発展するという特徴づけは成り立たなくなります。そこで、現綱領第一七節の第一・第二パラグラフを削除することを提案したいと思います。

第一八節の主題――発達した資本主義国での社会変革の意義

この規定を削除することは、途上国・新興国など、資本主義の発展が遅れた国ぐに

における社会主義的変革の可能性を否定するものでは、もちろんありません。資本主義の矛盾があるかぎり、どのような発展段階にある国であっても、社会主義的変革が起こる可能性は存在します。

同時に、ロシア革命以後、資本主義からの離脱の道に踏み出した国ぐにの歴史的経験を概括するならば、資本主義の発展が遅れた国ぐににおける社会主義的変革には、きわめて大きな困難がともなうものであることは、すでに歴史が証明しています。ソ連の崩壊は、その直接の原因は、スターリン以後の指導部が誤った道を進んだ結果でしたが、その背景には、資本主義の発展が遅れた国からの出発という歴史的制約がありました。中国についても、いま起こっているさまざまな政治的・経済的諸問題の根底には、遅れた国からの出発という歴史的制約が横たわっていることを、指摘しなければなりません。

一部改定案では、これらの歴史的経験もふまえて、「発達した資本主義国での社会変革は、社会主義・共産主義への大道である」という命題を太く打ち出しました。そして、綱領第一七節――一部改定案の第一八節の主題を、発達した資本主義国での社会主義的変革の意義を正面から論じるものへと変更しました。

前人未到の道の探求――特別の困難性とともに、豊かで壮大な可能性をもった事業

〈発達した資本主義国での社会主義的変革は二一世紀の新しい世界史的課題〉

一部改定案の第一八節の最初のパラグラフは、現綱領の第一五節から移したもので、発達した資本主義国での社会主義・共産主義への前進をめざす取り組みは、二一世紀の新しい世界史的な課題であることをのべています。これまで誰も歩んだことのない前人未到の道の探求をしようということであります。

一部改定案には、それに続けて、次のような記述を書き込みました。

「発達した資本主義国での社会主義的変革は、特別の困難性をもつとともに、豊かで壮大な可能性をもった事業である。この変革は、生産手段の社会化を土台に、資本主義のもとでつくりだされた高度な生産力、経済を社会的に規制・管理するしくみ、国民の生活と権利を守るルール、自由と民主主義の諸制度と国民のたたかいの歴史的経験、人間の豊かな個性などの成果を、継承し発展させることによって、実現される。発達した資本主義国での社会変革は、社会主義・共産主義への大道である。日本共産党が果たすべき役割は、世界的にもきわめて大きい」

〈「特別の困難性」とそれを打破する力について〉

最初の文章は、発達した資本主義国での社会主義的変革が「特別の困難性」をもつとともに、「豊かで壮大な可能性をもった事業」であるとのべています。

そこには「特別の困難性」があります。日本での社会変革の事業を考えてもわかるように、発達した資本主義国では、支配勢力が、巨大な経済力と結びついた支配の緻密な網の目を、都市でも農村でも張り巡らしています。なかでも支配勢力が、巨大メディアの大部分をその統括下に置き、国民

の精神生活に多大な影響力を及ぼしていることは、私たちの事業を前進させるうえで特別に困難な条件の一つとなっています。

　こうした国で社会変革の事業を成功させるためには、国民の間に深く根を下ろし、国民の利益の実現のために献身する強大な党と、その党が一翼を占める統一戦線の発展が必要であることを強調したいと思います。

〈「豊かで壮大な可能性」――その要素を五つの点で明記〉

　同時に、発達した資本主義国での社会主義的変革には、これまで人類がまったく経験したことのない「豊かで壮大な可能性」が横たわっています。

　ここでいう「豊かで壮大な可能性」とは、資本主義の高度な発展そのものが、その胎内に、未来社会に進むさまざまな客観的条件、および主体的条件をつくりだすということです。一部改定案では、続く文章で、その要素を五つの点で列挙しています。

　――第一は、「資本主義のもとでつくりだされた高度な生産力」です。

　これまで資本主義から離脱して社会主義をめざす探究を行った国ぐには、革命ののち、まずは社会主義の土台である発達した経済そのものを建設することに迫られ、そのことに起因する多くの困難、試行錯誤、失敗に直面しました。

　しかし、発達した資本主義国における社会主義的変革には、そのような困難は生じないでしょう。資本主義のもとでつくりだされた高度な生産力をそっくり引き継ぐとともに、生産手段の社会化によって、資本主義経済につきもののさまざまな浪費が一掃され、社会と経済の飛躍的な発展への道が開かれるでしょう。

　――第二は、「経済を社会的に規制・管理するしくみ」です。

　マルクスは、資本主義から社会主義へと引き継ぐべき要素として、発達した生産力だけでなく、資本主義がつくりだす経済を社会的に規制・管理するさまざまなしくみを重視して論じました。資本主義の発展とともに、資本主義の胎内に、そうした規制・管理のしくみが準備されてくること、そのことのうちに、社会主義にすすむ内在的必然性があるということを、『資本論』などのなかで明らかにしています。

　たとえば、マルクスは、信用制度や銀行制度の発展など、資本主義のなかで発展してくる経済を社会的に規制・管理するしくみが、社会主義的変革をすすめるさいに「有力な梃子《てこ》として役立つ」ことは間違いないと強調しています。こうした点でも、発達した資本主義は、未来社会に引き継がれる要素をさまざまな形でつくりだすのであります。

　――第三は、「国民の生活と権利を守るルール」です。

　二〇一〇年に開いた第二五回党大会への中央委員会報告では、わが党の綱領でのべている「ルールある経済社会」とは、資本主義の枠内で実現すべき目標ですが、それを「ルールある資本主義」と表現しない理由について、「この改革の成果の多くは、未来社会にも引き継がれていくことでしょう」として、次のように説明しています。

「綱領でのべている『ルールある経済社会』とは、資本主義の枠内で実現すべき目標ですが、それを綱領で『ルールある資本主義』と表現していないのは、『ルールある経済社会』への改革によって達成された成果の多く――たとえば労働時間の抜本的短縮、男女の平等と同権、人間らしい暮らしを支える社会保障などが、未来社会にも引き継がれていくという展望をもっているからであります」

マルクスは、『資本論』で、労働時間を規制する工場立法が産業界全体に広がることの意義を、次のようにのべました。「工場立法の一般化は、……新しい社会の形成要素と古い社会の変革契機とを成熟させる」

資本主義の発展のなかで、人民のたたかいによってつくりだされた労働時間短縮のルールが社会全体に広がることは、未来社会にすすむうえで、その客観的および主体的条件をつくりだす――これが、マルクスがここでのべた展望にほかなりません。この点でも、高度に発達した資本主義は、未来社会のための豊かな諸条件をつくりだすのであります。

――第四は、「自由と民主主義の諸制度と国民のたたかいの歴史的経験」です。

旧ソ連でも、中国、ベトナム、キューバでも、政治体制の面で、事実上の一党制をとり、それぞれの国の憲法で「共産党の指導性」が明記されました。これは議会も民主主義の経験も存在しないという条件で、革命戦争という議会的でない道を通って政権を獲得したことと関連があります。

多くの発達した資本主義国――そして日本では、このようなことは決して起こり得ません。日本共産党は、綱領で、民主主義と自由の成果をはじめ、資本主義時代の価値ある成果のすべてを、受けつぎ、発展させることを約束していますが、それは単なる綱領上の約束にとどまるものではありません。日本では、戦後、日本国憲法のもとで、すでに七十年余にわたって、国民主権、基本的人権、議会制民主主義が、国民のたたかいによって、さまざまな逆流とたたかいながら、発展させられてきました。こうした社会を土台にするならば、未来社会において、それらが全面的に継承され、豊かに花開くことは、歴史の必然であります。

この点にかかわって、一部改定案が、「自由と民主主義の諸制度」とともに「国民のたたかいの歴史的経験」とのべていることに注目してほしいと思います。制度上、「自由と民主主義」が保障されても、そのもとで独裁国家に暗転した例は、第一次世界大戦後、ワイマール憲法のもとでのナチスドイツなどの経験があります。しかし、日本においては、戦後、七十年余にわたって、自由と民主主義の諸制度を守り、発展させてきた国民のたたかいの歴史的蓄積があります。ここにこそ、未来社会に自由と民主主義をより豊かな形で引き継ぎ、花開かせる最大の保障があることを、強調したいと思います。

――第五は、「人間の豊かな個性」です。

マルクスは、『資本論』の最初の草稿――『五七年～五八年草稿』のなかで、人類の歴史を、個人の歴史的発展という角度から大きなスケールで描き出し、人格的な独立性をもった個人――豊かな個性が、搾取制度という限界をもちつつも、資本主義社会のもとで形成され、未来社会を形成する重要な条件をつくりだすことを意義づけました。

この点でも、資本主義の発展が遅れた条件のもとで出発した革命とは、決定的な違いがあります。これらの国ぐにでは、生産力の水準の立ち遅れなどとともに、人間の個性、基本的人権、主権者としての意識などが、十分に形成されていなかったことが、その前途に重大な客観的困難をつくりだしました。

発達した資本主義国における社会主義的変革は、「人間の豊かな個性」という点でも、資本主義のもとで達成した到達点を継承して未来社会を建設することができます。ここにもはかりしれない「豊かで壮大な可能性」が存在するのであります。

一部改定案では、発達した資本主義が準備する五つの要素をあげていますが、それらのすべてが、生産手段の社会化を土台に、未来社会において継承・発展され、豊かに花開く。その全体を踏まえて、一部改定案では、「発達した資本主義国での社会変革は、社会主義・共産主義への大道である」と明記しました。

マルクス、エンゲルスが描いた世界史の発展の法則的展望にたって

マルクス、エンゲルスは、資本主義をのりこえる社会主義革命を展望したときに、この革命は、当時の世界で、資本主義が最も進んだ国――イギリス、ドイツ、フランスから始まるだろうと予想し、どこから始まるにせよ当時の世界資本主義で支配的地位を占めていたイギリスでの革命が決定的な意義をもつことを繰り返し強調しました。これらの国ぐにが社会主義に踏み出すことが、巨大な模範となり実例となって、世界のより遅れた国ぐにをいくつかの諸段階をへて社会主義の道にひきこむことになるだろう――これが、彼らが描いた世界史の発展の展望でした。

二一世紀の世界における社会主義的変革の展望も、マルクス、エンゲルスが描いた世界史の発展の法則的展望のなかに見いだすことが重要であります。

日本共産党が果たすべき役割は、世界的にもきわめて大きい

一部改定案は、このパラグラフの結びに、「日本共産党が果たすべき役割は、世界的にもきわめて大きい」と強調しています。

資本主義の発展は、未来社会への客観的条件をつくりだしますが、いくら客観的条件が成熟しても、変革の主体的条件がつくられなくては、社会変革は現実のものにはなりません。この点で、日本共産党が置かれている立場は、世界的にも重要であります。

日本共産党は、自主独立の科学的社会主義の党として、ソ連覇権主義をはじめあらゆる覇権主義と正面からたたかいぬき、そのたたかいを通じて自らを鍛え、綱領路線の発展をかちとり、国民と深く結びつき、日本における社会変革の主体的条件をつくりあげるために不屈の努力を続け、日本社会において確かな政治的地歩を築いてきた党であります。

わが党は、こうした先駆的歴史をもつ党として、二一世紀の世界で、新しい社会への道を切り開く事業において、特別に大きな任務を担っています。全国の同志のみなさん。そのことをお互いに深く自覚して、奮闘しようではありませんか。

以上で、報告を終わります。

（「しんぶん赤旗」2019年11月6日付）

第27回党大会　第8回中央委員会総会

綱領一部改定案
志位委員長の結語

2019年11月5日報告
2020年1月18日採択

みなさん、2日間の会議、お疲れさまでした。

総会では46人の同志が発言しました。全国での党内通信の接続数は1536カ所、視聴者は1万918人、インターネット視聴者と合計で3万1049人となりました。全国から1037通の感想が寄せられました。

それぞれの議案について、それぞれの提案者が結語を行いますが、私は、幹部会を代表して、綱領一部改定案についての結語を行います。

一部改定案に対する修正提案と質問について

綱領一部改定案は、討論でも全国からの感想でも、強い歓迎をもって受け止められています。一部改定案は、多くの論点に及ぶものですが、その全体に対して、積極的な感想が寄せられています。

まず、一部改定案に対する修正提案と質問についてお答えします。修正提案を受けた修正箇所は、文書でお配りしたとおりであります。いくつかの字句上の修正、用語の統一を行いました。

「弱い立場にある人びと」という表現は削除した

内容にかかわる修正は、第九節、国際的な人権保障の発展について述べたパラグラフに、「先住民など」を補足するとともに、「その他の弱い立場にある人びと」という表現を削除したことです。原案の「弱い立場にある人びと」という言葉は、国連が使用している「脆弱《ぜいじゃく》な立場にある人びと」という包括的な規定をふまえたものですが、「弱い立場といわれると、抵抗、違和感を覚える」という意見が出されました。原案は、女性など、ここであげている人びとを「弱い人びと」といっているのではなく、“弱い立場に置かれてきた人びと”という意味で使いましたが、「弱い」という言葉自体に違和感があるという意見です。そこで、「弱い立場にある人びと」という表現は削除することにしました。削除しても、この部分の文意は十分に伝わると思います。違和感を与える言葉は、綱領に残すべきではないと判断しました。

「市民社会」という用語について

一部改定案では、「市民社会」という用語を使っていますが、これを「市民の運動」などに修正したらどうかという提案がありました。

「市民社会」（シビル・ソサエティ）という用語は、国連など国際社会ですでに定着している用語で、国連の諸活動に自発的にかかわる個人と団体を包括した概念として使われています。核兵器禁止条約の前文にも明記されたように、さまざまな分野の専門家、宗教指導者、国会議員などを含んでいます。私たちも核兵器禁止条約の国連会議に参加しましたが、国会議員として、「市民社会」の一員にかぞえられて、条約に明記されているわけであります。このように「市民社会」とは、「市民の運動」より、より広い意味をもつ用語であり、原案のままにしたいと思います。

提案報告が述べている中国の変化はなぜ起こったか

文書で出されたいくつかの質問にお答えします。

複数の同志から、「提案報告が述べている中国の変化は、なぜ起こったのか、それはいつごろで、何をきっかけにしたものだったのか」という趣旨の質問が寄せられました。

なかなか難しい質問でありますが、お答えできる範囲で述べておきたいと思います。

「いつごろ」からかという質問に対しては、中国の国際政治における動向に問題点があらわれてきたのは、２００８年から２００９年ごろ、胡錦濤政権の最後の時期から習近平政権が始まる時期だと認識しています。中国が、国際舞台で、核兵器廃絶を「究極的目標」と棚上げする姿勢を示したのは、２００９年のことでした。東シナ海で、尖閣諸島の領海に初めて公船を侵入させる行為をとったのは、２００８年のことでした。南シナ海のほぼ全域について自国の権利を公式に主張するようになったのは、２００９年でした。

その背景にあるのは、ちょうどこの時期に、中国がＧＤＰ（国内総生産）で日本を追い越し、世界第2の「経済大国」になったという問題があると思います。経済的に力をつけるもとで、中国指導部には、より謙虚で誠実な対応が求められましたが、そうした対応が行われず、「大国主義・覇権主義」の誤りがあらわれてきた、これが背景にあると考えます。

より根本的な問題として、中国のおかれた歴史的条件を指摘しなくてはなりません。中国革命は、文字通り遅れた国から始まりました。とくに、自由と民主主義の諸制度が存在しないもとで、革命戦争という議会的でない道で革命が起こったこと、革命後もソ連式の「一党制」が導入されるとともに、自由と民主主義を発展させる課題が位置づけられなかったことは、中国社会の民主的発展の大きな障害となりました。

いま一つ、より根底にある歴史的条件は、中国社会に大国主義の歴史があるということです。近代以前、中国は、東アジアの超大国として、周辺の諸民族と朝貢関係を結び、従属下においてきた歴史をもっています。こういう歴史をもつ国として、革命後も、大国主義・覇権主義は、毛沢東時代の「文化大革命」の時期に、日本共産党への乱暴な干渉攻撃をはじめ、さまざまな形であらわれました。

そして、そういう歴史をもつ国だけに、大国主義・覇権主義に陥らないようにするためには、指導勢力が強い自制と理性を発揮することが不可欠となります。日中両党関係が正常化された1998年から数年間の時期には、わが党に対する干渉への「真剣な総括と是正」を公式に表明するなど、間違いなくそうした自制と理性が発揮されました。しかしそれは一時的なものとして終わりました。

その根本的な背景には、中国の置かれたこうした歴史的条件があったと考えるものです。

平和の地域協力の流れにアフリカを含んでいないのはなぜか

文書で出された質問のなかに、「平和の地域協力の流れにアフリカを含んでいないのはなぜか」というものがありました。

アフリカには、この大陸の55のすべての国ぐにが加盟する組織として、アフリカ連合（AU）が存在しています。この大陸の国ぐには、アフリカ非核地帯条約を2009年に発効させるなど、核兵器廃絶で積極的役割を果たしています。日本共産党は、アフリカの国ぐにとも、この問題で、国連などの会議で、おおいに協力の関係をつくってきました。

ただ、内政不干渉の原則が守られず、ブルンジ、ルワンダ、スーダンの紛争・内戦にあたっては、AUとして軍事介入を行うなど、紛争の平和的解決という点では、さまざまな問題が残されています。そうした点を考慮して、綱領では、アフリカを、平和の地域協力が進んでいる地域にはあげていません。

同時に、アフリカ大陸で進んだ植民地支配からの解放は、世界史の偉大な発展の重要な構成部分となっており、私たちはこの大陸の国ぐにの今後の発展を期待を持って注視していきたいと思います。

一部改定案を、今の日本のたたかいを前進させる生きた力に

さて、討論を踏まえて、私が強調したいのは、一部改定案は、国際情勢を中心とした改定案ですが、それは決して「遠い外国の話」ではなく、今の日本のたたかいを前進させる生きた力にしてほしいし、必ず生きた力にすることができる――このことが討論で浮き彫りになったということです。この点が、たいへんに大切な点だと思います。討論を踏まえて、四つの点を、私は指摘したいと思います。

世界の大局的な流れをつかむことは、日本のたたかいを確信をもってすすめる土台

第一に、世界の大局的な流れをつかむことが、日本のたたかいを確信をもってすすめるうえでも不可欠の土台になるということです。

討論のなかで、「毎日のニュースを見ると、世界で起こっていることは暗い話ばかりだが、一部改定案を読んで明るい展望が

見えた」という発言がありました。全国からの感想でも、同様の声がたくさん寄せられました。

たしかに世界は、その時々の断面だけを見ますと、暗い、恐ろしい出来事の連続のようにも見えます。しかし大きな歴史的スケールで見ますと、さまざまな曲折や逆行を経ながらも、着実な進歩の歩みを刻んでいます。

20世紀はまさにそうした世紀でした。この世紀は時々の断面だけを見れば、戦争と抑圧の連続であり、こんなにも多くの人々が暴力の犠牲になった世紀はなかったと言っても過言ではないでしょう。しかし百年という単位で見ますと、この世紀に、人類は巨大な進歩を記録しました。それは綱領第七節が述べているとおりであります。

そして21世紀も、時々の断面だけで見れば、戦争があり、テロがあり、暗いニュースが連続しているようにも見えます。しかし、この世紀が始まって、およそ20年近くという単位で見ますと、一部改定案が述べているように、核兵器廃絶、平和の地域協力、国際的な人権保障などの前進の姿がはっきりあらわれてきました。

一部改定案には、こうした世界史の大局的な見方がつらぬかれています。提案報告でも述べたように、その根本的立場は、20世紀に進行した人類史の巨大な変化の分析に立って、21世紀の世界の発展的展望をとらえるというところにあります。この立場は２００４年に行った綱領改定の根本的立場でしたが、一部改定案はこの根本的立場を徹底的におしすすめるものとなったと思います。

そして強調したいのは、20世紀においても、21世紀においても、こうした人類史の進歩の原動力となったのは、各国の人民のたたかいだということです。綱領の世界論は、「人民のたたかいが歴史をつくる」という科学的社会主義の立場、史的唯物論の立場に立脚したものであり、これをしっかりつかむことは今日の日本のたたかいを確信をもってすすめるうえで、大きな力になることは間違いないと考えるものです。

日本のたたかいと世界のたたかいは、直接に結びついている

第二に、日本のたたかいと世界のたたかいは、「グローバル化」のもとで、直接に結びついているということです。とくにインターネット、ＳＮＳの発達のもとで、それはいっそう顕著になっています。世界のどこで起こった出来事も、瞬時のうちに世界全体に伝わり、さまざまな影響を及ぼしあいます。

一部改定案で述べられている、「核兵器のない世界」をめざすたたかい、国際的な人権保障の豊かな発展をめざすたたかい、ジェンダー平等を求めるたたかい、貧富の格差の是正を求めるたたかい、気候変動を抑制するたたかいなどは、どれも世界の大問題であるとともに、日本国民にとっても強い関心が寄せられている切実な大問題であり、たたかいが起こっている問題です。これらの問題で、世界の動きは、日本の世論と運動にただちに影響を与え、相互に深く関連しあっています。

一部改定案は、これらの諸問題を、21世紀の世界の大局的な流れ、世界資本主義の諸矛盾のなかに大きく位置づけ、その解決の展望を明らかにしています。そしてこれらの諸課題で、国際連帯を強めることを呼びかけています。

一部改定案は、世界的規模で解決が求められているさまざまな諸問題について、関心と模索を強め、真剣に解決を求めている日本国民の思いにこたえ、日本のたたかい

を世界的な流れのなかに位置づけて発展させるうえで、大きな力になると確信するものです。

中国にかかわる綱領改定の意義――世界の平和と進歩にとって大義あるとりくみ

第三は、一部改定案が、中国の国際政治における問題点について、事実と道理にそくして踏み込んで明らかにしたうえで、「社会主義をめざす新しい探究が開始」された国と判断する根拠はもはやなくなったという判断のもとに、この部分の綱領からの削除を提案している意義についてであります。

多くの同志が発言で、この改定は、中国にかかわっての日本共産党に対する誤解、偏見をとりのぞく大きな力になると述べました。日本共産党を、中国共産党・中国政府と同一視した攻撃が広く行われています。それだけでなく、中国政府による大国主義的、覇権主義的な行動、人権侵害に対して、日本国民のなかで当然の批判や危惧が広がり、そこから生まれる社会主義に対する「マイナスイメージ」が日本共産党の前進の障害になっていることも事実であります。一部改定案がこれらの誤解、偏見を解きほぐし、日本共産党の魅力を広げていくうえで、大きな力を発揮することは間違いありません。

同時に、私が強調したいのは、わが党が今、中国の国際政治における問題点を正面から批判しているのは、日本国民の誤解、偏見を解くという次元にとどまらず、世界の平和と進歩にとって大義があるとりくみだと考えているからであります。

中国に今あらわれている、新しい大国主義・覇権主義、人権侵害は深刻なものですが、世界を見ましても、それに対して冷静に、事実と道理にそくして、正面から批判する動きが率直に言って弱いという現状があります。

安倍政権も、中国のあれこれの動向を、自分の政権の軍事力拡大に利用することはしても、たとえば尖閣諸島問題一つとっても、中国の覇権主義的行動の問題点を正面から提起し批判するという姿勢が弱い。香港で起こっている人権侵害についてもまともな批判をしない。そういう状況が続いています。

こういう状況のもとで、日本共産党が事実と道理にもとづいた批判を行っていることは、私は、中国の大国主義・覇権主義の行動に対する痛手となっていると考えます。だからこそ提案報告で明らかにしたように、中国共産党は、3年前、日本共産党第27回大会を前にして、大会決議案に明記されていた「新しい覇権主義・大国主義」という記述の削除を求めたのであります。痛手になっているからこそ、削除を求めたのです。

日本共産党が、いま中国が行っている誤った行動を批判することは、そうした意味で、世界の平和と進歩を進めるうえでの大義あるとりくみだということを強調したいし、自主独立を貫いてきた党として、そうした国際的責任を果たしていきたいという決意を申し上げたいと思います。

今の私たちのたたかいは、そのすべてが未来社会を根本的に準備する

第四は、一部改定案が、「発達した資本主義国における社会変革は、社会主義・共産主義への大道である」という命題を押し出したことの意味についてであります。

これは、私たちが、一つの世界史的な「割り切り」をしたということであります。提案報告でも述べたように、わが党は、

資本主義の発展の遅れた国ぐににおける社会主義的変革の可能性を否定するものでは決してありません。そのような断定は、図式的で傲慢《ごうまん》なものとなるでありましょう。

同時に、ロシア革命から1世紀をへた世界史的経験は、資本主義の発展が遅れた国ぐににおける社会主義的変革には、きわめて大きな困難があることを証明しました。そうしたもとで、発達した資本主義国で社会主義・共産主義への道を開くという人類未到のとりくみに、腹をくくって挑戦しよう――これが一部改定案の立場であります。

一部改定案では、発達した資本主義国での社会主義的変革の「特別の困難性」とともに、「豊かで壮大な可能性」を全面的に明らかにしています。私が、結語で強調したいのは、今の私たちのたたかいが、「特別の困難性」を突破するとともに、「豊かで壮大な可能性」を準備するたたかいであるということです。

いま全党がとりくんでいる「党勢拡大大運動」のとりくみは、社会変革の主体的条件を根本的に強め、「特別の困難性」を突破して、日本における社会進歩を進める最大・最良の保障を築くたたかいにほかなりません。

また、労働時間短縮をはじめ「ルールある経済社会」をめざすたたかい、人権の豊かな発展をかちとり、すべての個人が尊厳をもって生きることのできる社会をめざすたたかいは、未来社会にすすむ諸要素を豊かにするたたかいであり、これらのたたかいは未来社会へと地続きでつながっています。

今の私たちのたたかいは、そのすべてが未来社会を根本的に準備する――こういう大きな大志とロマンのなかに現在のたたかいを位置づけ、日本共産党の大きな躍進をかちとろうではありませんか。

わけても、一部改定案を「大運動」成功の政治的・理論的推進力にしていただくことを心から訴えまして、討論の結語といたします。

（「しんぶん《しんぶん》赤旗」２０１９年11月7日付）

綱領一部改定案についての中央委員会報告

幹部会委員長　志位　和夫

2020年1月14日報告
18日採択

目　次

代議員、評議員のみなさん、全国のみなさん。

私は、中央委員会を代表して、綱領一部改定案についての報告を行います。

昨年11月の第8回中央委員会総会以来、綱領一部改定案と二つの大会決議案について、2カ月半にわたって活発な全党討論が行われてきました。

支部総会、地区党会議、都道府県党会議の討論の状況について、7回にわたって各都道府県から報告が寄せられました。一人ひとりの党員の個別の意見についても、討論誌への応募意見が214通にのぼったのをはじめ、全体で約1800件の意見・提案・感想が中央委員会に寄せられています。全党のみなさんが、非常に真剣かつ活発な討論によって、8中総の提案を深めていただいたことに対し、心からの敬意と感謝を申し上げるものです。（拍手）

大会諸議案に対して、討論で寄せられた修正・補強意見については、大会の討論での意見もふまえて、一つひとつを吟味し、大会討論が終わった時点で、修正・補強した諸議案を提出することとします。

綱領一部改定案に対して、全国的な討論では、賛成と歓迎が大きな流れとなっています。一部改定案の逐条的《ちくじょうてき》な意味については、すでに8中総での提案報告で詳しくのべました。それを前提にしつつ、全党討論および情勢の進展をふまえて重点的に報告を行います。

一、綱領一部改定の意義——世界情勢論にとどまらず、綱領全体の生命力を豊かに発展させた

まず報告したいのは、今回の綱領一部改定の意義についてであります。

一部改定案に対して、全党討論で、「一部改定というが大きな改定だ」「綱領路線の大きな発展を感じる」などの感想が多数寄せられています。

今回の綱領一部改定は、綱領第三章・世界情勢論を中心に行い、それとの関係で第五章・未来社会論の一部を改定するものですが、それは、綱領全体にかかわる重要な意義をもつものとなっています。3点ほどのべたいと思います。

綱領が照らし出す日本変革の道こそが、世界の本流にたったものであることを明らかに

第一に、一部改定案が、21世紀の世界の大局的な発展方向を明らかにしたことは、日本における社会変革の事業を世界的視野にたって前進させるうえで、大きな力となるものであります。

8中総の提案報告でものべたように、一部改定案の根本的立場は、20世紀に進行した人類史の巨大な変化の分析——とりわけ植民地体制の崩壊という「世界の構造変化」をふまえて、21世紀の世界の発展的な展望を捉えるという立場を、徹底的におしすすめたところにあります。その根本には、「人民のたたかいが歴史をつくる」というわが党がよってたつ世界観——科学的社会主義、史的唯物論の立場があります。世界の動きは、その時々の断面だけをみ

ると、さまざまな苦難の連続であるようにも見えます。しかし、人類は、1世紀という単位でみると、曲折や逆行をはらみながらも、巨大な進歩の歩みを刻んでいます。

世界の大局的な流れにてらして、何が本流であり、何が逆流なのか。このことを捉えることは、わが党綱領が照らし出す日本変革の道こそが、世界の本流にたったものであることを明らかにし、私たちの事業を世界史的確信をもってすすめるうえでの、大きな力になると考えるものです。

日本のたたかいを、世界の流れの中に位置づけて発展させ、国際連帯を強める力に

第二に、「グローバル化」のもとで、日本のたたかいは世界のたたかいと直接に結びついています。

一部改定案に新たに明記した「核兵器のない世界」をめざすたたかい、平和の地域協力の流れの発展、ジェンダー平等をふくめた国際的な人権保障の発展、貧富の格差の是正、地球的規模での気候変動の抑制、あらゆる覇権主義に反対し平和の国際秩序を求めるたたかいなどは、そのどれもが世界の大問題であるとともに、日本国民が強い関心を寄せている日本自身の大問題でもあります。

これらの諸問題を、21世紀の世界の大局的な流れ、世界資本主義の諸矛盾のなかに大きく位置づけ、その解決の展望を明らかにした一部改定案に対して、党内外から新鮮な共感が広がっています。それは、日本国民の関心と模索にこたえ、日本のたたかいを、世界の流れの中に位置づけて発展させ、国際連帯を強めるうえで大きな力となるでしょう。

中国に対する認識の見直しは、綱領全体の組み立ての見直しにつながった

第三に、一部改定案は、中国に対する認識を現状にあわせて見直し、「社会主義をめざす新しい探究が開始」された国とみなす根拠はなくなったとして、綱領から該当の部分を削除することを提案していますが、この改定は、綱領全体の組み立てにかかわる見直しを求めるものとなりました。

この改定にともなって、「二つの体制が共存する時代」――資本主義体制と社会主義をめざす体制が共存する時代という、従来の世界情勢論をあらため、世界の資本主義の矛盾を正面からとらえ、そのなかに未来社会への展望を見いだすという組み立てとしました。

また、この改定にともなって、日本における社会主義的変革の世界的意義について、「発達した資本主義国での社会変革は、社会主義・共産主義への大道」という命題を太く押し出す組み立てとしました。

3点をのべましたが、こうして、今回の綱領の一部改定案は、世界情勢論にとどまらず、綱領全体の生命力を一段と豊かに発展させる画期的意義をもつものとなったと確信するものであります。（拍手）

二、「社会主義をめざす新しい探究が開始……」の削除について

次に、中国に対する綱領上の規定の見直しについて報告します。

8中総の提案報告では、今日の中国の国際政治における動向について、新しい大国主義・覇権主義の誤りをいっそう深刻にする行動をとっていると指摘し、その問題点を次の四つの角度から踏み込んで具体的に明らかにしました。

第一に、核兵器廃絶に逆行する変質がいっそう深刻になっていること、第二に、東シナ海と南シナ海での覇権主義的行動が深刻化していること、第三に、国際会議での民主的運営をふみにじる横暴なふるまい、日中両党で確認された原則に背く行動について、是正する態度がとられなかったこと、第四に、香港やウイグル自治区などで人権侵害が深刻化していることであります。

提案報告では、これらの問題点を具体的に指摘し、「以上のべた中国の行動は、どれも、社会主義の原則や理念と両立しえないもの」と批判しました。そして、中国について、わが党が、「『社会主義をめざす新しい探究が開始』された国と判断する根拠は、もはやなくなった」として、該当部分を綱領から削除することを提案しました。

この提案に対して、全党討論で、「これで雲が晴れたようにすっきりした」などの強い歓迎の声が寄せられています。また、この綱領改定については、この間、メディアからも大きな関心が寄せられています。

8中総以降の動きにかかわって——二つの問題について

中国の個々の問題点について繰り返すことはしませんが、8中総以降の動きにかかわって二つの問題についてのべておきたいと思います。

東シナ海における覇権主義的行動のエスカレート

一つは、東シナ海における中国の覇権主義的な行動がエスカレートしていることであります。2019年の1年間で、中国公船による尖閣《せんかく》諸島周辺の領海侵犯を含む接続水域入域は、のべ隻数で1097隻を数え、前年の1・8倍、過去最多に達しました。尖閣周辺に公船を出動させている中国海警局の管轄が、2018年、国家海洋局から中国人民武装警察部隊に移され、中国共産党中央軍事委員会の指導下に入り、装備が強化され、準軍事組織とされたことも重大であります。

2018年に、日中両国関係について、

「正常な発展の軌道に戻すことができた」と喧伝《けんでん》しながら、その翌年の2019年に、領海侵犯などを激増・常態化させることは、きわめて不誠実な態度といわなければなりません。

中国側にどんな言い分があろうとも、日本が実効支配している地域に対して、力によって現状変更を迫る行動を常態化させ、実効支配を弱め、自国領と認めさせようという行動は、国連憲章などが義務づけた紛争の平和的解決の諸原則に反する覇権主義的な行動そのものだといわなければなりません。日本共産党は、中国のこうした行動に強く抗議し、その是正を求めるものであります。（拍手）

香港における人権侵害――人権問題は内政問題でなく国際問題

いま一つは、香港における人権侵害の深刻化であります。自由と民主主義を求める香港市民の活動に対する香港警察による弾圧が強まるもとで、日本共産党は、昨年、11月14日、弾圧の即時中止を求める「声明」を発表し、中国政府に伝達しました。

この問題について、「香港警察の暴力もひどいが、デモ参加者の暴力もひどい。どっちもどっちだ」という議論がありますが、わが党はそうした立場にたちません。わが党も、デモ参加者が暴力を自制し、平和的方法で意見を表明することが大切だと主張してきました。同時に、殺傷性の高い銃器を使用した香港警察による弾圧はそれとは次元を異にするものであり、事態の推移と事実にてらすならば、今日の深刻な事態を招いた責任が、香港政府および中国政府の側にあることは明瞭です。とくに弾圧が、中国の最高指導部の承認と指示のもとに行われていることは、きわめて重大であります。

中国は、この問題についての国際的な批判を、「内政干渉」として一顧だにしない姿勢をとっています。しかし、一部改定案にも明記したように、今日の世界においては、さまざまな国際的な人権保障の基準がつくられ、「人権を擁護し発展させることは国際的な課題」となっています。

そして中国自身、1948年の世界人権宣言を支持し、1966年に国連総会で採択された国際人権規約のうち「市民的及び政治的権利に関する国際規約」に署名し、1993年にウィーンで開催された世界人権会議が採択したウィーン宣言――すべての人権と基本的自由を「助長し保護する」ことは、「体制のいかんを問わず、国家の義務である」と明記した宣言に賛成しています。中国は、自らも賛成したこれらの国際的な人権保障の取り決めを真剣に履行することが強く求められているのであります。

香港で昨年11月に実施された区議会議員選挙では、民主派が8割以上の議席をしめて勝利し、自由と民主主義を求める香港市民の意思を示しました。しかし、その後も、当局による市民の運動に対する弾圧は続けられています。

日本共産党は、中国指導部に対し、香港およびウイグル自治区などにおける人権弾圧の中止を重ねて強く求めるものであります。（拍手）

全党討論で出された疑問、質問について

一部改定案が提案した中国に対する綱領上の規定の見直しについて、全党討論で出

された疑問、質問にかかわって、いくつかの点をのべておきたいと思います。

「賛成だがもっと早ければ」――十分に慎重に事実にそくしてくだした結論

「一部改定案の提案に賛成だが、もっと早ければよかった」という声が寄せられています。

これに対しては、中国の問題点の指摘は、突然に言い出したことではなく、とくに2008～09年以降、中国にさまざまな問題点があらわれてきたさいに、日本共産党が節々でそれを率直に指摘してきたということを強調したいと思います。

2008年にチベット問題をめぐって騒乱・暴動の拡大と、それに対する制圧行動によって犠牲者が拡大することが強く懸念される事態が起こったさい、わが党は、胡《こ》錦濤《きんとう》主席（当時）に書簡で、続いて来日した楊潔篪《ようけつち》外相（当時）との会談で、対話による平和的解決を要請しました。

2010年、中国の著作家・劉暁《りゅうぎょう》波《は》氏がノーベル平和賞を受賞したさい、中国政府がそれに強く抗議し、中国における人権問題に国際的注目が寄せられるという事態が起こったことをふまえて、わが党は、中国が自らも賛成した国際的人権保障の一連の取り決めを守ることを強く望むという表明を行いました。

2013年、尖閣諸島をめぐる紛争が激化するもとで、わが党は、中国の公船による領海侵犯などに対して、今日の世界で紛争解決の手段としてけっして許されるものではないとして、厳しく自制することを求めました。

2014年、第26回党大会で、わが党は、中国の前途について、「覇権主義や大国主義が再現される危険もありうるだろう。そうした大きな誤りを犯すなら、社会主義への道から決定的に踏み外す危険すらあるだろう」と警告しましたが、これは当時の中国の行動に対する私たちの深刻な憂慮を踏まえたものでした。

さらに、2017年、第27回党大会で、わが党は、一連の具体的事実をあげて、中国に「新しい大国主義・覇権主義」があらわれていることを厳しく批判しました。ただしこのさいにも、問題点の一つとして、2016年のアジア政党国際会議（ICAPP）総会での中国共産党代表団の覇権主義的態度を批判しましたが、それをただちに中国共産党中央委員会の問題だと決めつける態度をとらず、先方に回答を求め、次の党大会まで待つという態度をとったことは、8中総での提案報告でものべた通りです。

今回の党大会での一部改定案での提案は、この10年余、十分に慎重に中国の動向をみきわめ、節々で率直かつ節度をもって態度表明を行いつつ、動かしがたい事実と私たちの実体験にそくしてくだした結論であることを強調したいと思うのであります。（拍手）

「中国はどういう経済体制とみているか」――内政問題であり判断を公にしない

全党討論のなかで、「中国について『社会主義をめざす新しい探究が開始された国』とみなす根拠がなくなったというのであれば、いったいどういう経済体制と見ているのか」という質問が出されています。

これに対しては、どんな経済体制をとるかは、その国の自主的権利に属する問題であり、基本的に内政問題だということを指摘しなければなりません。個々の研究者・個人がその見解をのべることはもちろん自由ですが、政党として特定の判断を表明すれば、内政問題への干渉になりうる問題となります。したがって、日本共産党として、内部的には研究を行っていますが、現時点で、経済体制についての判断・評価を公にするという態度はとりません。内政不干渉という原則を厳格に守ってこそ、中国の大国主義・覇権主義に対する批判が道理あるものになるということを強調したいと思います。

8中総の提案報告でものべたように、わが党が中国を見る際の最大の基準としてきたのは、「指導勢力が社会主義の事業に対して真剣さ、誠実さをもっているかどうか」であり、そのことを対外的な関係で評価するという態度をとってきました。指導勢力が、社会主義の事業に対して「真剣さ、誠実さ」をもっていれば、さまざまな困難をのりこえて、前にすすむことができるでしょう。それがなくなってしまったら、前にすすむ保障はなくなってしまうでしょう。このことを対外的な関係――私たちが指導勢力と接して直接判断するか、対外路線を分析して判断する。こういう態度を貫いてきましたが、私たちは、それが節度ある合理的態度だと確信するものであります。

「なぜこうした誤りが起こったか」――中国自身が自戒していた歴史的条件

全党討論のなかでは、「中国でなぜこうした誤りが起こったか」という質問も寄せられました。

私は、8中総での結語で、直接的原因として指導勢力の責任を指摘しつつ、より根本的な問題として、「中国のおかれた歴史的条件」について次のような指摘を行いました。

一つは、「自由と民主主義の諸制度が存在しないもとで、革命戦争という議会的でない道で革命が起こったこと、革命後もソ連式の『一党制』が導入されるとともに、自由と民主主義を発展させる課題が位置づけられなかった」ことです。

いま一つは、「中国社会に大国主義の歴史があるということです。近代以前、中国は、東アジアの超大国として、周辺の諸民族と朝貢関係を結び、従属下においてきた歴史をもっています。……そういう歴史をもつ国だけに、大国主義・覇権主義に陥らないようにするためには、指導勢力が強い自制と理性を発揮することが不可欠」になるということです。

実は、この二つの歴史的問題点については、中国の党自身がそれを強く自戒していた決定が残されています。

自由と民主主義の問題にかかわっては、1981年、中国共産党が「文化大革命」を総括した中央委員会総会の決定（「建国以来の党の若干の歴史的問題についての決議」、中国共産党第11期中央委員会第6回総会）で、「中国は封建制の歴史の非常に長い国である。……長期にわたる封建的専制主義の、思想・政治面における害毒は、やはり簡単に一掃しうるものではなかった」との反省をのべています。「封建的専制主義の…害毒」と反省をのべたのです。しかし、この決議を主導した鄧小平《とうしょうへい》自身が、その後、1989年、天安門での弾圧を行いました。中国の現状を見るとき、中国自身が自戒していた歴史的弱点があらわれていると見ざるをえません。

大国主義の問題についても、1956年、中国共産党は、「人民日報」に掲載された論文（「再びプロレタリアート独裁の歴史的経験について」）で、「われわれ中国人は、わが国が漢、唐、明、清の四代とも大帝国だったことを特に心に留めておく必要がある。……大国主義の傾向は、もし極力これを防ぎ留めなかったなら、必ず重大な危険となるであろう」と自戒していました。しかし、この自戒にもかかわらず、その後、１９６０年代後半、毛沢東が発動した「文化大革命」の時期に覇権主義の誤りが噴き出し、今日、新しい形で覇権主義の誤りがあらわれています。

今日、中国であらわれている諸問題の根底に、中国の党自身が自戒していた歴史的条件が横たわっていることを、指摘しなければなりません。

「今後の中国の政権党との関係は」――関係は維持し、可能な協力の努力は続ける

全党討論のなかで、「今後の日本共産党と中国共産党との関係をどう考えるか」という質問もありました。

党間の関係というのは、双方の意思で決まるものですが、わが党としては、日本の政党と中国の政権党との関係として、今後も関係を維持するという立場をとります。

第26回党大会で提唱した「北東アジア平和協力構想」など、この地域の平和と安定のための緊急の課題での協力のための努力は続けていきます。

以上が全党討論で出された主な疑問、質問に対する中央委員会としての見解であります。

今回の綱領改定の意義、中国とどう向き合うかについて

ここで、今回の綱領改定の意義、中国にどう向き合うかの姿勢の根本についてのべておきたいと思います。

今回の綱領一部改定の意義――半世紀余のたたかいの歴史的経験を踏まえたもの

日本共産党が行ってきた、「社会主義」を名乗る国の大国主義・覇権主義との闘争は、半世紀を超える歴史があります。そのなかに今回の綱領一部改定案を位置づけてみると、ここには新しい踏み込みがあることを強調したいと思います。

わが党は、１９６０年代以降、ソ連と中国という「社会主義」を名乗る二つの国からの激しい覇権主義的な干渉攻撃を受け、それを断固として拒否し、自主独立の路線を守り発展させてきました。ソ連によるチェコスロバキアやアフガニスタン侵略などを厳しく批判するたたかいを展開しました。中国指導部による「文化大革命」や「天安門事件」などの民主主義抑圧の暴圧に対しても、もっとも厳しい批判を行ってきました。同時に、それらの批判はどれも、「社会主義国」の中に生まれた大国主義・覇権主義との闘争、専制主義への批判としてとりくんだものでした。

それに対して、今回の綱領一部改定案は、中国にあらわれた大国主義・覇権主義、人権侵害を深く分析し、「社会主義をめざす新しい探究が開始」された国とみなす根拠はもはやないという判断を行いました。そうした判断をしたのは、「社会主義」を名乗る国の大国主義・覇権主義との闘争を始めて以降、今回が初めてのことであり、ここには新しい歴史的な踏み込みがあります。

そして、そうした新しい踏み込みを可能にした根本には、「社会主義」を名乗る国の大国主義・覇権主義との半世紀余にわた

る闘争の歴史があるということを強調したいと思います。今回の判断は、自主独立の党としてのたたかいの歴史的経験と蓄積を踏まえたものであるということを、勇気と理性をもってこのたたかいにとりくんだ先輩の同志たちへの敬意をこめて、報告しておきたいと思います。（拍手）

　この一部改定案は、日本共産党に対する誤解・偏見をとりのぞくうえで大きな力を発揮するでしょう。中国の党は、「社会主義」「共産党」を名乗っていますが、その大国主義・覇権主義、人権侵害の行動は、「社会主義」とは無縁であり、「共産党」の名に値しません（拍手）。このことを綱領上も誤解の余地なく明瞭にすることは、日本共産党のめざす社会主義・共産主義の魅力を語り広げるうえでも、霧が晴れたような見晴らしを保障するでしょう。

　このとりくみは、それにとどまらず、世界の平和と進歩の事業にとって大義あるとりくみであります。すでに世界第2の経済力をもち、やがて世界一になろうという中国にあらわれた大国主義・覇権主義は、世界にとって、もはや座視するわけにはいかない重大性をもっています。にもかかわらず、その誤りに対する国際的な批判が全体として弱い。とくに日本政府はまったく弱く、追従的です。そのなかで、日本共産党が「道理に立った冷静な批判」を行うことは、覇権主義への手痛い打撃となり、国際的な貢献になるものと確信するものであります。（拍手）

中国とどう向き合うか――三つの点について

　この問題の最後に、今後、中国とどう向き合うかについて報告します。

　わが党は、中国にあらわれた誤りについて厳しい批判をつらぬきますが、そのさい次の三つの姿勢を堅持します。

　第一に、中国の「脅威」を利用して、軍事力増強をはかる動きには断固として反対します（拍手）。それは軍事対軍事の危険な悪循環をもたらすだけでしょう。わが党は、事実と道理に立って言うべきことを言う冷静な外交努力によって、問題を解決すべきだという立場を、揺るがずつらぬきます。

　第二に、日本共産党は、中国指導部の誤った行動を批判しますが、「反中国」の排外主義をあおりたてること、過去の侵略戦争を美化する歴史修正主義には厳しく反対をつらぬきます（拍手）。自国の過去の誤りに真摯《しんし》に向き合ってこそ、未来に向けた真の友情をつくることができる。このことは、わが党の対アジア外交の揺るがぬ大方針であります。（拍手）

　第三に、中国はわが国にとって最も重要な隣国の一つであり、わが党の批判は、日中両国、両国民の本当の友好を願ってのものであります。節度をもって言うべきことを言ってこそ、両国、両国民の真の友好関係を築くことができる。これが私たちの確信であります。

　日本共産党は、以上の三つの姿勢を貫くことを、この機会に表明するものであります。（拍手）

三、21世紀の世界をどうとらえるか（1）——「世界の構造変化」が生きた力を発揮

次に21世紀の世界をどうとらえるかについて報告します。

一部改定案は、21世紀の世界をどうとらえるかについて二つの角度——第一に、「世界の構造変化」が平和と社会進歩を促進する生きた力を発揮しはじめているという角度、第二に、世界資本主義の諸矛盾から世界を捉えるという角度から解明しました。

まず一部改定案は、綱領第九節で、「二〇世紀の世界の構造変化」のもとで21世紀に起こった前向きの変化について、核兵器廃絶、平和の地域協力の流れ、国際的な人権保障の三つの具体的問題について明らかにしています。

この解明と提起に、新鮮な共感が多く寄せられています。全党討論、その後の情勢を踏まえて、二つの点にしぼって報告します。

「核兵器のない世界」にかかわって——ローマ教皇の来日と発言

一つは、「核兵器のない世界」にかかわる動きであります。

昨年11月、ローマ・カトリック教会のフランシスコ教皇が来日し、長崎と広島で行った発言は、国内外に多大な感動と共感を広げました。

ローマ教皇の長崎と広島での発言を強く歓迎する

フランシスコ教皇の発言は、核兵器廃絶にむけた強い決意がみなぎるものであり、歴代の教皇とくらべてももっとも踏み込んだ内容となったと評されています。

ローマ教皇は、「核戦争の脅威による威嚇をちらつかせながら、どうして平和を提案できるでしょうか」と、核抑止力論を正面から否定しました。「人道的および環境の観点から、核兵器の使用がもたらす壊滅的な破壊を考えなくてはなりません」と、核兵器の非人道性、環境破壊を厳しく告発しました。「核兵器禁止条約を含め、核軍縮と核不拡散に関する主要な国際的な法的原則に則《のっと》り、たゆむことなく、迅速に行動し、訴えていきます」と、核兵器禁止条約の発効への不退転の決意を語りました。

そして、ローマ教皇は、「この理想を実現するには、すべての人の参加が必要です。個々人、宗教団体、市民社会、核兵器保有国も非保有国も、軍隊も民間も、国際機関もそうです」とのべ、すべての国ぐにと市民社会の共同こそが、「核兵器のない

世界」という理想をもたらす力だと訴えました。

ローマ教皇の発言は、世界の多くの国ぐに、市民社会、被爆国・日本の反核平和運動、そして日本共産党の立場と全面的に共鳴するものであり、私は、強く歓迎したいと思います。（拍手）

「世界の構造変化」がローマ教皇の発言にも反映している

この発言の背景にあるものは何でしょうか。

世界のカトリック信者は約13億人とされていますが、バチカン市国が明らかにしているデータから算出しますと、そのうち6割以上が核兵器禁止条約に賛成した国に住んでいることが明らかになります。8中総の提案報告で、「核兵器禁止条約は、『世界の構造変化』のもとで、一握りの大国から、世界の多数の国ぐにと市民社会に、国際政治の主役が交代したことを、最も象徴的に示す歴史的出来事となりました」とのべましたが、「世界の構造変化」がローマ教皇の発言にも反映しているといえるのではないでしょうか。

バチカンは、核兵器禁止条約を真っ先に批准した国となりました。私は、２０１７年、核兵器禁止条約の国連会議に参加したさいの、バチカン代表との心がこもった交流を思い出します。同年7月、核兵器禁止条約が採択されたさい、バチカンの国連首席代表と懇談し、条約成立をともに祝福しあいました。私が、「核兵器禁止条約の前文に、市民的良心の担い手として、被爆者などとならんで、宗教指導者と国会議員が明記されました。ともに手を携えてすすみましょう」とのべますと、バチカン代表は「その通りです。そうしていきましょう」と応じ、今後の協力で意気投合しました。バチカン代表が、「日本の共産党がこの平和の至高の課題にとりくんでいることが印象的です」「今後、イスラムなど世界のさまざまな宗教との共同を追求したい」と語っていたことも深く印象に残っています。

宗教・宗派の違いをこえて、世界の宗教者とも広く手を携え、この人類的課題の実現のために力をつくそうではありませんか。（拍手）

核兵器禁止条約にサインする政府をつくろう

こうした新しい動きが起こっているときに、唯一の戦争被爆国である日本政府がとっている態度はどうでしょうか。

ローマ教皇が被爆地において、核抑止力論の否定と核兵器禁止条約を訴えたことは、米国の「核の傘」に頼り、核兵器禁止条約に背を向けながら、ポーズだけの「平和」を唱える日本政府の立場に対する痛烈な批判でもありました。しかし、この発言を受けての日本政府の反応は、「核抑止力は安全保障の基礎」だとして、核兵器禁止条約に背を向ける従来の態度を繰り返すだけの情けないものでした。

日本政府が、２０１９年の国連総会に提出した核兵器問題の決議案は、核兵器禁止条約への言及は一切なく、核兵器廃絶を「究極の目標」として永久に先送りし、これまでのＮＰＴ（核不拡散条約）再検討会議で合意された一連の積極的内容を反故《ほご》にして米国など核保有国への異常なまでの追随姿勢をあらわにし、世界から厳しい批判を受けました。

ローマ教皇は、訪日後、バチカンのサンピエトロ広場で行われた恒例の一般謁見《えっけん》で、世界中から集まった信徒を前にして、日本訪問についてこう語りました。

「原爆の消えることのない傷を負う日本

は、全世界のためにいのちと平和の基本的権利を告げ知らせる役割を担っている」

これは世界の多くの人々の声でもあります。党大会として訴えようではありませんか。日本政府は、核兵器禁止条約にサインせよ（拍手）。そしてみなさん、サインしなければ、政府を代えようではありませんか（拍手）。私たちの手でサインする政府をつくろうではありませんか。（拍手）

ジェンダー平等について――全党討論をふまえて

いま一つは、ジェンダー平等についてであります。

一部改定案は、21世紀の新しい希望ある動きの一つとして、国際的な人権保障の新たな発展、ジェンダー平等を求める国際的潮流の発展を明記しました。さらに、日本の民主的改革の課題として、「ジェンダー平等社会をつくる」「性的指向と性自認を理由とする差別をなくす」と明記しました。この提案には、全体として強い歓迎の声が寄せられています。

全党討論をふまえて、いくつかの点をのべておきたいと思います。

ジェンダーとは何か、男女平等と違うのか

全党討論のなかで、「そもそもジェンダーとは何か。男女平等と違うのか」という質問が寄せられています。

ジェンダーとは、社会が構成員に対して押し付ける「女らしさ、男らしさ」、「女性はこうあるべき、男性はこうあるべき」などの行動規範や役割分担などを指し、一般には「社会的・文化的につくられた性差」と定義されていますが、それは決して自然にできたものではなく、人々の意識だけの問題でもありません。時々の支配階級が、人民を支配・抑圧するために、政治的につくり、歴史的に押し付けてきたものにほかなりません。

たとえば職場で、「女は妊娠・出産があるから正規で雇われないのは仕方ない」、「男は会社につくし、妻子を養って一人前」といった規範を押し付けることで、女性も男性も過酷な搾取のもとに縛り付けてきたのがジェンダー差別であります。ジェンダー平等社会を求めるたたかいは、ジェンダーを利用して差別や分断を持ち込み、人民を支配・抑圧する政治を変えるたたかいであることをまず強調したいと思います。（拍手）

「男女平等」は引き続き達成すべき重要な課題ですが、法律や制度のうえで一見「男女平等」となったように見える社会においても、女性の社会的地位は低いままであり、根深い差別が残っています。多くの女性が非正規で働き、政治参加が遅れ、自由を阻害され、暴力にさらされ、その力を発揮することができていません。その大本にあるのがジェンダー差別であります。

ジェンダー平等社会をめざすとは、あらゆる分野で真の「男女平等」を求めるとともに、さらにすすんで、「男性も、女性も、多様な性をもつ人々も、差別なく、平等に、尊厳をもち、自らの力を存分に発揮できるようになる社会をめざす」ということであると、考えるものです。

２０１５年、国連で採択された「持続可能な開発目標」（ＳＤＧｓ）は、２０３０年までに達成すべき17の目標を掲げましたが、その5番目の目標に「ジェンダーの平等を達成し、すべての女性と少女のエンパ

ワーメントを図る」ことを掲げるとともに、すべての目標に「ジェンダーの視点」をすえることが強調され、「ジェンダー平等」はあらゆる問題を前向きに解決するうえで欠かせない課題と位置づけられました。

ジェンダー、ジェンダー平等という概念は、私たちの視野を広げ、より幅広い方々とともに、性による差別や分断のない社会、誰もが尊厳をもって自分らしく生きることのできる社会をめざす運動の力になるものであり、そういう認識にたって、今回、綱領一部改定案に盛り込むことにいたしました。（拍手）

日本の著しい遅れの原因はどこにあるのか

この問題で、日本は著しい遅れにあります。世界経済フォーラムが公表したグローバル・ジェンダー・ギャップ指数で、2019年、日本は、153カ国中121位となり、これまでで最低となりました。その原因はどこにあるか。

一つは、財界・大企業が、口では「男女平等」を言いながら、実際の行動では、利益最優先の立場からジェンダー差別を利用していることであります。女性には「安上がりの労働力」と「家族的責任」を押し付け、男性には「企業戦士たれ」と「長時間労働・単身赴任」を押し付けています。日本経団連の会長と18人の副会長は全員が男性です。19人の全員が男性とは、異常な光景ではないでしょうか。ＩＬＯ（国際労働機関）総会でハラスメント禁止条約が圧倒的多数で採択されても、日本経団連は棄権をしました。日本は「ルールなき資本主義」の国といわれますが、その最悪のあらわれの一つがジェンダー差別の押し付けにあることを、厳しく指摘しなくてはなりません。（拍手）

いま一つは、戦前の男尊女卑、個人の国家への従属を当然視する勢力が、戦後政治の中枢を占め、とりわけ安倍政権で逆行が著しくなっていることであります。日本の歴史で女性差別の構造が国家体制として強固に押し付けられたのは明治期でした。絶対主義的天皇制国家を底辺で支える「家制度」に女性差別ががっちりと組み込まれました。明治期につくられた差別の構造は、戦後も引き継がれ、さらに、戦前の日本への回帰をめざす安倍政権のもとで、男尊女卑の言動が横行し、日本軍「慰安婦」問題で歴史の真実が否定されるなど、権力者がジェンダー差別をふりまいていることは許すわけにはいきません。（拍手）

ジェンダー平等の上に利潤追求を置いて恥じるところのない財界・大企業の無分別と節度のなさ、明治時代の男尊女卑の価値観をいまだに押し付ける政治——この二つのジェンダー差別のゆがみをただすたたかいにとりくもうではありませんか。（拍手）

日本共産党としてどういう姿勢でのぞむか——学び、自己改革する努力を

日本共産党としてこの問題にどういう姿勢でとりくむか。このことが、全党討論で活発に議論されていることは重要であります。

まず何よりも強調したいのは、党が、ジェンダー平等を求める多様な運動——性暴力根絶をめざすフラワーデモ、就活セクハラやブラック校則を変えるたたかい、性的マイノリティーへの差別をなくし尊厳を求める運動などに、「ともにある」（＝#ＷｉｔｈＹｏｕ）の姿勢で参加し、立ち上がっている人々の声を耳を澄ませてよく聞き、切実な要求実現のためにともに力を

つくすことであります。ジェンダー平等を妨げている政治を変えるたたかいにともにとりくむことであります。

同時に、戦前・戦後、女性解放のためにたたかってきた党の先駆的歴史に誇りをもちつつ、学び、自己改革する努力が必要であります。私たち自身も、ジェンダーに基づく差別意識や偏見に無関係ではありません。私たち一人ひとりが、無意識に内面化している人権意識のゆがみと向き合い、世界の到達、さまざまな運動の到達に学び、勇気をふりしぼって声をあげている人々に学び、自己改革のための努力を行おうではありませんか。

党自身がジェンダー平等を実践してこそ、ジェンダー平等社会の実現に貢献することができます。そのためにお互いに努力することを、心から訴えたいと思います。（拍手）

四、21世紀の世界をどうとらえるか（2）——世界資本主義の諸矛盾

続いて、一部改定案は、綱領第一〇節で、世界資本主義の諸矛盾という角度から、21世紀の世界の姿を明らかにしています。この問題にかかわって報告します。

貧富の格差拡大と地球規模の気候変動——どういう姿勢で立ち向かうか

一部改定案は、冒頭に、「巨大に発達した生産力を制御できないという資本主義の矛盾」の七つのあらわれについてのべたうえで、「貧富の格差の世界的規模での空前の拡大」、「地球的規模でさまざまな災厄をもたらしつつある気候変動」の二つを、世界的な矛盾の焦点として特記しました。そして、この二つの大問題について、「資本主義体制が二一世紀に生き残る資格を問う問題となっており、その是正・抑制を求める諸国民のたたかいは、人類の未来にとって死活的意義をもつ」とのべました。

貧富の格差が空前の広がりを示すもと、「社会主義」の新たな形での「復権」が

この二つの大問題は、人類の死活にかかわる緊急の課題であり、資本主義の枠内でもその是正・抑制を求める最大のとりくみが強く求められます。

同時に、これらの問題にとりくんでいる人々のなかから、「資本主義の限界」が語られ、「利潤第一の経済システムそのものを変える必要がある」などの声が広く起

こっていることは注目すべきであります。

アメリカでは、貧富の格差が空前の広がりを示すもとで、「社会主義」を掲げるさまざまな運動が広がっています。「1％のためでなく、99％のための政治」を掲げ、社会保障の拡大を求め、富裕層への課税など経済的不平等をただすことを訴えています。私たちがいま日本でめざしている方向とも共通性をもった運動であります。

そうしたもと、最近、大手世論調査会社「ピューリサーチ」が実施した世論調査（2019年4～5月に調査）では、若い「ミレニアル世代」――23～38歳の半数が社会主義を肯定的に見ているとの結果が明らかになりました。

別の大手世論調査会社「ハリス」が実施した世論調査（2019年4月）では、社会主義への支持が拡大しているという調査結果が明らかになりました。それによれば、アメリカ人の10人に4人、18歳～54歳の女性の55％が、資本主義の国よりも社会主義の国での生活を好むと表明しています。この結果を伝えたメディアは、「社会主義は特に女性の間で、そのソ連時代の汚名を消している」と報じました。

ソ連崩壊から30年近くたった今日、世界資本主義の矛盾がむき出しの形で噴き出しています。そうしたもと、世界最大の資本主義国・アメリカで「社会主義」の新たな形での「復権」が起こっていることは、注目すべき出来事ではないでしょうか。（拍手）

地球規模の気候変動――非常事態に人類は直面している

昨年12月に開催されたCOP25（国連気候変動枠組み条約第25回締約国会議）は、温室効果ガス削減目標の引き上げを促す決議には合意したものの、「パリ協定」の運用ルールの決定が先送りにされ、世界の人々を失望させる結果となりました。

地球規模の気候変動をめぐって、もはや問題の先送りは許されない非常事態――文字通りの「気候危機」に人類は直面しています。

昨年12月に発表された国連環境計画（UNEP）報告では、現在各国から出されている目標通りに削減したとしても、世界の平均気温は産業革命前に比べて、今世紀中に3・2度上昇し、現在の排出ペースが続けば3・2～3・9度上昇すると予測され、地球は破局的事態に陥ります。

「パリ協定」で掲げる「1・5度以内」に抑制する目標を実現するためには、削減目標の緊急の大幅引き上げが必要であります。そのためには、2050年までに温室効果ガスの排出量を「実質ゼロ」にしなければなりません。あと30年です。人間でいえば1世代の間に、それを成し遂げなければなりません。そして、それを成し遂げるには、あと数年のとりくみが正念場となっています。グテレス国連事務総長が「気候危機」というほど、事態は切迫しているのであります。

この日本から、世界に連帯して、気候変動の抑制をもとめる緊急の行動を

こうしたなか、世界的規模で、気候変動の抑制を求める運動が広がっています。

昨年9月末に行われた「グローバル気候マーチ」には、185カ国で、760万人の市民が参加し、2003年のイラク戦争反対の世界的デモの参加者数を超え、史上最大規模となりました。若者たちが「私たちの将来を燃やさないで」とたちあがっています。17歳のスウェーデンの環境活動家グレタ・トゥンベリさんは、「一番危険なのは行動しないことではなく、政治家や企

業家が行動しているように見せかけること」だと指摘し、「私たちは、大量絶滅の始まりにいる」と訴え、世界の若者の共感を広げています。

グレタさんに対して、トランプ米大統領は、彼女が米タイム誌の「今年の人」に選ばれたことを、「全くばかばかしい。……落ち着け、グレタ、落ち着け！」とコメントし、ブラジルのボルソナロ大統領は「小娘」呼ばわりし、ロシアのプーチン大統領は「現代の世界が複雑で多様であることを誰もグレタさんに教えていない」といい、小泉進次郎環境大臣は「おとなたちに対する糾弾に終わってしまっては、私はそれも、未来はないと思っている」と批判しました。「ばかばかしい」のはどちらか、「現代の世界」を理解していないのはどちらか、「未来はない」のはどちらか。あまりにも明瞭ではありませんか（拍手）。若者の真剣な訴えを聞く力をもたない政治家に、恥を知るべきだと、私は強く言いたいと思います。（拍手）

日本でも、台風・豪雨災害の大規模化、猛暑によるコメ生産への打撃、海水温上昇による不漁など、気候変動の深刻な影響があらわれています。ドイツのシンクタンク「ジャーマンウォッチ」は、地球温暖化の影響が指摘される豪雨や熱波など気象災害の影響が大きかった国のランキングを発表しましたが、２０１８年は日本がワースト1位となりました。にもかかわらず、日本政府は、石炭火力発電所を増設・輸出し、削減目標の上乗せを拒み、環境NGOから何度も「化石賞」を受賞するという恥ずべき姿をさらしています。

日本でも、「グローバル気候マーチ」に連帯した若者たちの運動がはじまっています。世界の運動に連帯し、この日本から気候変動抑止のための緊急の行動を大きく発展させようではありませんか。（拍手）

気候変動の打開の道は「社会主義の理想を現代に適合させること」（米有力誌）

いま注目すべきは、こうした運動にとりくんでいる人々のなかから、「いまのシステムで解決策がないならば、システムそのものを変えるべきだ」という主張が起こっていることであります。

アメリカの有力外交誌『フォーリン・アフェアーズ』（２０２０年1―2月号）は、「資本主義の未来」を特集しましたが、その論文の一つは、次のように主張しています。

「資本主義は危機にある。……経済成長を何よりも優先する経済モデルが必要とする大量消費と化石燃料の大量使用が大きな要因となり、気候変動は今や人類生存の将来を危機にさらしている。……人々の生活の質をぼろぼろにした経済崩壊と同様、環境の悪化は資本主義の危機に根がある。そのどちらの課題も、オルタナティブな経済モデル――社会主義の理想を現代に適合させることにより真の改革への渇望にこたえるようなモデル――を採用することで、対応できる」

アメリカの有力外交誌が、気候変動の打開の道は、「社会主義の理想を現代に適合させること」にあるとする論文を掲載したことは、注目すべきことではないでしょうか。「利潤第一主義」――利潤追求を地球環境の上におき、生産のための生産につきすすみ、エネルギーの果てしない浪費を行う資本主義というシステムそのものが、いま問われているのであります。

みなさん、貧富の格差の問題でも、気候変動の問題でも、資本主義の枠内で解決のための最大の努力を行いながら、資本主義をのりこえた社会主義によって問題の根本

的な解決の展望が開かれることを、大いに語っていこうではありませんか。（拍手）

帝国主義と覇権主義——一部改定案と現代の世界について

続いて、一部改定案では、資本主義世界の政治的諸矛盾についてのべています。

一部改定案は、アメリカの帝国主義的侵略性を二つの角度から特徴づけています。第一は、「国連をも無視して他国にたいする先制攻撃戦略をもち、それを実行するなど、軍事的覇権主義に固執していること」、第二は、「地球的規模で軍事基地をはりめぐらし、世界のどこにたいしても介入、攻撃する態勢を取り続けている」ことであります。

そして、綱領は、「いま、アメリカ帝国主義は、世界の平和と安全、諸国民の主権と独立にとって最大の脅威となっている」と告発しています。

トランプ政権のもと帝国主義の特徴はどうあらわれているか

全党討論の中で、トランプ政権のもとで、帝国主義の特徴が具体的にどういう形であらわれているかという質問が寄せられました。

「アメリカ・ファースト」を掲げて大統領選挙に勝利したトランプ大統領のこの3年間の外交には、国連をはじめとする多国間の枠組みを自国の行動の制約とみなしてないがしろにする立場が貫かれています。アメリカは、パリ協定から離脱し、イラン核合意から離脱し、ユネスコから離脱しました。通商問題でもアメリカが主導してきた多国間自由貿易に背を向け、力を背景とした2国間交渉でアメリカの利益を確保しようとしています。

これらの動きから、トランプ政権が、米国が築いてきたあらゆる国際秩序から撤退しようとしているのではという見方があらわれています。しかし、実態は、決してそのようなものではありません。「アメリカ・ファースト」で自国の利益を独善的に追求しつつ、先制攻撃戦略など軍事的覇権主義にしがみつき、地球的規模での軍事基地網は決して手放さない——よりあからさまな帝国主義の政策にしがみついているのが、トランプ政権の立場にほかなりません。

こうしたアメリカの帝国主義的侵略性が端的にあらわれたのが、今年1月3日、トランプ大統領の指示によって行われた、イラン革命防衛隊幹部の空爆による殺害であります。どんな理由をつけても、主権国家の要人を空爆によって殺害する権利は、世界のどの国にも与えられていません。それは国連憲章に違反した無法な先制攻撃そのものであります。そして、米国とイランの緊張激化は、2018年5月、トランプ政権がイラン核合意から一方的に離脱したことが出発点だったことは明瞭であります。

軍事衝突から戦争に発展する危険は依然として続いています。情勢を打開する方法は、外交的解決の道に立ち戻る以外にありません。日本共産党は、すべての関係者に自制を強く求めるとともに、トランプ政権に対して、イランへの「最大限の圧力」路線を中止し、核合意に復帰することを強く求めます。安倍政権に対して、中東沖への自衛隊派兵という無謀で危険な動きを、ただちに中止することを強く求めるものであります。（拍手）

アメリカの先制攻撃戦略は、すでに深刻な大破綻に直面しています。2001年、アメリカが、「対テロ戦争」の名でアフガニスタンへの先制攻撃の戦争を開始してから18年が経過しましたが、アフガニスタンでは今なおテロや戦闘が続き、市民の犠牲者は4万人を超えています。アメリカ・ブラウン大学ワトソン国際公共問題研究所員の調査によれば、米国は、現在、6大陸の80カ国で対テロ作戦を展開しています。40カ国の海外米軍基地が動員され、14カ国で米軍が実戦作戦に関与し、7カ国で米軍が直接、空爆およびドローン攻撃を実施しています。先制攻撃から始まった「対テロ戦争」は終結していないだけでなく、世界中の国の40％以上に広がっているのであります。これは、テロは戦争ではなくせないことを、動かせない事実をもって証明しているではありませんか。

トランプ大統領は、日本、韓国、NATO（北大西洋条約機構）加盟国など、「同盟国」に対して、「負担のあり方が不公平だ」と不満をつのらせ、負担増を要求していますが、これは決して軍事同盟から撤退するものでなく、「同盟国」により大きな負担増を強要しながら、あくまで軍事同盟網を強化していく立場からのものにほかなりません。

こうしてトランプ大統領のもと、アメリカ帝国主義の侵略性は、「アメリカ・ファースト」という自国中心主義とあわさって、きわめて危険な姿を示しています。日本共産党は、その軍事的覇権主義、とりわけ日本をより深い従属と収奪のもとに置こうという企てに、断固として反対してたたかうものであります。（拍手）

アメリカと他の大国との覇権争い——どんな国であれ覇権主義を許さない

一部改定案では、「アメリカと他の台頭する大国との覇権争いが激化し、世界と地域に新たな緊張をつくりだしていることは、重大である」と新たに明記しました。

覇権主義という点で、アメリカ帝国主義が世界にとっての最大の脅威であることを踏まえつつ、中国、ロシアなどの覇権主義が強まり、「覇権争い」の激化があらわれていることを直視する必要があります。米国と、中国、ロシアは、核兵器禁止条約への敵対では協力しながら、激しい核軍拡競争を宇宙にまで拡大しています。インド太平洋地域での米国と中国の覇権争いは、アジアに新たな緊張をもたらしています。NATOの東方への拡張、ロシアの覇権主義の台頭が、ヨーロッパに新たな緊張をもたらしています。

こうした全体を視野に入れて、一部改定案は、「国連憲章にもとづく平和の国際秩序か、独立と主権を侵害する覇権主義的な国際秩序かの選択が、問われている」と強調し、「どんな国であれ覇権主義的な干渉、戦争、抑圧、支配を許さず、平和の国際秩序を築く」ことを明記しました。

覇権主義に決して未来はないことは、すでに人類の歴史によって繰り返し審判がくだっていることです。日本共産党は、相手がアメリカであれ、旧ソ連であれ、中国であれ、あらゆる覇権主義と正面からたたかいつづけた自主独立の党として、覇権主義に反対し、平和の国際秩序を築くために、全力をあげて奮闘するものです。（拍手）

社会主義への前進は、世界史の不可避的な発展方向

こうして21世紀における世界資本主義の経済的・政治的諸矛盾の深まりは、人類が

この体制をのりこえて社会主義にすすむ必然性を示すものとなっています。綱領の第三章・世界情勢論の結びにのべられている次の規定は、世界資本主義の現実を踏まえた結論として、いよいよその重みを増しています。

「世界史の進行には、多くの波乱や曲折、ときには一時的な、あるいはかなり長期にわたる逆行もあるが、帝国主義・資本主義を乗り越え、社会主義に前進することは、大局的には歴史の不可避的な発展方向である」

世界資本主義の諸矛盾の深まりのもと、社会主義への前進は大局的には不可避である――こうした展望と確信をもって、奮闘しようではありませんか。（拍手）

五、発達した資本主義国での社会主義的変革の世界的意義について

次にすすみます。

一部改定案は、中国に対する綱領上の規定の見直し、ロシア革命以降の1世紀の世界史の経験を踏まえ、綱領第五章・未来社会論の最後の節を見直し、発達した資本主義国における社会主義的変革の世界的意義について明らかにしました。

全党討論をふまえて、いくつかの点をのべておきたいと思います。

「発達した資本主義国での社会変革は、社会主義・共産主義への大道」という規定について

まず、一部改定案が、「発達した資本主義国での社会変革は、社会主義・共産主義への大道」と規定したことについてであります。

この提起に対して、全体として強い歓迎、新たな決意が寄せられています。

同時に、討論のなかで、「大道とは少し言いすぎではないか」、「途上国で頑張っている共産主義者が悲しむのではないか」などの意見も寄せられました。これらの意見は、そのほとんどが討論を通じて解決されていますが、報告でも解明しておきたいと思います。

なぜ「大道」とのべたか――未来社会を建設するために必要な前提がすでに成熟

なぜ「大道」とのべたか。

一部改定案では、「大道」という言葉を、読んで字のごとく「大きな広い道」という意味で使いました。『広辞苑』を引いても、

「大道」とは一義的には「幅の広い道路」という意味とされています。二義的には「正しい道」という意味もありますが、そういう意味で使ったのではありません。一般的・普遍的な道という意味で使いました。

一部改定案がのべているように――そしてこのことはマルクスが繰り返しのべたことでしたが――、資本主義の高度な発展そのものが、その胎内《たいない》に、未来社会にすすむさまざまな客観的条件、および主体的条件をつくりだします。

一部改定案では、その要素を五つの点――「資本主義のもとでつくりだされた高度な生産力」、「経済を社会的に規制・管理するしくみ」、「国民の生活と権利を守るルール」、「自由と民主主義の諸制度と国民のたたかいの歴史的経験」、「人間の豊かな個性」で列挙いたしました。

すなわち、発達した資本主義国において、社会主義的変革に踏み出した場合には、社会主義・共産主義を建設するために必要な前提がすでに豊かな形で成熟しています。それらの前提をすべて生かし、生産手段の社会化を土台に、発展的に継承して新しい社会を建設することができます。そこには、これまで人類が全く経験したことのない「豊かで壮大な可能性」が存在します。一部改定案で「大道」と特徴づけたのは、そういう意味にほかならないということを、まず強調したいと思います。（拍手）

資本主義の発達が遅れた国における社会主義的変革の困難性について

8中総の提案報告でものべたように、それは決して途上国・新興国など、資本主義の発展の遅れた国ぐににおける社会主義的変革の可能性を否定するものではありません。資本主義の矛盾があるかぎり、どんな発展段階にある国であっても、社会主義的変革が起こる可能性は存在します。

また、植民地体制の崩壊によって独立をかちとった途上国・新興国、それらの国ぐににおける社会変革の事業が、21世紀の世界の平和と進歩のために果たしている巨大な役割について、一部改定案が、「二〇世紀に起こった世界の構造変化」が「二一世紀の今日、平和と社会進歩を促進する生きた力を発揮しはじめている」として、人類の前途にとっての大きな希望を見いだしていることを、あらためて強調しておきたいと思います。

同時に、社会主義的変革という角度から見るならば、資本主義の発展が遅れた国ぐににおける社会主義的変革には、きわめて大きな困難がともなうことは、ロシア革命以後、1世紀におよぶ歴史が証明しています。

中国革命の出発点における立ち遅れについては、さきほどのべたように、民主主義の未成熟という点でも、大国主義の歴史という点でも、深刻な問題点が存在したことは、中国の党自身が自戒していたことでした。ロシア革命も、その出発点において、生産力の立ち遅れだけでなく、住民の識字率が約3割にすぎないといった文明・文化の立ち遅れなど、社会主義を建設するうえでの大きな困難が存在していたことは、この革命の先頭にたったレーニン自身が繰り返し語ったことでした。

これらの国ぐにでは、革命の出発点では、さきほどあげた五つの要素――社会主義を建設するために必要な前提は、どれも存在しないか未成熟でした。それらの国ぐにでは革命を行った後に、社会主義を建設するために必要な前提として、これらの諸要素をつくりだす必要がありました。ところが、ロシアにしても、中国にしても、民主主義の制度をつくりだすことをはじめ、そうしたとりくみが十分になされませんでした。それらが前途に大きな困難をもたらしたのであります。

一つの世界史的な「割り切り」をおこなった

一部改定案で、「発達した資本主義国での社会変革は、社会主義・共産主義への大道である」との命題を押し出したのは、資本主義の高度な発達のなかで未来社会にすすむ諸要素が豊かな形でつくりだされるという理論的展望、およびロシア革命以後の資本主義からの離脱の道に踏み出した国ぐにの歴史的経験を踏まえたものであります。

そして、8中総の結語で、「一つの世界史的な『割り切り』をした」と特徴づけたのは、以上の全体を踏まえたものであります。

もちろん、わが党は、この立場を世界の革命運動に押し付けるつもりは毛頭ありません。あくまでも、日本の社会変革に責任を負う党として、人類未到の道に挑戦するという日本共産党自身の開拓者としての主体的な決意の表明として、一部改定案にこの命題を書き込んだということを、強調しておきたいと思います。

今のたたかいは未来社会へと地続きでつながっている

全党討論では、8中総の結語で、今の私たちのたたかいについて、「未来社会にすすむ諸要素を豊かにするたたかいであり、これらのたたかいは未来社会へと地続きでつながっています」、「今の私たちのたたかいは、そのすべてが未来社会を根本的に準備する」と強調したことに、「ロマンを感じた」、「未来社会のイメージがつかめた」など、強い共感と確信の声が返ってきています。

報告で、この問題に関連してのべておきたいのは、資本主義の高度な発展がその胎内につくりだす未来社会に進む諸条件――一部改定案でのべた五つの要素のなかには、資本主義の発展が必然的につくりだす要素もありますが、人民のたたかいによって初めて現実のものになる要素もあるということです。

資本主義の発展が必然的につくりだす要素

「高度な生産力」は、資本主義の発展が必然的につくりだし、より高度な社会を築く土台となります。そのことはマルクスが、『資本論』で、「社会的労働の生産諸力の発展は、資本の歴史的任務であり、歴史的存在理由である。まさにそれによって、資本は無意識のうちにより高度な生産形態の物質的諸条件をつくりだす」などと繰り返し強調したことであります。

「経済を社会的に規制・管理するしくみ」も、資本主義の発展のなかで必然的につくりだされます。8中総の提案報告のなかで紹介したように、マルクスは、『資本論』で、資本主義が生みだす「もっとも人為的で発達した産物」として銀行制度・信用制度をあげ、これらが社会主義的変革をすすめるさいに「有力な梃子《てこ》として役立つ」ことは間違いないとのべましたが、こうした「経済を社会的に規制・管理するしくみ」も資本主義の発展が必然的に生みだすものにほかなりません。

人民のたたかいによって初めて現実のものとなる要素

同時に、人民のたたかいによって初めて現実のものとなる要素もあります。

「国民の生活と権利を守るルール」は、世界においても、日本においても、人民のたたかいによってつくりだされてきたものです。労働時間の短縮をとっても、19世紀中頃のイギリスで、世界で初めて労働時間を10時間に規制する工場立法がつくられましたが、これはマルクスが労働者階級による「半世紀にわたる内乱」の成果とよんだように、長期にわたる人民のたたかいがかちとった偉大な進歩でした。いま、私たちは、人間らしい雇用、暮らしを支える社会保障など、さまざまな分野で「国民の生活と権利を守るルール」をつくるたたかいに取り組んでいますが、これらの一つひとつも国民のたたかいによって初めて現実のものとなり、そのすべてが未来社会に発展的に引き継がれるものであります。

「自由と民主主義の諸制度と国民のたたかいの歴史的経験」も、人民のたたかいによってつくりだされ、豊かにされてきたものです。日本国憲法で定められた自由と民主主義の諸制度は、戦前の日本における自由と民主主義を求める不屈の先駆的なたたかいが実ったものであり、世界の人民の世論と運動を反映したものでした。戦後、憲法のこれらの先駆的理念を掘り崩そうという勢力と、それを生かそうという勢力との激しいたたかいが続けられてきましたが、いま、日本国民が、自由と民主主義を自らの血肉とし、豊かに発展させるたたかいを積み重ねることは、それらの成果を、未来社会に確実に引き継ぎ、豊かに花開かせる最大の保障となるものであります。

一部改定案は、マルクスの『資本論』の草稿での解明を踏まえて、資本主義のなかでつくりだされ、未来社会に発展的に引き継がれる要素として、「人間の豊かな個性」をあげましたが、個性の発展も資本主義社会のもとで自動的に進行するものではありません。すべての人が生まれながらにして平等であるという民主主義の感覚、個人の尊厳は不可侵だという人権の感覚、国民こそが国の主人公だという主権者意識、性による差別や偏見のない社会を求めるジェンダー平等の感覚――こうしたものは、人間に最初から備わっているものではありません。そのどれもが人民のたたかいによって、歴史的に形成されてきたものであり、形成されつつあるものであります。

今のたたかいは、そのすべてが未来社会へと地続きでつながっており、未来社会を根本的に準備する――こういう大志とロマンのなかに現在の私たちのたたかいを位置づけて、奮闘しようではありませんか。（拍手）

発達した資本主義国における社会主義的変革の「特別の困難性」とは

報告の最後に、一部改定案が、発達した資本主義国における社会主義的変革について、「豊かで壮大な可能性」とともに、「特別の困難性」をもつ事業だと言及した意味についてのべておきたいと思います。全党討論のなかでは、「資本主義の発達の遅れた国での社会主義的変革も困難であり、発達した資本主義国での社会主義的変革も困難となると、両方とも困難ということか」という質問もありました。

ここでいう「特別の困難性」とは、発達した資本主義国において、多数者革命を「開始する」ことの困難性――日本の場合で言えば、国民の多数の合意のもとにまず民主主義革命を実現し、さらに国民の多数の合意で社会主義的変革にすすむうえでの困難性ということであります。

8中総の提案報告でのべたように、「発達した資本主義国では、支配勢力が、巨大な経済力と結びついた支配の緻密な網の目を、都市でも農村でも張り巡らして」います。「なかでも支配勢力が、巨大メディアの大部分をその統括下に置き、国民の精神生活に多大な影響力を及ぼしていることは、私たちの事業を前進させるうえで特別に困難な条件」となっています。こうした「特別の困難性」を打ち破るには、日常不断に多数者を結集する粘り強い活動にとりくむこと、わけても強大な日本共産党を建設し、この党が一翼を占める統一戦線を実現することが、絶対に不可欠であります。

そして、多数者革命を「開始する」ことは困難であっても、民主主義革命を実現し、社会主義的変革の道に踏み出すならば、その先にははかりしれない「豊かで壮大な可能性」が存在する――これが日本における私たちの社会変革の事業の展望であります。

いま私たちがとりくんでいる市民と野党の共闘、日本共産党の躍進、強く大きな党づくりの事業は、そのどれもが日常不断の粘り強いとりくみ――忍耐力、不屈さが求められる仕事であります。しかし、それこそが、「特別の困難性」を突破して、未来社会における「豊かで壮大な可能性」を現実のものにする最もロマンある仕事だということを胸に刻んで奮闘しようではありませんか。（拍手）

以上で、綱領一部改定についての報告を終わります。（大きな拍手）

（「しんぶん赤旗」2020年1月16日付）

綱領一部改定案の討論
志位委員長の結語

2020年
1月18日報告
同日採択

代議員および評議員のみなさん、全国のみなさん、おはようございます。(「おはようございます」の声)

私は、中央委員会を代表して、綱領一部改定案の討論についての結語を行います。

個性と多様性が輝き、相互にリスペクトしあう感動的な討論

まず討論全体の特徴ですが、3日間の討論で、88人の同志が発言しました。47都道府県のすべてから発言がありましたが、これは、2000年の第22回党大会いらい20年ぶりのことであります。(拍手)

この大会での討論は、一人ひとりの個性が輝き、多様性が輝き、相互にリスペクトしあう、素晴らしい感動的な討論となったのではないでしょうか。(拍手)

そして、綱領一部改定、野党連合政権、強く大きな党づくり——三つのテーマが一体に議論され、豊かなハーモニーを奏で、歴史的大会にふさわしい充実した討論となったのではないでしょうか。(拍手)

討論での発言を希望された同志は、201人に及びます。用意した発言原稿があれば事務局に届けていただきたいと思います。新しい中央委員会の責任で、今後の活動に生かすようにします。

大会へのあいさつ、来賓あいさつ、中央委員会報告のインターネットでの視聴は、党内外で6万2千人、史上最多の規模となり、大会への期待と関心の高さを反映するものとなりました。全国から558通の感想文が寄せられました。

大会初日に行われた3野党・2会派代表・ゲストによるあいさつは、この3年間の共闘の質的な発展、お互いの信頼関係の深まりを、生き生きと示すものとなりました。全国から寄せられた感想文を読んでも、「涙が込み上げてきた」など、全党から強い感動をもって受け止められています。温かい連帯の気持ちを寄せてくださったすべての来賓の方々に、重ねてお礼を申し上げたいと思います。(拍手)

綱領一部改定案が、すでに大きな力を発揮している

3日間の討論では、綱領一部改定案が非常に活発に討論され、深められました。結語で、いくつかの点をのべておきたいと思います。

まず強調したいのは、綱領一部改定案が、すでに大きな力を発揮していることが、討論のなかでさまざまな角度から語られたということです。

綱領一部改定案が、党員拡大をはじめ党建設の新たな力になっていることが多くの同志から報告されました。中国に対する規定の見直し、新たに明記されたジェンダー平等、気候変動抑制などが、これまでにない広い方々、とくに若い方々に、党への新鮮な共感・信頼を広げていることが語られました。

この半年で党員を2倍に増やしている学生支部の支部長の同志は、約1年半、アメリカで生活した経験から、「アメリカでは、若者を中心に社会主義が広く受け入れられている」とのべつつ、綱領一部改定案が、若い世代を結集する大きな力になっていることを語りました。一部改定案で、中国の覇権主義を許さないという立場が明確にされ、「ソ連・中国＝社会主義」という先入観を取り除くことによって、「今の日本には希望が持てない、誰もが人間的で豊かに成長できる社会にしたいという若者の思いを、資本主義を乗り越えた先にある未来社会にむすびつけることができる」とのべました。

若い同志のみなさんから、「政治は変わらない」「いまの社会はあまりに生きづらい」と感じている若者が、綱領に出あうことで希望を見いだし、大きく成長し、民青同盟や党に迎え入れている経験が、次々に語られました。一部改定される綱領が、若い人々の心に響き、若い人々の思いにこたえる大きな力をもっていることが、討論を通じて明らかになったのではないでしょうか。（拍手）

綱領一部改定案は、党外の広い方々にも共感を広げています。

岩手県の達増拓也知事は、大会へのメッセージを寄せてくださり、紹介されましたが、そこに、次のような所感を添えてくれました。紹介します。

「日本共産党綱領一部改定案にかかる所感　世界全体の歴史の流れの中で、今自分たちがなすべきことを考えるというのは、政治のあるべき姿です。私も勉強させていただきたいと思います」

「政治のあるべき姿」と評価していただきましたが、たいへんうれしい評価ではないでしょうか。（拍手）

綱領一部改定案は、すでに大きな生命力を発揮しています。

私は、これが大会で正式に採択され、わが党の綱領として確定すれば、わが党の行く手を照らす羅針盤として、また多くの国民に党の姿を伝えるうえでも、巨大な力を発揮するものと確信するものであります。

中国に対する綱領上の見直し——批判は、大義に立ち、節度をもって行う

中国に対する綱領上の見直しについて、討論で議論がかわされました。一部改定案が提起した中国に対する綱領上の規定の見直しについて、中央委員会報告では、全党討論で出された質問、疑問にこたえる形で、解明を行いました。討論でも、全国からの感想でも、報告の内容が全面的に受け止められ、深められたと思います。今回の綱領見直しについて、「十分に慎重に対応してきた具体的な説明があり、党の誠実さを感じ、十分に納得した」などの声が、全国からたくさん寄せられたことは、うれしいことであります。

討論でも感想でも、中央委員会報告がのべた「中国にどう向き合うか」について、とくに積極的な受け止めが語られたことが一つの特徴でした。

報告では、この問題で三つの点を強調しました。一つは、「中国の『脅威』を利用して、軍事力増強をはかる動きには断固として反対する」こと、二つは、「中国指導部の誤った行動を批判するが、『反中国』の排外主義をあおりたてること、過去の侵略戦争を美化する歴史修正主義には厳しく反対をつらぬく」こと、三つは、「わが党の批判は、日中両国、両国民の本当の友好を願ってのもの」だということであります。討論で、「この姿勢に得心がいった」との発言が相次ぎました。全国からの感想でも、「非常にもっともだと思う」「よくわかった」などの受け止めが多く寄せられました。

中国指導部の今日の誤りは、きわめて深刻であり、わが党は、事実と道理にもとづいて厳しい批判を行います。中央委員会報告では、「中国の党は、『社会主義』『共産党』を名乗っていますが、その大国主義・覇権主義、人権侵害の行動は、『社会主義』とは無縁であり、『共産党』の名に値しません」と表明しました。

同時に、批判は、世界の平和と進歩という大義に立ち、日中両国民の真の友好という大義に立ち、節度をもって行います。日本共産党は、この立場を堅持していくことを、重ねて表明しておきたいと思います。

（拍手）

核兵器禁止条約——全国の草の根からの運動が綱領改定に実った

綱領一部改定案で新たに明記した核兵器禁止条約について、討論でも活発に議論がされました。

広島、長崎の同志からも、反核平和運動に携わっている同志からも、一部改定案に対して強い歓迎の発言がされました。

中央委員会報告では、カトリック・ローマ教皇の来日と発言についてのべましたが、青森の同志は、ローマ教皇の長崎・広島での発言の全文を掲載したのは「しんぶん赤旗」だけだったことを受けて、青森市のカトリック教会に「赤旗」贈呈の訪問を

したところ、教会のシスターの方々が、「赤旗」を見てたいへんに驚き、「発言（全文を）探していました」と贈呈に喜んでくれ、交流がはじまったことを報告しました。さらに、キリスト教の信者を党に迎えた経験を語りました。「核兵器のない世界」の実現のために、世界でも日本でも宗教者との共同を発展させる大きな可能性を感じさせる発言でした。神を信ずるものも、信じないものも、ともに手を携えて、この人類的課題の実現のために力をあわせることを、重ねて呼びかけたいと思います。（拍手）

核兵器禁止条約の国連会議に党代表団の一員として参加したある同志は、実感を込めて次のように発言しました。

「綱領一部改定案は、国際情勢を分析した理論的探究の到達であるとともに、実践的活動によって生み出された結果です。それは草の根から一人ひとりの党員と党組織のたゆまない活動を土台にしたものであり、その結晶だともいえます。その活動の一つひとつが今、世界とつながり新しい未来への展望を可能にしています」

その通りだと思います。綱領一部改定案は、そのすべてが机上の議論だけでつくりだしたものではありません。それは、わが党の野党外交の経験と実感に裏付けられたものであり、その根本には、日本国民のたたかいがあるということを強調したいのであります。（拍手）

核兵器問題についていえば、全国の草の根からの運動が、ヒバクシャ国際署名の一筆一筆が、綱領一部改定案に実ったことを強調したいと思います。全国の同志のみなさん、ここに確信をもって、綱領を指針に、「核兵器のない世界」の実現のために力をつくそうではありませんか。（拍手）

ジェンダー平等――先駆性に確信をもちつつ、学び、自己改革する努力を

中央委員会報告では、綱領一部改定案で新たに明記したジェンダー平等について、全党討論、党外の方からの意見も踏まえて、さらに踏み込んで党の立場をのべました。討論では、この問題についても、たいへんに活発な議論が行われました。この大会は、人類の進歩にとってきわめて重要なこの問題を、正面から真剣に議論した初めての大会となったという点でも歴史的大会になったと思います（拍手）。この問題についても、一部改定案と、中央委員会報告の立場は、積極的に評価していただけたと思います。

党外の方々からも評価の声が寄せられています。同志社大学教授でジェンダー研究に情熱をもって取り組んでこられた岡野八代さんが、大会報告を聞いていただいて、ツイッターにその動画の一部を添付して、こういう投稿をされました。

「志位さん、勉強してる（笑い）。ここ数年、どんどん進化してる、共産党」

ちょっと照れくさいんですが（笑い）。さらに、つぎのメッセージを寄せてくれました。読み上げて紹介します。

「ジェンダーを見つめることは、自らの来し方を奥深くまで探り、問い直すことだと考えています。今回共産党が、ジェンダー問題に取り組むことを党の方針の中心に掲げられたことは、日本社会に巣食う性差別や不平等を変革するとともに、大きく

自己改革にも取り組まれるのだと理解しました。まるで新しい政党が誕生したかのような感動を覚えました（どよめき）。共に、一人ひとりがより暮らしやすい社会を目指して頑張りましょう」（拍手）

たいへんにうれしい評価であります。（拍手）

討論のなかで、参議院選挙を候補者としてたたかった2人の女性の同志のこの問題での発言は、印象深いものでした。一人の同志は、自身の身近で起こった性暴力に反対する「#ＭｅＴｏｏ」の声が原動力となって、ハラスメントや性暴力根絶のための「ハラスメント撲滅プロジェクト」に取り組んだ経験を語り、「綱領一部改定案にジェンダー平等がもりこまれたことを大きな感動を持って受け止めました」とのべました。

もう一人の同志は、幼少期から、また職場で、「女のくせに」と言われ続けてきたことを語り、「ジェンダー問題は、私自身のこれまでの生き方・経験と無関係ではなく、私自身が苦しめられてきたということに気づきました。ジェンダー平等を求めるたたかいは、まさに自己改革であり、自己解放そのものです」と語りました。

私は、参議院選挙で、お二人とご一緒に訴える機会がありましたが、お二人が、街頭演説のなかで、それぞれの自らの経験、つらい思いと重ねて、政治を変えようという訴えを行ったことを、胸が熱くなる思いで聞いたことを思い出します。

この問題では、報告でものべたように、戦前・戦後のわが党の女性差別撤廃のためのたたかいの先駆性に確信をもちつつ、学び、自己改革する努力が大切であります。

トランスジェンダーであることをカミングアウト――自ら明らかにし、地方議員として奮闘している同志の発言は、胸を打つものでした。この同志は、40年前にゲイと思われる青年に偏見をもった対応をしたことを反省を込めて語った80代の党員の話とともに、レズビアンの党員から、「支部会議で否定されるような発言があり、説明されても理解してもらえない」と涙声で訴えられたという話を語り、次のようにのべました。

「今回、綱領一部改定案で、『性的指向と性自認を理由とする差別をなくす』としっかりと示されたからには、これまで、日本共産党は、個人の尊厳や、また、人権を守るために、綱領をよりどころにして不屈のたたかいを続けてきたわけですから、こうした残念な事例についても、必ず克服できると信じております」

全党の同志のみなさん。お互いに学び、自己改革を行い、この同志の信頼に、全党がこたえようではありませんか。（拍手）

この点にかかわって、全党討論のなかで出された一つの意見にこたえておきたいと思います。それは、１９７０年代、「赤旗」に掲載された論文などで、同性愛を性的退廃の一形態だと否定的にのべたことについて、きちんと間違いと認めてほしいというものです。これは当時の党の認識が反映したものにほかならないものだと思います。これらは間違いであったことを、この大会の意思として明確に表明しておきたいと思います。（大きな拍手）

ジェンダー平等社会をつくることは、女性や多様な性をもつ人々がその力を発揮できる社会をつくるだけではありません。男性もふくめて、すべての人間が自分らしくその力を存分に発揮できる社会をつくる大きな意義をもつものであります。

そして、わが党自身が、ジェンダー平等を自ら実践してこそ、ジェンダー平等社会をつくるための貢献をしていくことができ

る――このことをお互いに胸に刻んで力をつくそうではありませんか。（拍手）

中国に対する綱領上の見直しは、綱領全体に新たな視野を開いた

次にのべたいのは中国に対する綱領上の見直しと、綱領全体の組み立ての見直しの関連の問題です。

私は、中央委員会報告で、「中国に対する認識の見直しは、綱領全体の組み立ての見直しにつながった」とのべました。この点について討論でも深められました。そこで結語で、さらに少し踏み込んで、理論的な問題を整理してのべておきたいと思います。

この問題での結論として強調したいのは、中国に対する綱領上の規定の見直しが、綱領全体に新たな視野を開いたということであります。

今回の綱領一部改定の作業のプロセスを報告しますと、私たちは、この間の中国の変化と現状にてらして、中国に対する綱領の従来の規定を削除することがいよいよ必要になってきたと考え、まずここから改定の作業を始めました。

この作業を始めてみますと、それは、この規定の削除にとどまらず、綱領の全体の見直しを求めるものとなりました。そこをつきつめて作業をすすめていきますと、この改定は、21世紀の世界、未来社会の展望にかかわって、次の三つの点で、新しい視野を開くものとなったのであります。

植民地体制崩壊を「構造変化」の中心にすえ、21世紀の希望ある流れを明記した

第一に、20世紀に進行し、21世紀に生きた力を発揮している「世界の構造変化」の最大のものが、植民地体制の崩壊と１００を超える主権国家の誕生にあることを、綱領上も明確にし、いっそう端的に押し出すことになりました。

現綱領を決定した２００４年の第23回党大会では、20世紀に起こった世界の構造の変化として、①植民地体制の崩壊が引き起こした変化とともに、②二つの体制――すなわち資本主義と社会主義が共存する時代への移行・変化をあげました。いわば〝二つの構造変化が起こった〟という見方にたっていたのが、これまでの綱領の世界論でした。

一部改定案は、中国に対する規定の削除にともなって「二つの体制の共存」という世界論そのものについて、もはや過去のものとなったとしてこれを削除しました。

そのことによって、植民地体制の崩壊が文字通り「世界の構造変化」の中心にすえられ、綱領にもそのことを明記することになりました。そして21世紀の新しい流れとして、新たに綱領第9節を設け、核兵器禁止条約、平和の地域協力、国際的人権保障などの動きを、植民地体制の崩壊という「世界の構造変化」がもたらした希望ある変化として明記したのであります。

こうして、中国に関する規定の削除は、21世紀の希望ある新しい流れを綱領に明記することにつながったということを、まず強調したいと思います。（拍手）

資本主義と社会主義の比較論から解放され、本来の社会主義の魅力を示すことが可能に

第二に、資本主義と社会主義の比較論から解放されて、21世紀の世界資本主義の矛盾そのものを正面からとらえ、この体制をのりこえる本当の社会主義の展望をよりすっきりとした形で示すことができるようになりました。

２０１４年の第26回党大会では、〝社会主義をめざす国ぐに〟が、世界の政治と経済に占める比重が高まるもとで、「いやおうなしに資本主義国との対比が試される」という提起を行いました。人類が直面する死活的諸問題――「人民が主人公」という精神、人民の生活の向上、人権と自由の拡大、覇権主義を許さない国際秩序、核兵器廃絶や地球温暖化の解決などについて、「資本主義国との対比において、『社会主義をめざす新しい探究が開始』された国ならではの先駆性を発揮することを、心から願う」と、この大会で表明しました。

しかし、中国についていえば、ここであげたどの問題でも何らの先駆性も示されたとは言えませんでした。むしろ深刻なゆがみや逆行が進んだのであります。

こうしたもとで資本主義と社会主義の比較論が残されていますと、「中国に比べれば、欧米諸国がまし」というように、資本主義の矛盾が見えづらくなる結果にもなりました。また社会主義の本当の魅力も見えづらくなるという問題がありました。

今回の一部改定案が、こうした比較論から解放されて、世界資本主義の矛盾そのものを正面からとらえ、本来の社会主義への展望、その魅力を正面から示すことができるようになったことも、大きな意義があるものだと考えるものであります。（拍手）

社会主義革命の世界的展望にかかわるマルクス、エンゲルスの立場が押し出せるように

第三に、「発達した資本主義国での社会変革は社会主義・共産主義への大道」という命題を堂々とおしだすことができるようになりました。

これはマルクス、エンゲルスの本来の、当然の立場でした。8中総の提案報告でのべたように、マルクス、エンゲルスは、資本主義をのりこえる社会主義革命を展望したときに、当時の世界で、資本主義が最も進んだ国――イギリス、ドイツ、フランスから始まるだろうと予想し、どこから始まるにせよ当時の世界資本主義で支配的地位を占めていたイギリスでの革命が決定的な意義をもつことを繰り返し強調しました。

しかし、不破同志が発言でのべたように、これまでの綱領では、資本主義的発達が遅れた状態から出発して、「社会主義をめざす新しい探究を開始」している国が、世界史的な流れとして存在しているという認識であったために、簡単にその断定をくりかえすわけにゆかない状況がありました。

今回の一部改定によって、その状況は根本から変わりました。社会主義革命の世界的展望にかかわるマルクス・エンゲルスの本来の立場を、正面から堂々と押し出すことができるようになったのであります。（拍手）

こうして中国に関する規定の削除は、綱領の全体の組み立ての根本的な見直しにつながり、綱領にきわめて豊かな内容を付け加えることになり、その生命力をいっそう豊かなものとする画期的な改定につながりました。

全国の同志のみなさん、今回の綱領一部

改定のこうした理論的な関連の全体をつかんで、これからのたたかいに大いに生かしていこうではありませんか。（拍手）

綱領一部改定案の修正について

最後に、綱領一部改定案の修正について報告します。

全党から寄せられた修正提案を慎重に吟味しました。

中央委員会としての修正案は、みなさんに文書で配布した通りであります。合計8カ所ですが、そのほとんどは、文章の表現をより適切にし、整合性をはかるというものになっています。

若干説明しますと、綱領第4章13節（国の独立・安全保障・外交の分野で）4項の「歯舞諸島・色丹島」という表記は、「歯舞群島・色丹島」に修正します。かつては「諸島」「群島」の両方が使われており、国土地理院も「諸島」としていましたが、元島民などから統一してほしいという要望があり、国土地理院も2008年から「群島」に統一しました。現在は、地図帳や教科書も「群島」と表記しています。領土問題にかかわる重要な地名でもあり修正を行いました。

第4章13節（経済的民主主義の分野で）4項の環境とエネルギーについて、原子力発電所をなくすことは法制上は「廃止」となりますので、表記も「廃炉」から「廃止」へと修正を行いました。もちろんさまざまな国民運動などで「廃炉」という要求を掲げてたたかうことは、当然でありますが、綱領上の規定は「廃止」ということにいたしました。それから温室効果ガスについては、現在の国際的な目標は「実質ゼロ」であり、表記を正確にしました。

以上が、綱領一部改定案の修正についての中央委員会としての提案であります。

一部改定される綱領を手に、日本の未来を語り合う一大運動をおこそう

全国の同志のみなさん。綱領一部改定によって綱領の生命力は一段と豊かに発展させられました。

この新しい綱領を国民のなかで大いに語り、日本の未来を語り合う一大運動をおこすことを最後に心から呼びかけるものであります。（拍手）

いま世界でも日本でも「資本主義の限界」ということが、立場の違いをこえて、さまざまな形で語られています。

今年、1月1日から、日本経済新聞が、「逆境の資本主義」と題する9回連載の特集を行いました。「資本主義の常識がほころびてきた。……格差拡大や環境破壊などの問題が噴き出す。この逆境の向こうに、どんな未来を描けばいいのだろう」。こういう書き出しで開始された連載で、私も期待して読みました（笑い）。「日経」なりに、資本主義が陥っている「逆境」ぶりを描き出しました。しかし、この連載が最終回に出した結論はこういうものでした。「乗り越えるべき課題は山積していると

はいえ、この先も資本主義に代わる選択肢はない」

これはさみしい話ではないでしょうか（笑い）。「逆境」を認め、論じながら、未来を語ることができない。これがこの連載の最後の結論だったのです。

しかし、私たちは、明確な選択肢――社会主義・共産主義という希望ある選択肢を持っているではありませんか（拍手）。もちろん、すぐにそれを求めるわけでなく、まずは資本主義の枠内での民主主義革命を実現するというのが、わが党のプログラムですが、いま世界資本主義が深い矛盾に陥っているもとで、それをのりこえる未来社会への展望を語れる政党は、日本共産党をおいてほかにないことに、誇りと確信をもって進もうではありませんか。（大きな拍手）

一部改定される綱領を手に、日本の民主主義革命の展望、そして社会主義的未来の魅力を大いに語ろうではありませんか。（大きな拍手）

以上をもって綱領一部改定の討論についての結語とします。（拍手）

（「しんぶん赤旗」２０２０年1月20日付）

〈資料〉

第28回大会議案
日本共産党綱領一部改定案

第8回中央委員会総会が2019年11月5日に採択した綱領一部改定案（傍線は削除した部分、ゴシック〈太字〉は補強・補正した部分）に、第28回党大会で追加された修正提案（網かけは挿入、［　］は削除）を反映させた綱領一部改定案です。

三、（削除）世界情勢――二〇世紀から二一世紀へ
二一世紀の世界

（七）二〇世紀は、独占資本主義、帝国主義の世界支配をもって始まった。この世紀のあいだに、人類社会は、二回の世界大戦、ファシズムと軍国主義、一連の侵略戦争など、世界的な惨禍を経験したが、諸国民の努力と苦闘を通じて、それらを乗り越え、人類史の上でも画期をなす巨大な変化が進行した。

多くの民族を抑圧の鎖のもとにおいた植民地体制は完全に崩壊し、民族の自決権は公認の世界的な原理という地位を獲得し、百を超える国ぐにが新たに政治的独立をかちとって主権国家となった。これらの国ぐにを主要な構成国とする非同盟諸国会議は、国際政治の舞台で、平和と民族自決の世界をめざす重要な力となっている。

国民主権の民主主義の流れは、世界の大多数の国ぐにで政治の原則となり、世界政治の主流となりつつある。人権の問題では、自由権とともに、社会権の豊かな発展のもとで、国際的な人権保障の基準がつくられてきた。人権を擁護し発展させることは国際的な課題となっている。

国際連合の設立とともに、戦争の違法化が世界史の発展方向として明確にされ、戦争を未然に防止する平和の国際秩序の建設が世界的な目標として提起された。二〇世紀の諸経験、なかでも侵略戦争やその企てとのたたかいを通じて、平和の国際秩序を

現実に確立することが、世界諸国民のいよいよ緊急切実な課題となりつつある。

これらの巨大な変化のなかでも、植民地体制の崩壊は最大の変化であり、それは世界の構造を大きく変え、民主主義と人権、平和の国際秩序の発展を促進した。

（八）（削除）資本主義が世界を支配する唯一の体制とされた時代は、一九一七年にロシアで起こった十月社会主義革命を画期として、過去のものとなった。第二次世界大戦後には、アジア、東ヨーロッパ、ラテンアメリカの一連の国ぐにが、資本主義からの離脱の道に踏み出した。

一九一七年にロシアで十月社会主義革命が起こり、第二次世界大戦後には、アジア、東ヨーロッパ、ラテンアメリカの一連の国ぐにが、資本主義からの離脱の道に踏み出した。

最初に社会主義への道に踏み出したソ連では、レーニンが指導した最初の段階においては、おくれた社会経済状態からの出発という制約にもかかわらず、また、少なくない試行錯誤をともないながら、真剣に社会主義をめざす一連の積極的努力が記録された。とりわけ民族自決権の完全な承認を対外政策の根本にすえたことは、世界の植民地体制の崩壊を促すものとなった。

しかし、レーニン死後、スターリンをはじめとする歴代指導部は、社会主義の原則を投げ捨てて、対外的には、他民族への侵略と抑圧という覇権主義の道、国内的には、国民から自由と民主主義を奪い、勤労人民を抑圧する官僚主義・専制主義の道を進んだ。「社会主義」の看板を掲げておこなわれただけに、これらの誤りが世界の平和と社会進歩の運動に与えた否定的影響は、とりわけ重大であった。

日本共産党は、科学的社会主義を擁護する自主独立の党として、日本の平和と社会進歩の運動にたいするソ連覇権主義の干渉にたいしても、チェコスロバキアやアフガニスタンにたいするソ連の武力侵略にたいしても、断固としてたたかいぬいた。

ソ連とそれに従属してきた東ヨーロッパ諸国で一九八九〜九一年に起こった支配体制の崩壊は、社会主義の失敗ではなく、社会主義の道から離れ去った覇権主義と官僚主義・専制主義の破産であった。これらの国ぐにでは、革命の出発点においては、社会主義をめざすという目標が掲げられたが、指導部が誤った道を進んだ結果、社会の実態としては、社会主義とは無縁な人間抑圧型の社会として、その解体を迎えた。

ソ連覇権主義という歴史的な巨悪の崩壊は、大局的な視野で見れば、世界の平和と社会進歩の流れを発展させる新たな契機となった。それは、世界の革命運動の健全な発展への新しい可能性を開く意義をもった。

（削除）今日、重要なことは、資本主義から離脱したいくつかの国ぐにで、政治上・経済上の未解決の問題を残しながらも、「市場経済を通じて社会主義へ」という取り組みなど、社会主義をめざす新しい探究が開始され、人口が一三億を超える大きな地域での発展として、二一世紀の世界史の重要な流れの一つとなろうとしていることである。

（九）植民地体制の崩壊と百を超える主権国家の誕生という、二〇世紀に起こった世界の構造変化は、二一世紀の今日、平和と社会進歩を促進する生きた力を発揮しはじめている。

一握りの大国が世界政治を思いのままに動かしていた時代は終わり、世界のすべての国ぐにが、対等・平等の資格で、世界政治の主人公になる新しい時代が開かれつつある。諸政府とともに市民社会が、国際政治の構成員として大きな役割を果たしていることは、新しい特徴である。

「ノー［・］モア・ヒロシマ、ナガサキ（広島・長崎をくりかえすな）」という被爆者の声、核兵器廃絶を求める世界と日本の声は、国際政治を大きく動かし、人類史上初めて核兵器を違法化する核兵器禁止条約が成立した。核兵器を軍事戦略の柱にすえて独占体制を強化し続ける核兵器固執勢力のたくらみは根づよいが、この逆流は、「核兵器のない世界」をめざす諸政府、市民社会によって、追い詰められ、孤立しつつある。

東南アジアやラテンアメリカで、平和の地域協力の流れが形成され、困難や曲折を経［へ］ながらも発展している。これらの地域が、紛争の平和的解決をはかり、大国の支配に反対して自主性を貫き、非核地帯条約を結び核兵器廃絶の世界的な源泉になっていることは、注目される。とくに、東南アジア諸国連合（ＡＳＥＡＮ）が、紛争の平和的解決を掲げた条約を土台に、平和の地域共同体をつくりあげ、この流れをアジア・太平洋地域に広げていることは、世界の平和秩序への貢献となっている。

二〇世紀中頃につくられた国際的な人権保障の基準を土台に、女性、子ども、障害者、少数者、移住労働者、先住民などへの差別をなくし、その尊厳を保障する国際規範が発展している。ジェンダー平等を求める国際的潮流が大きく発展し、経済的・社会的差別をなくすこととともに、女性にたいするあらゆる形態の暴力を撤廃することが国際社会の課題となっている。

（削除）（九）（一〇）〈※以下、節番号を一つずつ繰り下げる〉（削除）ソ連などの解体は、資本主義の優位性を示すものとはならなかった。巨大に発達した生産力を制御できないという資本主義の矛盾は、現在、広範な人民諸階層の状態の悪化、貧富の格差の拡大、くりかえす不況と大量失業、国境を越えた金融投機の横行、環境条件の地球的規模での破壊、植民地支配の負の遺産の重大さ、アジア・中東・アフリカ・ラテンアメリカの（削除）多くの国ぐにでの貧困（削除）の増大（南北問題）など、かつてない大きな規模と鋭さをもって現われている。

とりわけ、貧富の格差の世界的規模での空前の拡大、地球的規模でさまざまな災厄をもたらしつつある気候変動は、資本主義体制が二一世紀に生き残る資格を問う問題となっており、その是正・抑制を求める諸国民のたたかいは、人類の未来にとって死活的意義をもつ。

（削除）核戦争の危険もひきつづき地球と人類を脅かしている。米ソの軍拡競争のなかで蓄積された膨大な量の核兵器は、いまなお人類の存続にとっての重大な脅威である。核戦争の脅威を根絶するためには、核兵器の廃絶にかわる解決策はない。「ノー・モア・ヒロシマ、ナガサキ（広島・長崎をくりかえすな）」という原水爆禁止世界大会の声は、世界の各地に広がり、国際政治のうえでも、核兵器廃絶の声はますます大きくなっているが、核兵器を世界戦略の武器としてその独占体制を強化し続ける核兵器固執勢力のたくらみは根づよい。

世界のさまざまな地域での軍事（削除）ブロック同盟体制の強化や、各種の紛争で武力解決を優先させようとする企て（削除）は、国際テロリズムの横行、排外主義の台頭などは、緊張を激化させ、平和を脅かす要因となっている。

なかでも、アメリカが、アメリカ一国の利益を世界平和の利益と国際秩序の上に置き、国連をも無視して他国にたいする先制攻撃（削除）戦争を実行し、新しい植民地主義を持ち込もうとしていることは、重大である。アメリカは、「世界の警察官」と自認することによって、アメリカ中心の国際秩序と世界支配をめざすその野望を正当化しようとしているが、それは、戦略をもち、それを実行するなど、軍事的覇権主義に固執していることは、重大である。アメリカは、地球的規模で軍事基地をはりめぐらし、世界のどこにたいしても介入、攻撃する態勢を取り続けている。そこには、独占資本主義に特有の帝国主義的侵略性（削除）を、ソ連の解体によってアメリカが世界の唯一の超大国となった状況のもとで、むきだしに現わしたものにほかならない。が、むきだしの形で現われている。これらの政策と行動は、諸国民の独立と自由の原則とも、国連憲章の諸原則とも両立できない、あからさまな覇権主義、帝国主義の政策と行動である。

いま、アメリカ帝国主義は、世界の平和と安全、諸国民の主権と独立にとって最大の脅威となっている。

その覇権主義、帝国主義の政策と行動は、アメリカと他の独占資本主義国とのあいだにも矛盾や対立を引き起こしている。また、経済の「グローバル化」を名目に世界の各国をアメリカ中心の経済秩序に組み込もうとする経済的覇権主義も、世界の経済に重大な混乱をもたらしている。

軍事的覇権主義を本質としつつも、世界の構造変化のもとで、アメリカの行動に、国際問題を外交交渉によって解決するという側面が現われていることは、注目すべきである。

いくつかの大国で強まっている大国主義・覇権主義は、世界の平和と進歩への逆流となっている。アメリカと他の台頭する大国との覇権争いが激化し、世界と地域に新たな緊張をつくりだしていることは、重大である。

（一一）この情勢のなかで、いかなる覇権主義にも反対し、平和の国際秩序を守る闘争、核兵器の廃絶をめざす闘争、軍事（削除）ブロック同盟に反対する闘争、諸民族の自決権を徹底して尊重しその侵害を許さない闘争、民主主義と人権を擁護し発展させる闘争、各国の経済主権の尊重のうえに立った民主的な国際経済秩序を確立するための闘争、気候変動を抑制し地球環境を守る闘争が、いよいよ重大な意義をもってきている。

平和と進歩をめざす勢力が、それぞれの国でも、また国際的にも、正しい前進と連帯をはかることが重要である。

日本共産党は、労働者階級をはじめ、独立、平和、民主主義、社会進歩のためにたたかう世界のすべての人民と連帯し、人類の進歩のための闘争を支持する。

なかでも、国連憲章にもとづく平和の国際秩序か、（削除）アメリカが横暴をほしいままにする干渉と侵略、戦争と抑圧の国際秩序かの選択が、独立と主権を侵害する覇権主義的な国際秩序かの選択が、（削除）いま問われている（削除）ことは、重大である。日本共産党は、（削除）アメリカのどんな国であれ覇権主義的な（削除）世界支配干渉、戦争、抑圧、支配を許さず、平和の国際秩序を築き、（削除）核兵器も軍事同盟もない世界核兵器のない世界、軍事同盟のない世界を実現するための国際的連帯を、世界に広げるために力をつくす。

（削除）世界は、情勢のこのような発展のなかで、二一世紀を迎えた。世界史の進行には、多くの波乱や曲折、ときには一時的な、あるいはかなり長期にわたる逆行もあるが、帝国主義・資本主義を乗り越え、社会主義に前進することは、大局的には歴史の不可避的な発展方向である。

四、民主主義革命と民主連合政府

（一三）

「〔国の独立・安全保障・外交の分野で〕」

「4　新しい日本は、次の基本点にたって、平和外交を展開する。

――日本が過去におこなった侵略戦争と植民地支配の反省を踏まえ、アジア諸国との友好・交流を重視する。紛争の平和的解決を原則とした平和の地域協力の枠組みを北東アジアに築く。

――国連憲章に規定された平和の国際秩序を擁護し、この秩序を侵犯・破壊するいかなる覇権主義的な企てにも反対する。

――人類の死活にかかわる核戦争の防止と核兵器の廃絶、各国人民の民族自決権の擁護、全般的軍縮とすべての軍事同盟「ブロック」の解体、外国軍事基地の撤去をめざす。

――一般市民を犠牲にする無差別テロにも報復戦争にも反対し、テロの根絶のための国際的な世論と共同行動を発展させる。

――日本の歴史的領土である千島列島と歯舞群［諸］島・色丹島の返還をめざす。」

「〔憲法と民主主義の分野で〕」

「3　（削除）一八歳選挙権を実現する。

……」

「6　ジェンダー平等社会をつくる。男女の平等、同権をあらゆる分野で擁護し、保障する。女性の独立した人格を尊重し、女性の社会的、法的な地位を高める。女性の社会的進出・貢献を妨げている障害を取り除く。性的指向と性自認を理由とする差別をなくす。」

「〔経済的民主主義の分野で〕」

「3　（削除）国民生活の安全の確保および国内資源の有効な活用の見地から、食料自給率の向上、（削除）安全優先のエネルギー体制と自給率の引き上げを重視し、安全・安心な食料の確保、国土の保全など多面的機能を重視し、農林水産政策（削除）、エネルギー政策の根本的な転換をはかる。国の産業政策のなかで、農業を基幹的な生産部門として位置づける。

4〈※以下、項番号を一つずつ繰り下げる〉　原子力発電所は廃止［炉に］し、核燃料サイクルから撤退し、『原発ゼロの日本』をつくる。気候変動から人類の未来を守るため早期に『温室効果ガス排出量実質ゼロ』を実現する。環境とエネルギー自給率の引き上げを重視し、再生可能エネルギーへの抜本的転換をはかる。」

五、社会主義・共産主義の社会をめざして

（一六）

「（新しい第一八節に移動）これまでの世界では、資本主義時代の高度な経済的・社会的な達成を踏まえて、社会主義的変革に本格的に取り組んだ経験はなかった。発達した資本主義の国での社会主義・共産主義への前進をめざす取り組みは、二一世紀の新しい世界史的な課題である。」

（一八）（削除）社会主義・共産主義への前進の方向を探究することは、日本だけの問題ではない。

二一世紀の世界は、発達した資本主義諸国での経済的・政治的矛盾と人民の運動のなかからも、資本主義から離脱した国ぐにでの社会主義への独自の道を探究する努力のなかからも、政治的独立をかちとりながら資本主義の枠内では経済的発展の前途を開きえないでいるアジア・中東・アフリカ・ラテンアメリカの広範な国ぐにの人民の運動のなかからも、資本主義を乗り越えて新しい社会をめざす流れが成長し発展することを、大きな時代的特徴としている。

　これまでの世界では、資本主義時代の高度な経済的・社会的な達成を踏まえて、社会主義的変革に本格的に取り組んだ経験はなかった。発達した資本主義の国での社会主義・共産主義への前進をめざす取り組みは、二一世紀の新しい世界史的な課題である。

　発達した資本主義国での社会主義的変革は、特別の困難性をもつとともに、豊かで壮大な可能性をもった事業である。この変革は、生産手段の社会化を土台に、資本主義のもとでつくりだされた高度な生産力、経済を社会的に規制・管理するしくみ、国民の生活と権利を守るルール、自由と民主主義の諸制度と国民のたたかいの歴史的経験、人間の豊かな個性などの成果を、継承し発展させることによって、実現される。発達した資本主義国での社会変革は、社会主義・共産主義への大道である。日本共産党が果たすべき役割は、世界的にもきわめて大きい。

　日本共産党は、それぞれの段階で日本社会が必要とする変革の諸課題の遂行に努力をそそぎながら、二一世紀を、搾取も抑圧もない共同社会の建設に向かう人類史的な前進の世紀とすることをめざして、力をつくすものである。

第一決議（政治任務）

2020年
1月18日採択

目　次

第1章　日本の政治を変える二つの大仕事
――共闘の発展と日本共産党の躍進を

総選挙で躍進をかちとるうえでの重要な足掛かりをつくることができた。

わが党にとって、市民と野党の共闘を前進させながら、いかにして日本共産党自身の躍進をはかるかは、きわめて重要な課題である。そのためには、党の積極的支持者を増やす日常的な活動の強化と、党の自力を強くするための独自の努力が必要であり、さらなる努力と探求を強めることは、いささかもゆるがせにできないわが党の最大の任務である。

（1）市民と野党の共闘の到達点と、共闘を前進させながら党を躍進させる課題について

安倍自公政権とその補完勢力に、市民と野党の共闘が対決し、安倍政権を終わらせて野党連合政権への道を開く、日本の政治の新しい時代が到来している。

前党大会後、２０１７年の総選挙では、党は共闘を破壊する突然の逆流に直面した。しかしそれを、全国の草の根での市民の取り組みと力を合わせて乗りこえ、共闘を守ることができた。この結果は、その後の国会での野党共闘の発展に大きく寄与することになった。

19年の参院選では、全国すべての1人区で野党統一候補がたたかい、10選挙区で自民党との一騎打ちに勝利した。これは、自民・公明・維新など改憲勢力の参議院での議席を、改憲発議に必要な3分の2割れに追い込み、自民党を参議院での単独過半数から大きく割り込ませる上で、決定的な力となった。

日本共産党自身は、17年総選挙では悔しい後退を喫したが、19年参院選では比例代表の得票数・得票率ともに押し返し、次の

（2）日本共産党の躍進で、市民と野党の共闘を発展させ、新しい政治への道をひらこう

今大会期は、二つの大仕事に取り組み、その目標を成しとげる。

一つは、4年間の取り組みの到達と成果の上にたって、市民と野党の共闘を野党連合政権を実現する共闘へと、質的に大きく発展させることである。

いま一つは、次期総選挙で「８５０万票、15％以上」を実現し、日本共産党その

ものの躍進をかちとることである。

日本共産党を国政選挙でも地方選挙でも躍進させることは、共闘を発展させ、野党連合政権を実現するための決定的な保障となる。

同時に、党を躍進させることは、党綱領が示した民主的改革を実現し、日本政治のゆがみを根本からただす最大の力となる。

共闘の発展と党の躍進は一体に取り組まなければならないが、わけても、党を躍進させることは、わが党が担う独自の任務であり、どんな情勢のもとでも、いついかなる時も成しとげなければならない、わが党の独自の国民に対する責任である。

全党の総力をあげて、党躍進の流れを切り開こう。

第2章　戦後最悪の安倍政治を終わらせ、野党連合政権を実現しよう

（1）日本社会を根底から破壊する、戦後最悪の安倍政権を倒して、新しい政治を

安倍政権がこの7年間でやってきたことは、憲法と平和、暮らしと経済、民主主義と人権などあらゆる分野で、戦後どの内閣もやってこなかった史上最悪の暴政の連続だった。戦後最悪のこの内閣をこれ以上延命させてはならない。

①憲法と立憲主義の破壊――「戦争する国」に向かう暴走政治

安倍政権は、戦後70年にわたって自民党政権が「憲法上できない」としてきた集団的自衛権の行使を、一内閣の閣議決定で可能にし（2014年7月）、安保法制＝戦争法を強行した（15年9月）。まさに「憲法破壊のクーデター」である。

立憲主義を破壊した政治のもと、権力行使に抑制がなくなり、数を頼んだ暴走が横行するようになった。特定秘密保護法（13年）、盗聴法の適用拡大（16年）、共謀罪法（組織的犯罪処罰法改正、17年）の強行など、国民の目と耳と口をふさぎ、自由と権利を侵害し、モノ言えぬ監視社会への動きを加速させてきた。

日米安保体制を地球規模の軍事同盟に変質させた日米新ガイドライン（15年）と安保法制＝戦争法のもとで、「戦争する国」づくりがすすんでいる。

安倍政権が2018年12月、閣議決定し

た新「防衛計画の大綱」、「中期防衛力整備計画」は、日米同盟をいっそう強化するとともに、「従来とは抜本的に異なる速度で防衛力を強化する」とした。20年度の軍事費は、政府予算案で8年連続増額、過去最高の5兆3千億円となった。とくに、「いずも」型護衛艦を最新鋭戦闘機F35Bが発着艦できる空母に改修することや、敵基地攻撃能力の保有をめざして長距離巡航ミサイルを導入したことは、「専守防衛」をたてまえとしてきた従来の政府の立場をもくつがえし、自衛隊を海外で実際に武力行使する軍隊へと大きく変貌させるきわめて重大なものである。

安倍政権の「戦争する国づくり」の策動は、憲法9条の「改定」を最大の目標としている。先の参院選で改憲勢力は、発議に必要な3分の2の議席を失った。「期限ありきの早急な改憲には賛成できない」というのが、参院選で主権者・国民が示した民意にほかならない。それにもかかわらず、安倍晋三首相は「2020年までの改憲」に執念を燃やしている。憲法9条に自衛隊を明記し、海外での戦闘に無制限に参加させる自民党改憲案を準備し、発議を虎視《こし》眈々《たんたん》とねらっている。

憲法99条で「憲法尊重擁護義務」を課されている首相が、国民が望んでもいない改憲の旗を振ること自体が、立憲主義を乱暴に破壊するものである。

憲法9条改定によって、戦後日本の、「海外の戦争で一人も殺さない、殺されない」というあり方を根本から変え、日本を「米国と肩を並べて戦争できる国」にする暴挙を、決して許してはならない。

②戦後最悪の大増税を押し付け、暮らしと経済を根こそぎ破壊

安倍政権は、国民の暮らしの悪化も、景気と経済を壊すこともかえりみず、2度にわたり消費税の大増税を強行した。合計13兆円という大増税は、歴代自民党政権でも最大規模であり、安倍政権は戦後最悪の増税政権となった。

経済の6割近くを支えている家計への負担増は、消費不況と国内需要の低迷に悩む日本経済にとって致命的な打撃となる。消費税増税は、地域経済を担っている中小企業をさらに疲弊させる一方、史上最高の利益を上げ、巨額の内部留保をかかえている大企業には負担を求めない。日本社会で深刻となっている貧困と格差に追い打ちをかける。経済政策としても最悪だと言わねばならない。

安倍政権は、「消費税は社会保障のため」と言いながら、年金も医療も介護も生活保護も改悪の連続で、7年間で合計4・3兆円もの負担増と給付削減が行われた。

口では「賃上げ」を言いながら、労働法制の改悪による雇用破壊を重ねた。消費税増税を含む物価上昇が、わずかな賃上げも吹き飛ばし、第2次安倍内閣が発足してから実質賃金を年間18万円も低下させた。

消費大増税と社会保障の連続改悪、そして、雇用破壊と賃金の減少——まさに暮らしと経済を根こそぎ破壊してきたのが安倍政治である。

③大国に追随し、覇権主義にモノが言えない屈従外交

安倍外交は、「地球儀を俯瞰《ふかん》する外交」を売り物にしているが、大国に追随し、覇権主義にモノが言えない屈従外交があらわになっている。

安倍首相のトランプ大統領に対する「言いなり」ぶりは際立っている。憲法を踏みにじる軍事面での対米追随にくわえ、米国製兵器の「爆買い」、日米貿易交渉にみら

れるような食料主権と経済主権の放棄など、これまでのどの自民党政権と比べても、その対米従属ぶりは異常で深刻なものとなっている。

対ロ領土交渉で、安倍政権は、これまで政府がまがりなりにも掲げてきた「4島返還」の方針さえ投げ捨て、事実上の「2島決着」の立場を打ち出し、それが破綻するなかで、国益を深刻な形で毀損《きそん》した。もともと自民党政府の対ロ領土交渉は、「領土不拡大」という第2次世界大戦の戦後処理の大原則を踏みにじった不公正を正すという原則的立場をもたない重大な弱点をもつものだが、安倍政権のもとでこの弱点と矛盾が噴き出している。

対中外交では、昨年来の日中首脳会談などで、双方が「正常な発展の軌道」に戻ったと評価しているが、中国公船による尖閣諸島周辺の領海侵入は、その後も激増し、常態化している。安倍政権は、こうした中国の横暴な振る舞いについて、正面から抗議し、是正を求めることをしていない。他方、閣僚の靖国神社参拝が続き、内外の批判を招いている。歴史問題に誠実な態度をとるとともに、「言うべきことを言う」という姿勢をつらぬいてこそ、真の日中の友好関係を築くことができることを強調しなければならない。

④侵略戦争と植民地支配を美化する歴史逆行と排外主義

安倍政権は、歴代自民党政権のもとで、まがりなりにも表明されてきた一連の到達点をも踏みにじって、歴史を改ざんし、侵略戦争と植民地支配を美化する歴史逆行の政治をすすめてきた。

その象徴が、2015年8月に発表された「戦後70周年の安倍談話」だった。この談話は、朝鮮半島への植民地化を進めた日露戦争を礼賛するなど、1995年の「村山談話」で表明された「植民地支配と侵略」への反省を事実上投げ捨てるものとなった。

その背景には、改憲右翼団体「日本会議」との深刻な一体化がある。第4次安倍再改造内閣の閣僚20人のうちの安倍首相を含む12人が、「日本会議」と一心同体の「日本会議国会議員懇談会」（日本会議議連）の幹部である。

今日、日韓関係が最悪となっているが、その根本的原因は、安倍政権が、「徴用工」問題でも、日本軍「慰安婦」問題でも、過去、日本が犯した植民地犯罪に真剣に向き合おうとせず、被害者の方々の名誉と尊厳を回復する責任を投げ捨てていることにある。

⑤強権とウソと偽りと忖度の、究極のモラル破壊の政治

安倍政権の政治姿勢の特徴は、強権、ウソと偽り、忖度《そんたく》にある。

国民多数が反対する法案の強行採決は、安倍政権下で日常茶飯事になった。沖縄県との話し合いを拒否し、法律を無視した辺野古新基地建設を強行するなど、地方自治と民主主義を根底から踏みにじり沖縄の民意を一顧だにしない強権姿勢が、際立っている。

強権政治と表裏一体に、ウソと偽りの政治が横行している。情報の隠ぺい、統計偽装などを、これほどまでにくりかえす内閣もなかった。そもそも、公文書の改ざん、官僚による虚偽答弁が大手を振ってまかり通るようになったきっかけは、安倍首相本人の森友・加計疑惑だった。

安倍政権が、巨大メディアに直接・間接の介入をおこない、報道の自由、言論の自由を侵害していることも、日本の民主主義にとってきわめて重大である。

軍学共同の推進や、芸術・文化に介入するなど、学問・研究の自由、表現の自由への侵害を強めていることも看過できない。

こうした中で、安倍政権が強権的に進めた大学入試への英語民間試験や国語・数学の記述式問題の導入は、高校生をはじめとした国民のたたかいと野党の結束した共闘が導入見送りに追い込んだ。教育現場の声を無視して「教育再生実行会議」の方針を押しつけた、今回の「入試改革」の根本からの見直しが必要である。

教育基本法改悪を契機に「競争と管理」の教育がいよいよ強まり、ブラック校則や体罰、職場での深刻なパワハラをはじめ、子どもの人権も、教職員の人権も守られない深刻な事態が広がっている。

安倍政権のもと、日本社会のモラル崩壊が進んでいる。首相を守るために、政権に忖度し、都合の悪いことは政権ぐるみで隠ぺいし、改ざんし、虚偽の答弁を繰り返す。ウソと偽りの政治は、終わりにしなければならない。

⑥安倍政権の最悪の補完勢力としての「維新の会」

こうした安倍政権の暴走を支えているのが「日本維新の会」である。

「維新の会」は、安倍首相の改憲策動のお先棒をかつぐ「突撃隊」の役割をはたし、野党共闘を攻撃することにも躍起になっている。「都構想」の名で大阪市の廃止・分割をねらう再住民投票をすすめ、カジノの解禁・導入でも先兵としての役割を発揮している。全国で大問題になっている国民健康保険料（税）の連続・大幅値上げを大阪で先取りして進めたのも維新である。「維新の会」は、「改革者」の仮面をかぶった、安倍政権の最悪の「別動隊」であり、安倍政権の補完勢力にほかならない。

安倍政権が7年間続くもとで、いま、日本国憲法の平和主義、立憲主義、民主主義は重大な危機にひんしている。日本経済と国民の暮らしも、日本の外交も、深刻な行きづまりに直面している。この危機を打開するために、政治的立場の違いを乗りこえて、野党が結束し、自民・公明と補完勢力を少数に追いこみ、安倍政権を倒し、新しい野党連合政権をつくることが切実に求められている。

（2）市民と野党の共闘が直面する課題——いまこそ政権問題での前向きの合意を

①市民と野党の共闘はどこまで来たか——4年間の共闘を通じて築いてきた到達

第27回党大会決定は、市民と野党の共闘について三つの課題——①豊かで魅力ある共通公約をつくる、②相互推薦・相互支援の共闘を実現する、③政権問題で前向きの合意をつくる——を提起した。その後の3年間、市民と野党の共闘は、さまざまな困難と曲折を経ながらも、以下の諸点で大きな成果をあげ、新しい到達を築いてきた。

第一に、1人区での共闘が、相互に支援しあう共闘へと大きく前進したことである。２０１６年の参議院選挙では、わが党が擁立した候補者が野党統一候補になった選挙区は香川1県だったが、19年の参院選では、徳島・高知、鳥取・島根、福井の3選挙区5県へと広がった。全国各地でも、野党各党の国会議員が、市民のみなさんと肩を並べて候補者を応援する光景が当たり前のものとなった。

第二に、1人区だけでなく、複数定数区でも市民との共闘が発展し、日本共産党の前進・勝利へと実を結ぶ経験がつくりだされたことである。多くの無党派市民や保守の人びとが複数区でもマイクを握り、共闘にいっかんして誠実に取り組むわが党候補を、心を込めて応援する姿が全国に広がった。

第三に、野党間の政策的な一致点が大きく広がったことである。5野党・会派は「安保法制の廃止と立憲主義の回復を求める市民連合（以下、『市民連合』）」と13項目の「共通政策」を確認し、安保法制、憲法、消費税、沖縄、原発など、国政の基本問題で共通の旗を立てて、選挙をたたかった。政策的な一致点は、3年前の参院選、総選挙と比べても大きく前進した。

第四に、共闘を進める基本姿勢について、共闘に取り組む中でお互いの理解が深まったことである。「多様性の中の統一」――お互いに違いを認め合い、リスペクト（尊敬）しあって、国民の切実な願いに即して一致点で協力するという、もっとも民主主義的な協力・共闘の姿を、市民と野党の共闘はつくりだしてきた。

②いまなぜ野党連合政権か――連合政権に向けた話し合いを呼びかける

4年間の共闘の成果と到達を踏まえて、市民と野党の共闘を、さらにどう発展させていくか。今後の共闘の発展にとって最大の課題は、野党連合政権の合意――政権問題での前向きの合意をつくることである。

参院選の結果を踏まえて、日本共産党は、２０１９年8月8日、党創立97周年記念講演で、参議院選挙をともにたたかった野党各党に、野党連合政権に向けた話し合いを開始することを呼びかけた。

わが党は、4年前に「国民連合政府」を提唱していらい、野党が政権問題で前向きの合意をつくることを主張しつづけてきた。同時にこの間、政権合意がないもとでも、この問題を横において選挙協力をすすめてきた。しかし、市民と野党の共闘を本当に力あるものにするためには、いよいよこの課題を避けて通ることができなくなっている。野党が力強い政権構想を示すことを、国民と日本社会が求めている。

第一に、安倍政権に代わる野党としての政権構想を国民に提示し、「本気で政治を変える」メッセージを届けてこそ、国民に「一票で政治や暮らしを変えることができる」という希望を広げることができる。これまで投票に行かなかった多くの人々にも投票所に足を運んでもらうことができるだろう。

第二に、野党としての政権構想を示すことは、安倍自公政権による野党共闘攻撃に対する断固たる回答となる。参院選で安倍首相は、たびたび以前の民主党政権をもちだし、「あの時代に逆戻りさせてはならない」とくりかえした。しかし、いま市民と野党の共闘がめざしているのは、かつての民主党政権の復活ではない。「市民連合」との13項目の政策合意が示すように、かつての民主党政権の限界を乗りこえ、国政の基本問題で自民党政治を切り替える新しい政治である。

野党連合政権にむけた協議では、以下の三つの点が大切になると考える。

一つは、政権をともにする政治的合意であり、その意志を確認することである。

二つ目は、「市民連合」とかわした13項目の政策合意を土台に、連合政権が実行する共通の政策を練り上げることである。そのさい、連合政権として各党の政策の不一致点にどう対応するかの合意も必要になる。

三つ目は、小選挙区における選挙協力の合意である。

市民と野党の共闘を、野党連合政権をめざす共闘へと発展させることは、国民に対して野党が共同で負っている重大な責任である。日本共産党は、その責任の一翼を担って、全力で奮闘する。

(3) 野党間の政策的な合意はどこまで来たか——野党連合政権がめざす政治転換の方向

①「市民連合」との政策合意、野党共同提出の法案などで一致している政策課題

参院選に向けて、5野党・会派が「市民連合」と確認した13項目の政策合意は、これまでの野党間の合意を踏まえ、さらに発展させるものとなった。

——安保法制廃止と立憲主義回復という、共闘の「一丁目一番地」がすえられた。

——安倍政権の憲法「改定」、とくに9条「改定」に反対し、改憲発議そのものをさせないことを明記した。

——沖縄の辺野古新基地建設の中止、日米地位協定改定など、外交問題でも新しい踏み込みが共通の政策となった。

——原発問題でも、現状での再稼働を認めず、再生可能エネルギーへの転換をはかり、原発ゼロを実現するという、新しい一致点が明記された。

——消費税問題は、これまで野党間で確認できなかったが、10%への増税中止、「所得、資産、法人」の税制の公平化という方向性が確認された。

——最低賃金1500円、8時間働けば暮らせるルール、生活を底上げする経済、社会保障政策、貧困・格差を解消する方向が打ち出された。

——LGBTs(性的少数者)の差別解消、女性差別撤廃、選択的夫婦別姓、議員間男女同数化の実現などが明記された。

「市民連合」との政策合意以外にも、野党は各政策分野で合意を積み重ねてきた。国会での共同の取り組みや選挙公約などを通じて、野党が一致している課題は少なくない。以下はその主なものである。

——農業では、種子法復活法案などを共同で国会に提出し、安倍政権のTPP(環太平洋連携協定)や、日米FTA(自由貿易協定)交渉にも反対して共同でたたかってきた。

——被災者生活再建支援法改正を共同で国会に提出し、支援金の上限を、現行の300万円から500万円にひきあげるなど、被災者や被災自治体の最も切実な願いにこたえることを求めてきた。

——気候変動にきちんと向き合うため、野党各党は、「2050年CO_2排出ゼロ」を掲げるなど、先進国としての責任と役割を果たすことを求めている。

——核兵器禁止条約を批准することを、一致して求めている。

「市民連合」との政策合意をはじめ、野党間で一致しているこれらの政策課題は、全体として、野党連合政権の土台となりうるものである。その内容は、国民の切実な要求を踏まえ、市民連合の協力を得て、一歩一歩積み重ねて築いた、きわめて重要な到達である。

②安倍政治からの転換の三つの方向にそって、野党連合政権をつくろう

私たちは、これまでに築いてきた野党間の政策的合意の内容は、安倍政治からの転換の方向を、次の三つの点で示すものとなっていると考える。

> 第一に、憲法にもとづき、立憲主義、民主主義、平和主義を回復する。
>
> 第二に、格差をただし、暮らし・家計応援第一の政治にきりかえる。
>
> 第三に、多様性を大切にし、個人の尊厳を尊重する政治を築く。

この方向にこそ、安倍政治にかわる、新しい希望ある政治への道がある。

日本共産党は、これまでともに共闘を担ってきた多くの市民のみなさんと、国会内外で共闘してきた他の野党のみなさんに、この三つの方向にそって安倍政治を根本から転換する野党連合政権を実現することを、心から呼びかけるものである。

③政策上の不一致点に政権としてどう対応するか

野党連合政権をめざすうえで、政策上の不一致点に政権としてどう対応するのかも、重要な課題である。

安倍首相は参議院選挙中の党首討論で、くりかえし「自衛隊は違憲だという共産党とどうして政権が組めるのか」と野党共闘攻撃を行った。

しかし、いま政治に問われているのは、自衛隊や日米安保条約そのものの是非ではない。安保法制＝戦争法によって、憲法9条を踏み破った自衛隊の海外での武力行使――「海外で戦争する国」を許していいのかであり、そのために、野党は自衛隊や安保条約に対する態度の違いを乗りこえて共闘している。安倍自公政権や補完勢力による見当違いの共闘攻撃は、自らがくりかえした憲法破壊の所業を覆い隠すものでしかない。

日本共産党は、自衛隊や安保条約について独自の見解をもっている。自衛隊は憲法9条に明確に違反しており、日米安保条約をなくしてこそ、日本は本当の独立国といえる国になると考えている。

しかし、こうした日本共産党の見解を政権に持ち込むことはしない。野党連合政権の安全保障に関する共通課題は「集団的自衛権行使容認の閣議決定の撤回と安保法制の廃止」であり、それを実行すれば、この法制を強行する前の憲法解釈・法制度・条約上の取り決めがあらわれてくる。したがって、政権としては安保法制強行以前の憲法解釈・法制度・条約上の取り決めで対応することになる。

これまで築いた到達点に立ち、さらに互いに知恵と力を出し合い、互いに違いは認め合い、一致点を広げ、市民と野党の共闘を前に進めよう。政策合意をさらに豊かで魅力的なものにし、野党連合政権の実現へ道をひらこう。

（4）草の根からの国民の世論とたたかいで、野党連合政権への道をひらこう

市民と野党の共闘を発展させ、野党連合政権への道を開く最大の力は、全国の草の、

根からの国民の世論とたたかいである。

暮らしと経済、民主主義など、すでに野党共通の政策となっている諸課題で、国民の共同のたたかいにとりくむ。

とりわけ、安倍9条改憲の発議を許さない一点でのたたかいを、全国で広げに広げよう。

また、野党連合政権をすすめるためには、労働組合の果たす役割はきわめて大きい。これまでの行きがかりを乗りこえ、労働組合運動の大原則である〝一致する要求で団結する〟という立場で、労働組合運動が積極的な役割を果たすことを期待する。

4年前、私たちが共闘に踏み出すうえで、背中を押してくれたのは、「野党は共闘」という市民の声だった。「野党は共闘」から、「野党は連合政権」へと、共闘の発展を求める世論と運動を、全国各地から広げていただくことを、心から訴える。

第3章　内外情勢の激動と日本共産党の役割
――党躍進で日本と世界の進路をひらこう

いま、内外情勢の激動のもとで、日本共産党の果たすべき役割はいよいよ大きくなっている。

日本では、自民党政治の異常な「アメリカいいなり」「財界中心」という二つのゆがみと国民との矛盾がますます深刻になっている。このもとで、戦後かつてない市民と野党の共闘が発展し、党綱領の民主的改革が現実の政治課題となりつつある。

世界では、核兵器禁止条約の成立をはじめ、20世紀に起こった「世界の構造変化」が平和と社会進歩を促進する生きた力を発揮しはじめている。今回の党大会で行った綱領一部改定は、科学的社会主義の立場にたって世界情勢論を発展させるとともに、どんな大国であれ覇権主義・大国主義を許さず、平和と社会進歩のために力をつくすわが党の役割を鮮明にするものとなっている。

日本共産党ならではの役割をあらゆる分野で発揮し、来たるべき総選挙で躍進をかちとって、日本と世界の進路を切りひらこう。

（1）日本の政治の二つのゆがみ「アメリカいいなり」「財界中心」と歴史逆行をただす

内政でも外交でも、日本社会に危機をもたらしている安倍政権を一刻も早く倒し、野党連合政権への道をひらくことは、私たちが直面する緊急の課題である。

同時に、日本社会を根底から破壊する安倍政権の暴走の根底には、「アメリカいいなり」「財界中心」という二つのゆがみ、「歴史逆行」という古い自民党政治の行き詰まりが、いよいよ深刻になっているという大問題がある。

こうした情勢のもと、わが党には、①直面する緊急の政治課題で共同のたたかいを発展させ、市民と野党の共闘を発展させるとともに、②自民党政治のゆがみをただす根本的改革の展望を明らかにし国民の多数派をつくっていくという「二重の役割」を果たすことが求められている。

①安保法制廃止とともに、「アメリカいいなり政治」の根本にある日米安保条約を廃棄する

日本共産党は、野党共闘の共通の課題である安保法制廃止、集団的自衛権行使容認の閣議決定の撤回、辺野古新基地建設の中止、日米地位協定の抜本改定のために、国民的共同を広げ最大の力をつくしていく。

同時に、これらの課題を本気でやりとげようとすれば、「日米同盟絶対」の立場では対応できなくなる。「アメリカいいなり政治」の根本にある日米安保条約をどうするかという問題にぶつからざるをえなくなる。

2020年は、1960年に国民的規模の反対闘争を押し切って日米安保条約が改定されてから60年目にあたる。この条約を背骨とした「異常なアメリカいいなり政治」は、あらゆる分野で行き詰まりを深め、国民との矛盾が噴出している。

日本には戦後74年を経たいまも、日米安保条約のもとで、沖縄をはじめ全国に131もの米軍基地が置かれている。相次ぐ米兵犯罪やオスプレイ配備強行、無法な空母艦載機などによるNLP（夜間離着陸訓練）や超低空飛行訓練、米軍機の騒音被害、航空機・艦船による環境汚染などで、全国各地で住民の命と暮らしが日常的に脅かされている。

こうした害悪を取り除くための、緊急の一致点にもとづく共同を発展させながら、異常な対米従属の根本にある日米安保条約を国民多数の合意によって廃棄し、独立・平和・中立の日本をつくり、米国とは対等・平等の立場にもとづく「日米友好条約」を結ぶことにこそ日本の未来があることを大いに訴えてたたかう。

この立場に確固として立つ日本共産党が躍進することが、逆流をはねのけて野党共闘を前進させるためにも、日本の政治の根本的転換にとっても最大の力になる。

②日本経済の長期低迷と、貧困と格差の拡大――根底にある財界中心の政治をただす

日本経済の長期低迷と貧困と格差の広がりに対して、市民と野党の共闘は「格差をただし、暮らし・家計応援第一の政治にきりかえる」という方向を共有し、安倍政権と対決している。消費税増税ではなく、大企業や富裕層に応分の負担を求めることも、野党の間で広い一致点になってきた。

同時に、ここでもそれらの課題を本気でやろうとすれば「財界中心の政治」というゆがみにぶつからざるをえない。

自民党政治は、財界の要求にこたえて消費税増税と大企業への減税をくりかえし、雇用の規制緩和による非正規労働化を後押しした。大企業の経営さえ支援すれば、いずれ家計にまわるという「トリクルダウン」にしがみつき、そこから一歩も抜け出すことはなかった。「経済財政諮問会議」をはじめ、財界代表を政権運営の中枢に組み入れ、財界の要求を重要な政策決定にス

トレートに反映させてきた。

このような財界中心のゆがんだ政治を根本的に転換すること――とくに綱領が示す「国民の暮らしと権利を守るルールある経済社会」を築くことが、日本経済が長期停滞から脱するためにも、広がる貧困と格差を是正するためにも、どうしても必要である。

税制の面で、消費税こそは、「財界中心の政治」の最悪のあらわれである。消費税導入から31年間、消費税収は397兆円だが、同時期に法人3税の税収は298兆円減り、所得税・住民税の税収も275兆円減った。消費税の目的は、「社会保障のため」でも、「財政再建のため」でもない。「弱者から吸い上げ大企業や富裕層を潤す」――これこそが消費税の正体であることが、すっかり明らかとなった。消費税導入と度重なる増税は、国民の暮らしと景気、中小企業の営業を壊し、日本を「経済成長できない国」にしてしまった大きな要因の一つになった。

日本共産党は、31年間の歴史でその悪税ぶりが証明された消費税を廃止することを目標に掲げるとともに、緊急に5％に減税することを強く求めてたたかう。「5％への減税」が広く国民・野党の共通の要求となるように奮闘する。

「8時間働けばふつうに暮らせる社会」、「暮らしを支える社会保障の充実」、「お金の心配なく学び、子育てができる社会」を築くために力をつくす。中小企業や農林水産業を本格的に支援する政治への転換をはかる。

日本共産党は、国民の暮らしのための財源は、「消費税に頼らない別の道」――富裕層や大企業に応分の負担を求める税財政改革などでまかなうことを、責任をもって具体的に提案している。その際、日本共産党は、赤字国債の乱発と日本銀行による直接引き受けなど、野放図な借金を消費税減税などの財源にすることには賛同できない。

日本共産党の躍進は、野党が共通して掲げる「格差をただし、暮らし・家計応援第一の政治」を実現する最大の力になるとともに、「財界中心」の政治から抜け出し、経済民主主義を実現するという抜本的改革の方向を国民的な流れに発展させ、暮らしと日本経済の危機を打開することに大きく貢献するものとなる。

③侵略戦争と植民地支配に反対した政党の躍進は、アジア諸国との真の友好の道を開く

侵略戦争と植民地支配への反省を投げ捨てた安倍政権の歴史逆行の政治は、アジアの近隣諸国との関係をはじめ、世界各国との真の友好を阻む重大な障壁となっている。

日本共産党は、結党当初から一貫して侵略戦争と植民地支配に、文字通り命がけで反対を貫いた歴史をもつ党として、歴史を偽造する逆流を大本から断ち切るために、理性の論陣をはり、行動している党である。

この党の躍進こそ、日本政治から、この邪悪な逆流を一掃し、日本とアジア諸国との真の友好の道を開く、最も確かな力である。

（2）「統一戦線」で政治を変える立場を貫く党の躍進は、共闘発展の推進力に

今日の市民と野党の共闘の時代を開いた力は、直接には、安保法制に反対するた

かいをはじめとする新しい市民運動の発展だったが、その根底には、１９８０年の「社公合意」のもとでも、日本共産党と無党派や保守の人びととの、国政革新をめざす草の根での共同のたたかいがあり、そのために粘り強く力をつくしてきた革新懇運動の存在があった。

この4年間、共闘が重大な岐路に直面したさいにも、深刻な困難にぶつかったときにも、日本共産党は揺るがず共闘の発展に力をつくしてきた。日本共産党がこうした役割を断固としてつらぬくことができたのは、現在から未来にいたる社会発展のあらゆる段階で、統一戦線の力――政治的立場の違いを超えた連帯と団結の力で政治を変えることを、党の綱領に明記しているからにほかならない。

いついかなる時にも、政治的・思想的立場の違いを超えて、切実な一致点での共同を何よりも大切にする日本共産党を躍進させることこそ、市民と野党の共闘を発展させ、野党連合政権の実現に道を開く、最大の保障である。

（3）日本共産党の躍進は、21世紀の世界の平和と進歩への貢献となる

20世紀の植民地体制の崩壊によって起こった「世界の構造変化」は、21世紀の今日、平和の地域協力、核兵器廃絶、人権保障などの人類的な諸課題で、生きた力を発揮している。日本共産党の躍進は、21世紀の世界の平和と進歩への貢献となる。

①世界で進む平和の地域協力の流れ――「北東アジア平和協力構想」の実現を

東南アジアやラテンアメリカで、平和の地域協力の流れが発展している。とりわけ、東南アジア諸国連合（ＡＳＥＡＮ）が、紛争の平和的解決を掲げた条約を土台に、平和の地域共同体として発展していることは重要である。

日本共産党は、第26回党大会で「北東アジア平和協力構想」を提唱し、その実現のために、国際社会・関係各国に働きかけてきた。わが党のこの提唱は、朝鮮半島をめぐる情勢が曲折をはらみつつも前向きに変化するもとで、いよいよ重要性をましている。

②核兵器禁止条約に署名・批准する政府をつくろう

２０１７年7月、国連で、圧倒的多数の賛成で核兵器禁止条約が採択されるという画期的出来事が起こった。「ノーモア・ヒロシマ、ナガサキ」という被爆者の声、核兵器廃絶を求める世界と日本の声が、国際政治を大きく動かした。

核兵器禁止条約は、核兵器の使用と威嚇を違法化し、核兵器に悪の烙印《らくいん》を押すものである。そこには、戦後、日本の原水爆禁止運動と日本共産党が掲げてきた、核戦争阻止、核兵器廃絶、被爆者援護の内容が全面的に盛り込まれている。

日本共産党は、２０１７年3月と7月の2度にわたり国連会議に代表団を派遣し、被爆国の政党として会議で演説を行うとともに、38の国・機関に要請を重ねた。核保有国と日本などの同盟国が固執する「核抑止力論」を徹底して批判してきた。

核兵器禁止条約の実現に貢献してきた日本共産党を躍進させ、禁止条約に署名し、批准する政府をつくろうではないか。

③ジェンダー平等社会の実現を――財界、「靖国派」の抵抗を打ち破る力を持つ党を

「世界の構造変化」は、国際的な人権保障も発展させた。途上国が国際社会で有力な地位を占めるようになるもとで、貧困、差別、暴力など、途上国の人権問題に光が当たり、それが先進国も含めた新しい人権保障の発展を促進している。「ジェンダー（社会的・文化的性差）平等」の概念は、こうした人権保障の発展の中から生まれたものである。

ところが日本は、世界でも恥ずべき「ジェンダー平等後進国」になっている。ジェンダーギャップ指数（2019年）は153カ国中121位で、G7の中では最下位である。その背景には、財界が利潤第一主義をこの課題の上に置いていることと、戦前の男尊女卑や個人の国家への従属を美化する「靖国派」が、政治の中枢を握っているという問題がある。

いまジェンダー差別をなくそうと多彩な運動が広がっている。声をあげた人を孤立させず、当事者の声をよく聞き、切実な要求実現へ、ともに力を尽くそう。

ジェンダー平等を妨げている政治を転換し、男女賃金格差の是正、選択的夫婦別姓制度の導入、政策・意思決定分野への男女平等の参加、性と生殖に関する健康・権利（リプロダクティブ・ヘルス／ライツ）の保障などをすすめる。

日本共産党は、戦前から男女同権をかかげ、戦後も賃金格差や職場での差別をなくすために、市民とともにたたかってきた。世界でも際立つ「ジェンダー平等後進国」から抜け出すためにも、財界、「靖国派」の抵抗を打ち破る力を持つ日本共産党を躍進させることが決定的に重要である。

（4）資本主義を乗りこえる展望を語り広げよう

貧富の格差の全世界での拡大、地球的規模でさまざまな災厄をもたらしつつある気候変動など、資本主義体制が21世紀に生き残る資格があるのかが、いま鋭く問われている。

①世界的規模でも、各国ごとにも、貧富の格差拡大が深刻になっている

世界的規模での格差拡大が大問題になっている。格差は、発達した資本主義国の内部でも拡大している。労働者の暮らしと権利を守るルールが比較的整備されている国も、決して例外ではない。

ＯＥＣＤ諸国の人口の上位所得者層10％の富裕層の所得は、下位10％の貧困層の所得の9・5倍に達した（1980年代には7倍）。各国の上位10％の手にわたる国民所得の割合は、日本25・0％、フランス24・0％、ドイツ23・2％にのぼっている（2017年 ＯＥＣＤ所得分配データベースから）。

②人類の未来にとって死活的な地球的規模での気候変動

気候変動の抑制・是正を求め、世界中で若者が声をあげはじめている。

「パリ協定」は、世界の平均気温上昇を産業革命前と比較して2度より十分低く抑え、1・5度に抑制する努力目標を設定した。1・5度の上昇でも、地球環境に深刻

な事態をもたらすとされているが、現在の各国の温室効果ガス削減目標を合計すると、21世紀末には約3度の気温上昇が起こると予測され、一層の削減強化が切実に求められている。こうしたなかで開かれた19年9月の「国連気候行動サミット」では、先進国を中心に65カ国が2050年までに温室効果ガス排出量を実質ゼロにすることを表明した。

ところが安倍政権は、実質排出ゼロの期限を示さないばかりか、22基もの石炭火力発電新設計画を見直すこともせず、「成長戦略」と称して輸出まで進めるなど、その逆行ぶりは際立っている。米国のトランプ政権とともに、気候変動に対する無責任さは許しがたいものである。

③資本主義を乗りこえる展望を持つ党の役割を正面から訴えよう

これらの課題は、資本主義の枠内でも緊急の最大限の対策が求められているが、巨大に発達した生産力を制御できないという資本主義の経済システムの本質的な矛盾そのものが問われる性格の問題である。

日本共産党は、資本主義を乗りこえた未来社会の展望を綱領で示している党として、格差拡大や気候変動などの人類的課題について、緊急の解決策とともに、根本的な打開の方向を示すことができる。

この党を躍進させることこそが、人類的課題の解決にとっても大きな意義をもつことを正面から訴え、前進・躍進をかちとろう。

第4章　総選挙方針――「市民と野党の共闘勝利」と「日本共産党躍進」の二大目標を一体に

（1）来たるべき総選挙の「二大目標」を一体的に取り組み、達成しよう

来たるべき国政選挙は、政策とともに政権が問われる総選挙である。日本共産党は、「二大目標」――①市民と野党の共闘の勝利で、野党連合政権に道を開くこと、②「850万票、15％以上」を得票目標に、日本共産党の躍進をかちとることをかかげ、この二つを一体のものとして取り組む。

①共闘の時代に党躍進をかちとるカギは、「積極的支持者」を増やす日常活動の強化

市民と野党の共闘をすすめながら、党の躍進をかちとるカギは、党の自力をつけることとともに、党への積極的支持者を増やすことである。

共闘の時代の選挙戦では、「他に入れるところがないから共産党」という「消極的支持」にとどまらず、日本共産党の綱領、理念、歴史を丸ごと理解してもらい、「共産党だから支持する」という積極的な支持者をうまずたゆまず増やしていくことが躍進のカギをにぎる。そのための日常的活動を抜本的に強化していく。

党の積極的支持者を増やすうえで、「綱領を語り、日本の未来を語り合う集い」を全国津々浦々で開くことはきわめて重要な活動となる。一人ひとりの党員は、みんな党との出会いのドラマを持ち、党への熱い思いを語ることができる。生きた言葉で、自らの思いを重ね、「共産党をまるごと語る」一大運動に取り組む。

②あらゆる分野で、国民のたたかいを発展させる中で「二大目標」に挑戦する

国民の切実な要求にもとづく国民的運動を、あらゆる分野で発展させることは、「二大目標」を実現するうえでも、暮らしと家計を応援し、日本の民主主義を守り発展させるうえでも、最大の力となる。

消費税の5%への減税、社会保障の拡充などを国民は切実に求めている。改憲発議を止めるたたかいも力強く進んでいる。「#MeToo」運動やフラワーデモなど、性差別や性暴力の根絶を求める新たな運動も全国に広がっている。

東京電力福島第1原発事故からの復旧・復興はなお途上にある。関西電力の「原発マネー」還流疑惑にも国民の怒りが広がっている。原発再稼働反対、原発ゼロの日本をという世論と運動をさらに広げる。

農林漁業と農山漁村は歴史的な危機に直面し、先進諸国で最低の食料自給率は、37%と過去最低を更新した（2018年）。歴代自民党政権が、農林水産物の輸入自由化を次々に広げ、価格保障・所得補償を大幅に削減・廃止するなど、農業つぶしの政治をすすめてきた結果である。なかでも安倍政権は、TPPや日欧EPA、日米貿易協定など、空前の規模の輸入自由化を次々に強行した。国連が2019年からを「家族農業の10年」とするなど、国際的には持続可能な世界（SDGs）に向け、農政の転換が大きな流れになりつつある。わが国も農政を大本から転換し、農業を国の基幹的生産部門に位置づけ、大小多様な家族経営が安心して農業に励めるようにする、食の安全・安心を確保するなど、農林漁業と農山村の再生に全力をつくす。

台風、地震をはじめ相次ぐ自然災害が深刻な被害をもたらしている。災害から国民の命と暮らしを守ることは国政の最重要課題の一つであり、政治の責任が問われている。不幸にして大きな災害にあっても、生活と生業《なりわい》の再建に希望が持てる社会にするために、被災者の救援、住宅の再建、農林漁業・中小企業への直接支援など、国の被災者支援の抜本的強化を求める。大型開発から防災・老朽化対策への公共事業の転換、河川改修の推進、乱開発の規制、消防態勢など自治体の防災力を強化し、災害に強いまちづくりをすすめる。

あらゆる分野で国民的運動を発展させながら、「二大目標」の達成へ全力をあげよう。

③「比例を軸に」をつらぬき、「850万票、15%以上」の実現を

総選挙の比例代表選挙では、全国11の比例ブロックのすべてで議席獲得、議席増をかちとることを目標とする。政治目標にみあう比例候補を早期に決定していく。

その際、「比例を軸に」して、「自らの選

挙」として、あらゆる選挙戦の主舞台としてたたかうことが重要である。政党選択を争う比例代表選挙で、日本共産党に投票する支持者が広がれば広がるほど、比例代表選挙はもちろん、野党共闘でたたかう小選挙区での勝利の道もひらかれる。過去のどの選挙でもなかった位置づけで、「比例を軸に」を、文字通り中心にすえてたたかう。

すべての支部、党機関が「850万票、15%以上」にむけた得票目標、支持拡大目標をもち、それを実現する「政策と計画」、「総合計画」で選挙活動の「四つの原点」を具体化し、日常活動を抜本的に強化する。

すすんだ党組織では20%から30%以上の得票率をめざすとともに、すべての党組織が一刻もはやく「10%以上の得票率」を実現し、15%以上をめざす。すべての都道府県、自治体、行政区が「10%以上」を獲得することは、綱領実現へ全国的な政党間の政治的力関係を変えていく土台となる。

大志ある目標を決め、たえずそれにてらして到達点を自覚して活動していく。

④小選挙区では、野党共闘の勝利と、日本共産党議席の大幅増をめざす

小選挙区では、野党の選挙協力を成功させ、党議席の大幅増をめざす。

そのために、党本部間で、野党連合政権への三つの合意をつくる努力に全力をあげる。都道府県・地区・支部でも、市民と野党のみなさんと懇談し、野党連合政権の合意への機運をつくりだす。

政権問題でどれだけの合意が達成できるかは、選挙協力の度合いを左右することになる。選挙協力にあたっては、連合政権をつくる――政権をともにすることを合意するのが本来のあり方であり、そうしてこそ最大の力を発揮することができる。

小選挙区候補者の擁立は、連合政権の合意をつくる努力と一体に、地方と中央がよく相談してすすめていく。

⑤あらゆる選挙で、女性議員を増やすことに力を注ぐ

日本共産党が、地方議会における女性議員第1党となっていることは、私たちの誇りとするところである。この到達に安住することなく、国政選挙でも地方選挙でも、あらゆる選挙で女性候補の比率をたかめ、女性議員を増やすことに力を注ぐ。

（2）地方選挙の取り組みを日常的に強化し、草の根から野党共闘の前進と党躍進の流れを

①安倍自公政治による地方こわしを許さず、住民の命と暮らしを守る

安倍政権は、「国際競争力の強化」をかかげ、地方自治体に、大型開発を押し付けるとともに、「広域連携」「集約化」と称して中心市街地への開発と立地の集中、公共施設の統廃合・縮小などをすすめさせている。住民の反対の声を無視して、カジノ誘致も強行しようとしている。これからの数年間は、国民健康保険料（税）の連続値上げと介護保険料引き上げ・サービス縮小などの改悪もねらわれている。厚生労働省は、全国の公立・公的病院424カ所を名指しで統廃合することなどを求めた。

こうしたもとで、住民や関係団体と力を合わせて命と暮らしを守る先頭に立って奮闘しているわが党の地方議員（団）の役割はますます重要になっている。

党は、国民健康保険料（税）の均等割の

廃止・縮小などによる引き下げ、介護保険の負担軽減と介護サービスの拡充、障害者福祉の充実、高齢者などの交通手段の確保、公立・公的病院の統廃合押し付けを許さず地域医療を守ることなどを求めてたたかう。

子育て支援での、子ども医療費、保育と学童保育、学校給食、学校のエアコン設置などのこの間の前進をふまえ、引き続き関係団体と協力し、さらに拡充させる。

公的責任を放棄した行政サービスの民営化や住民の意向を無視した学校、公共施設の統廃合・縮小に反対するとともに、不要不急の大規模事業をやめ、防災・減災、老朽化対策に真剣に取り組むことを求める。

市町村をこえた「圏域」を新たに法制化する、自治体の変質・再改編の動きに反対し、地方自治の拡充をめざす。

②地方議員第1党の奪回に向けた取り組み強化、草の根から市民と野党の共闘を広げる

日本共産党の地方議員数は前党大会時2809人から2662人（12月末現在）に後退し、自民党の3500人台、公明党の2900人台についで第3党である。議席占有率は8・4％から8・12％となった。

地方選挙の目標としては、中間地方選挙で確実に勝利を積み重ねながら、2023年の統一地方選挙に向けて、現有議席の確保とともに議席増に挑戦し、地方議員第1党の奪回をめざす。また「議席占有率」、「議案提案権」、「空白克服」の三つの目標を都道府県ごとに具体化し、必ず前進をかちとる。議案提案権を持つ議会は46・6％だが、住民要求を実現していくうえで特別な意義をもっており、さらに増やしていく。

一つひとつの選挙戦の勝利のためには、早くから候補者を決め、候補者を先頭にした日常的な選挙準備に計画的・系統的に取り組むことが不可欠である。

この間、岩手、埼玉県知事選挙で、野党共闘の枠組みでの選挙が実現し、自公推薦候補を打ち破って勝利するなど、国政選挙で始まった市民と野党の共闘の流れが、地方政治にも広がりつつある。都道府県議会・政令市議会・県庁所在地市議会などでは、ひきつづき「オール与党」自治体が多数だが、一定の変化も起こっている。個々の政策課題での協力・共同にとどまらず、これまで事実上の「オール与党」であった自治体でも、首長選挙での共闘・共同を追求する新たな動きも生まれている。国政での野党共闘をさらに発展させる努力と一体に、草の根から市民と野党の共闘を広げる。

③地方議員の活動と成長を支え、地方議員（団）の日常活動を強める

前大会は、「学習をはじめ若い世代の議員の成長を励ます取り組みを思い切って強める」ことなど、地方議員の成長に力を注ぐことを提起した。若い世代や新人の地方議員が未経験のなかで、苦労しながら議員活動をすすめていることをふまえ、党機関と党支部は、温かいヒューマニズムとリスペクトの立場で、議員を支え成長への援助を続ける。

党議員団の確立・会議の定例開催の取り組みは、なお十分とはいえない。すべての地方議員が日常的に党議員の誇りと同志的連帯感、市民道徳と社会的道義をまもって活動できるよう、党機関の指導と援助を強める。

中央委員会が2018年に開催した「地方議員研修交流講座」は歓迎され、都道府県段階でも地方議員の学習と交流の取り組みが強められた。ひきつづき「研修交流講座」の開催をはじめ、こうした努力の継続

と定着をはかる。

地方議員の議席を増やしていくうえでも、地方議員（団）の日常活動の改善・向上は欠かせない。党支部・党機関とも協力して、公約を軸に議会内外で福祉と暮らし、防災、安全をまもる住民要求実現や生活相談の活動をすすめる。その活動や成果を地域民報や議会報告、街頭・駅頭宣伝で系統的に広く有権者に知らせる。

（3）新しい情勢にふさわしく、選挙方針を抜本的に発展させよう

前大会は、「市民と野党の共闘の発展という新しい情勢にふさわしく選挙方針を発展」させ、「野党共闘の前進と党躍進の一体的追求」「市民・国民とともにたたかう壮大な選挙戦」「結びつき・つながりを生かして選挙勝利に結実させる『選挙革命』の活動」「インターネット、ＳＮＳを駆使した双方向での宣伝・組織活動」など、選挙方針を5点提起した。

とりわけ、党員と党組織のもつあらゆる結びつき・マイ名簿を生かして対話・支持拡大に取り組むことは、「選挙革命」の中心をなすものであり、新しい情勢のもとで、全党員の運動にするうえでますます重要性を増している。全有権者を視野に入れた日常的、系統的な宣伝活動にも力を注ぐ。

これらの諸点を引き続き選挙方針の基本にすえるとともに、この間の選挙戦の教訓から次の諸点を抜本的に発展させる。

①批判とともに希望を語る政治論戦

国民の中には、安倍政治に対する深い不安やいきどおりがあるが、「それではどうしたらよいのか」という展望が見えない閉《へい》塞《そく》感もある。そういう時に、本質を突く批判はもちろん必要だが、安倍政治を終わらせ、新しい政治をつくる現実的な道はどこにあるのかをしめし、国民の切実な願いにこたえる、日本共産党の対案を語ることが大切である。明日への希望を語る活動を、総選挙に向けて日常不断に強めていく。

②あらゆる活動で「双方向」をつらぬく

あらゆる宣伝・組織活動の根本姿勢に「双方向」をつらぬく。「街頭トーク」「シール投票」「アンケート」活動など、有権者と直接語り合い、要求や声を聴く宣伝活動での工夫・改善や、宣伝物作成にＪＣＰサポーターや、市民運動のみなさんの協力を得るなど、双方向でともに力をあわせてたたかう選挙にしていく。双方向型で語り合う「綱領を語り、日本の未来を語り合う集い」を、党活動の日常的な推進軸に位置づけ、すべての支部が気軽に、繰り返し、多彩な形態で開催する。

③選挙の「担い手」を広げ、みんなが立ち上がる選挙にする

選挙の「担い手」を思いきって広げて、全党員とともに、「支持者みんなが立ち上がる選挙」にしていく。インターネット、ＳＮＳも駆使し、ＪＣＰサポーターの拡大、強化を全党で取り組み、地域や職場での結びつきを強めていく。

④新しい情勢にふさわしく後援会活動を発展させる

新しい情勢にふさわしく、日本共産党後援会を広範な人々が参加しやすい活動へと発展させる。日本共産党後援会は「比例を軸に」、党の決めた候補者の当選のために、

党と支持者が協力して選挙戦をたたかう基本組織であり、その活動は「選挙活動の日常化」の要をなす。同時に、前党大会がよびかけた「日本共産党後援会の活動を、いまわが党に新しい注目を寄せ、応援しようという人々が、参加しやすい活動へと思い切って改善し、その発展・強化をはかる」にそくした努力と工夫が行われている。

この間、市民との共闘を通じて、わが党の候補者を自発的に応援する人たちが広がっている。わが党の候補者が野党統一候補になり、幅広い市民とともに必勝をめざす取り組みも起こっている。こうした情勢のもとで、「比例を軸に」をつらぬき、「日本共産党後援会」としての活動を選挙戦の基本としつつ、必要に応じて、党議員・候補の個人後援会をさまざまな名称、形態でつくり、幅広い方々と力をあわせる活動にも取り組むこととする。

すべての支部が、地方議員とも協力して、対応する後援会を確立・日常化し、後援会ニュースや季節の行事などを通じた、心かよう結びつきをつよめていく。職場と分野別の後援会を確立し、日常活動をつよめ、支持者みんなが立ち上がる選挙にしていく。

⑤幅広い団体との協力共同の取り組みを発展させる

自民党の強固な支持基盤とされてきた農業や中小企業団体などで、劇的な変化があらわれ、わが党の候補者を推薦・支持する動きも起こっている。

労働組合運動の分野でも、特定政党の支持義務づけが大きく破綻・崩壊しつつある一方で、労働組合がそれぞれの地域の統一候補と「政策協定」を確認し、推薦・支持・支援する動きが起こっている。同時に、党の躍進を果たしていくうえでは、職場での思想信条の自由、政治活動、選挙活動・後援会活動の自由を保障し、党独自の後援会活動を活性化させることも重要になっている。

総選挙に向けて、中央でも地方でも、一致する要求にもとづく諸団体、労働組合との協力共同について積極的に探求、推進していく。

⑥若い世代が、生き生きと力を発揮できる選挙に

若い世代、民青同盟とともにたたかう選挙にしていく。参議院選挙では、自発的に党の選挙事務所を訪問する高校生、学生や、JCPサポーターとして選挙に協力する若者の姿が全国で広がった。

若い世代の中で生まれている「高い学費やブラックな働かせ方をなくしたい」「気候変動を食いとめたい」といった切実な思いにこたえるために、いっそうの努力が必要である。批判とともに希望を語る政治論戦、双方向の宣伝・組織方針、インターネットやSNSの活用など、新たな選挙方針を実践することは、若い世代が生き生きと力を発揮するために欠かせないものとなる。若い世代の声に耳を傾け、選挙活動の自己改革をさらにすすめていく。

⑦熟達した選挙指導の発展・継承を

党機関の熟達した選挙指導の発展・継承をはかり、取り組みを早くから計画的にすすめる。野党共闘の前進と日本共産党躍進を一体的に追求して勝利していくうえでも、「支部が主役」の選挙活動を推進するうえでも、党機関が選挙指導に習熟し、その蓄積を引き継いでいくことが急がれる。非常勤役員の協力や選挙態勢の確立、強化をすすめていく。

中央としても、その点での努力を強める。

(4) 全党が力をあわせ未踏の道を開拓し、勝利をつかもう

一部改定された綱領が示すように、発達した資本主義国での社会変革の事業において、日本共産党が果たすべき世界的な役割はきわめて大きい。

また、いま私たちが取り組んでいる保守も含む市民と野党の共闘によって、反動政権を倒し、新しい政治をつくる試みは、世界で他に例をみないユニークなものである。

全党が力をあわせ、この未踏の道を開拓し、成功をかちとろう。

2年半後には、日本共産党は、党創立100周年を迎える。それまでには、総選挙とともに参議院選挙が行われる。市民と野党の共闘の勝利と日本共産党の躍進で、野党連合政権への道を開く歴史的な選挙にしていこう。

どんな情勢のもとでも勝利がつかめる力をもつ党をつくりあげよう。党創立100周年に向けて、自民党政治に代わる新しい政治への扉を開く、素晴らしい勝利をつかもう。

(「しんぶん赤旗」2020年1月19日付)

第一決議案についての中央委員会報告

書記局長　小池　晃

2020年1月14日報告
18日採択

目次

私は、大会第一決議案・政治任務についての中央委員会報告をおこないます。決議案は、第1章で、日本の政治を変える「二つの大仕事」として、市民と野党の共闘を発展させるとともに、日本共産党の躍進に取り組むことを提起しました。全党討論では、これが積極的に受け止められ、いかにしてこの「二大目標」を達成するのかが深められました。

わけても、日本共産党を躍進させることが、市民と野党の共闘を発展させ、野党連合政権を実現するためにも、綱領が示した民主的改革を実現し、日本政治のゆがみを根本からただすためにも、決定的な保障となることに、確信が広がりました。

そして、「党を躍進させることは、わが党が担う独自の任務であり、どんな情勢のもとでも、いついかなる時も成しとげなければならない、わが党の独自の国民に対する責任である」という決議案の提起が、自らの課題として真剣に受け止められ、それぞれの党組織の課題に引き寄せられ、議論されたことは、とても重要なことでした。

私の報告は、全党討論を踏まえて解明が必要な問題や、その後の情勢の進展に即して補強が必要な問題を中心に行います。

1、究極のモラル破壊の政治と、市民と野党の共闘の前進について

最初に、「究極のモラル破壊の政治と、市民と野党の共闘の前進について」述べます。

市民と野党の共闘の前途について、第27回大会前の全党討論では、「野党共闘はうまくいくのだろうか」という声が各地で出されましたが、今回の全党討論では4年半の共闘の発展を踏まえて、共闘の力への深い確信、その前途への希望が広がっていることが特徴です。

安倍政治に対決する野党共闘の新たな前進について

まず、安倍政治に対決する野党共闘の新たな前進について、述べます。

第一決議案の第2章では、日本社会を根底から破壊する戦後最悪の安倍政権につい

て6点で論じましたが、決議案の発表後に、「強権とウソと偽りと忖度《そんたく》の、究極のモラル破壊の政治」の異常な害悪が、「桜を見る会」での国政の私物化や、カジノ利権をめぐる自民党現職議員の逮捕などによって一気に噴き出しました。「桜を見る会」の問題には、国政の私物化、情報の隠ぺいなど、あらゆる政治モラルの崩壊が凝縮され、国民の怒りが沸騰しています。

こうした激動の情勢のもとで、野党の国会共闘が大きな力を発揮しています。

「桜を見る会」疑惑の始まりは「しんぶん赤旗」のスクープと、国会での共産党の追及でしたが、野党共同の取り組みに発展したことにより、マスメディアも大きく報道し、国政の大問題となりました。野党が一体となって「追及本部」を立ち上げ、合同ヒアリングをくりかえして追及し、安倍政権を断崖絶壁まで追いつめています。

安倍政権が強権的にすすめた、大学入試への英語民間試験や、国語・数学の記述式問題の導入を、高校生・受験生、教育関係者と野党の共同したたたかいで、導入見送りに追い込んだことも、国会共闘の大きな成果でした（拍手）。

カジノ利権の問題も、野党が結束して汚職の徹底究明を求めるとともに、カジノ法の廃止を求めるたたかいを開始しています。

決議案発表直後の高知県知事選挙では、共産党県委員の松本顕治さんを「オール野党」の候補者としてたたかい、全野党の党首と、55人の、元職を含む各党国会議員が松本候補を応援し、大善戦、大健闘の結果となりました（拍手）。松本顕治さんと高知県党と、全党のみなさんの、お互いの大奮闘に拍手を送ろうではありませんか。

（拍手）

昨年の参議院選挙で、3選挙区5県で共産党擁立候補での一本化が実現したことに続き、野党の共闘が、お互いに支援しあう共闘へと本格的に踏み出す、画期的な取り組みになったことを、大きな確信にしようではありませんか。

「安倍政治からの転換の三つの方向」にそった、野党連合政権実現への動き

決議案発表後、野党連合政権に向けた各党間の協議が前進しています。昨年8月に志位和夫委員長が呼びかけた党首会談が、立憲民主党、国民民主党、社会民主党、れいわ新選組との間で実現し、安倍政権を倒し、政権を代え、立憲主義を取りもどすことで基本的に一致しました。

政権の問題が、共闘の焦点の一つとなってきたことは、重要な前進です。

さらに、決議案で提起した、「安倍政治からの転換の三つの方向（①憲法にもとづき、立憲主義、民主主義、平和主義を回復する②格差をただし、暮らし・家計応援第一の政治にきりかえる③多様性を大切にし、個人の尊厳を尊重する政治を築く）」に、党内外で共感が広がりました。

「市民連合」呼びかけ人の中野晃一さんは、「しんぶん赤旗」での志位委員長との新春対談で、「三つの方向」について、「市民連合が13項目を提示したときのエッセンスがそこにある」と語りました。

野党各党の幹部からも歓迎の声が寄せられ、国民民主党との党首会談では、「三つの方向での政権交代を図るために協力する」ことで合意しました。

この三つの方向は当たり前のことを述べ

ているようですが、どれも安倍政治が根こそぎ破壊してきたものです。だからこそ安倍政治の転換の方向を明確に示すものとなっています。

これを共闘の理念にすえ、政権をともにつくる意思を確認し、政権が実行する政策を練り上げ、不一致点に政権がどう対応するかを話し合えば、連合政権の合意をつくりあげることは十分に可能です。

安倍政権を徹底的に追及し、日本の政治に民主主義をとりもどすとともに、国民に希望あるメッセージを届けましょう。日本共産党は、明日に希望を持てるような政権の選択肢をつくるために、知恵と力をつくす決意です。

この4年半の取り組みで、野党共闘は着実に前進してきました。そのことは、さきほどの野党各党代表とゲストの心のこもったあいさつにはっきりと示されていました（拍手）。ここで一段と魅力ある力強い取り組みへの飛躍をかちとることが強く求められています。

安倍政権を倒し、野党連合政権に道を開く大義あるたたかいに、大志をもってのぞもうではありませんか。（拍手）

野党連合政権への道を開く、国民のたたかい

市民と野党の共闘の最大の推進力はなにか。それは、草の根からの国民の運動です。

その点で、全国革新懇は、大きな役割を果たしています。昨年10月の全国革新懇全国交流会は、共闘の到達点を確認しあい、野党連合政権実現へ熱気あふれるものになりました。地域革新懇をはじめ、各地の共闘組織が、市民と野党を交えての討論会や意見交換会を活発に行っています。「野党は共闘」「野党は連合政権」の世論と運動が全国津々浦々に広がるよう、私たちも共に力を尽くす決意です。

さまざまな運動でも、過去の行きがかりを超えた共同が発展しています。

世界の平和運動のリーダーが昨年9月、原水爆禁止世界大会・inニューヨークの開催を呼びかけました。日本からは被団協（日本原水爆被害者団体協議会）、原水協（原水爆禁止日本協議会）、原水禁（原水爆禁止日本国民会議）の代表らが、呼びかけ人に名を連ねました。この3団体が共同して国際的な行動を呼びかけたのは、初めてのことです。

市民と野党の共闘を、新しい市民運動とともに、「総がかり行動実行委員会」が土台で支えていることは、統一戦線の今後の発展にとっても重要です。「総がかり行動実行委員会」は、「総評センター」を前身とする平和フォーラムを中心とした潮流と全労連が、過去の経緯を乗り越えて、2014年12月に安倍暴走政治に対抗して結成した画期的な共闘組織であり、市民と野党の共同の取り組みを物心両面で支えてきました。

こうした取り組みを通じて、労働組合間での要求・政策課題の一致点も広がっています。高度プロフェッショナル制度＝残業代ゼロ制度反対ですべての労働団体が一致し、最低賃金引き上げでも、共通する方向の目標を掲げてたたかっています。

思想・信条の違いをこえ、労働者、国民の要求にもとづいて団結した組織である労働組合が、切実な要求の実現をめざし、ナショナルセンターの違いをこえた共同で、「政治を変え、職場を変える」たたかいに取り組むことには、きわめて大きな意義が

あります。

この間の全国各地での市民と野党の共闘の中で、全労連の大奮闘とともに、連合のみなさんとの共同が、かつてなく広がっていることも、重要なことです。日本共産党は連合のみなさんに、共同のいっそうの発展を呼びかけるものであります。（拍手）

2、安倍自民党政治を終わらせ、新しい政治への道を開くたたかい

次に、「安倍自民党政治を終わらせ、新しい政治への道を開くたたかい」について報告します。

安倍政権の行きづまりは、内政でも、外交でもきわめて深刻になっています。

わが党は、景気が悪化しているもとで消費税を増税することは自滅行為だと批判してきましたが、増税後の経済指標を見ると、警告通りの事態が進行しています。

外交では、米国にもロシアにも中国にも、言うべきことを言わない大国の覇権主義への屈従外交の破綻が顕著になっています。

「桜を見る会」をはじめとする政治モラルの大崩壊が、内閣支持率を急降下させています。

この政権が一日でも長く延命することが、日本にとっての最大の不幸にほかなりません。

日本共産党は、安倍内閣のすみやかな総辞職を求めてたたかうことを表明するものです。（拍手）

第一決議案では第2章と第3章で、現在の内外情勢をふまえ、安倍政権を倒して新しい政治をつくるための、野党連合政権の課題と日本共産党ならではの取り組みについて、それぞれ論じました。

ここでは、その全体をたたかいの課題としてまとめて報告します。

消費税5％への減税で、国民のくらしを守り、日本経済を立て直す

最初に、消費税5％への減税で、国民のくらしを守り、日本経済を立て直すたたかいです。

昨年10月の消費税増税が、新たな大不況をつくりつつあります。家計消費は2カ月連続マイナス、景気動向指数は4カ月連続「悪化」、日銀短観は6年9カ月ぶりの悪化です。中小業者は、増税による消費の低迷、大手との値引き競争、複数税率による事務負担の増加、「ポイント還元」の重荷

など、三重、四重の打撃をこうむっています。

まさに、安倍大失政であり、その責任は重大だと言わねばなりません。

政府は、昨年12月に総額26兆円、財政支出13兆円もの「景気対策」を発表しました。しかし、消費税増税で景気を悪化させ、景気対策と称して「ばらまき」を行い「借金」を増やしていくのは、悪循環の極みです。これでは景気もくらしも良くなりません。財政を悪化させるだけの、愚策中の愚策といわねばなりません。（拍手）

消費税増税がくらしを直撃して景気を悪化させたのですから、これを打開するには消費税減税がもっとも確かな対策です。安倍政権は7年間に、消費税を2倍に増税し、13兆円もの負担増を家計と消費に押しつけました。

景気対策というなら、安倍政権以前の5％に戻さなければなりません。

日本共産党は、消費税の廃止を目標とし、緊急要求として5％への減税が野党の共通政策になるよう全力をあげます。

野党は、昨年の参院選で、「景気を悪化させる」として消費税の10％への増税に反対しました。この公約を踏まえ、10％増税の深刻な打撃が明らかになってきているもとで、5％への減税に踏み込むことを、野党各党のみなさんに強く呼びかけるものです。（拍手）

くらしに希望がもてる政治への改革をすすめる

くらしに希望がもてる政治にするためには、消費税減税とともに、社会保障の拡充、8時間働けばふつうにくらせる社会、教育と子育て支援など、国民のくらしを支える政治への転換を同時にすすめる必要があります。

くらしを支える社会保障に

社会保障への国民の要求は切実です。自公政権は、「社会保障のため」と言って消費税増税を押しつけてきましたが、実際には大増税とともに「年金も医療も介護も生活保護も改悪の連続で、7年間で合計4・3兆円もの負担増と給付削減が行われた」（決議案）のです。これが、消費税増税とともに、くらしを押しつぶす大きな要因となりました。

そのうえ、安倍政権は、「全世代型社会保障改革」の名で、年金・医療・介護などの連続改悪に踏み出そうとしています。

日本共産党は、「マクロ経済スライド」を廃止し「減らない年金」にする、高すぎる国保料（税）の抜本的な引き下げ、介護保険の負担増とサービス切り捨てをやめさせ安心できる介護制度にする、障害者福祉の充実と65歳以上の介護保険優先原則の廃止――など、社会保障の大改悪に反対し、拡充へと切り替えるために、切実な要求をかかげてたたかいます。

安倍政権の連続改悪に対して、これまで政府を支持してきた有識者や、医療・介護の関係団体からも、「このままでは日本の社会保障の土台が壊れる」という警鐘が鳴らされ、反対の声が広がっていることは重要です。

改悪を中止させ、拡充へと切り替える、幅広い共同を追求していこうではありませんか。

8時間働けばふつうにくらせる社会に

賃上げと安定した雇用、長時間労働の是

正など、8時間働けばふつうにくらせる社会にすることは、人間らしい生活をという希望にこたえ、持続可能な経済社会へと向かうために、どうしても必要です。

安倍首相は「賃上げ」をうたいながら、実際はどうだったか。

正反対に、第2次安倍政権のもとで、実質賃金は年間18万円も低下しました。

最低賃金は、昨年の引き上げでも、全国平均で時給901円にすぎません。17県では、いまだ700円台にとどまっています。全労連は「ただちに1000円、すみやかに1500円」をかかげた運動をすすめています。連合は、今年の春闘要求で、1100円以上（企業内最賃）への引き上げをかかげました。労働組合運動が最低賃金の大幅引き上げの要求をかかげてたたかうことは、すべての労働者の賃金を底上げするうえでも、きわめて重要です。

最低賃金の大幅引き上げと全国一律最賃制を求めるたたかいは、保守の立場の人たちも含めて、大きなうねりとなって広がっています。最低賃金引き上げのための中小企業への抜本的な支援を要求し、さらに共同を広げて実現しようではありませんか。

安倍首相は「非正規という言葉をこの国から一掃する」といいながら、実際はどうか。

政府は、フリーランスなど非正規雇用ですらない「雇用関係によらない」働かせ方を拡大しようとしています。労災も有給休暇もなく、最低賃金も適用されず、解雇も自由という、労働者としての権利ゼロの働かせ方を押しつけようとしているのです。

こうした最悪の雇用破壊と賃下げ攻撃を許さないたたかいに全力をあげるとともに、労働者派遣法の抜本改正などで、「雇用は正社員が当たり前」の社会を実現しましょう。

悲惨な過労自殺が大きな社会問題となりました。しかし、高橋まつりさんの過労自殺を引き起こした電通が、またもや「違法残業」で労基署の是正勧告を受けるなど、財界・大企業には長時間労働による被害への反省が、全くありません。

その根底には、安倍政権が、残業規制は「骨抜き」にし、高度プロフェッショナル制度＝残業代ゼロ制度を導入するなど、長時間労働の規制に背を向け、逆にそれを拡大しているという問題があります。断じて許すわけにはいきません。

教職員の異常な長時間労働の問題でも、安倍政権は是正するどころか、昨年の臨時国会で、「1年単位の変形労働時間制」を公立学校の教員に適用可能とする法案を強行しました。しかし、多くの教職員や市民が声をあげる中で、野党各党も反対するようになりました。今後、各地の自治体で制度の実施を許さないたたかいが重要になっています。

民間でも、公務でも、どの職場でも、長時間労働の解決のために、まともな法規制と必要な増員を要求してたたかいぬこうではありませんか。（拍手）

お金の心配なく、学び、子育てができる社会に

子育て、教育の負担軽減は、家計を応援するとともに、貧困から子どもを守り、教育の機会を保障するなど、子どもの権利を守る上でも、少子化対策としても、きわめて重要です。

ところが、昨年のOECD（経済協力開発機構）の発表によれば、日本は、教育への公的支出が先進35カ国で最低であり、この恥ずかしい政治を変えることは、待ったなしの課題になっています。

高すぎる大学の学費を抜本的に値下げし

本格的な給付奨学金をつくる、学校給食の無償化をはじめ、義務教育で残されている教育費負担をなくす、認可保育所を大量に増設し、保育水準を確保しながら待機児童を解消するなど、お金の心配なく、学び、子育てができる社会を実現するために、力をあわせましょう。

「消費税に頼らない別の道」――日本共産党の財源提案

くらし・家計応援の政治に切り替えてこそ、経済も立て直すことができます。そのためには、消費税減税と社会保障、教育、福祉の充実とともに、日本経済の主役である中小企業や、日本の基幹的生産部門としての農林漁業を支援することなど、くらしと営業を支える政策を同時にすすめる必要があります。

自民党政治は、「社会保障の削減か、それとも消費税増税か」と国民に希望のない選択を迫りながら、実際には、消費税増税と、社会保障や教育予算削減の両方を押しつけてきました。

それに対して、日本共産党は「消費税に頼らない別の道」で消費税減税とくらし応援の政治を実現する財源をつくることを具体的に提案しています。

税金はアベノミクスでうるおった富裕層と巨額の内部留保を抱える大企業からとる。これが当たり前ではないでしょうか。（拍手）

能力に応じた負担を求めて財源をつくり、その財源で消費税減税と、家計を温める政策を同時にすすめて、格差と貧困を是正してこそ、経済と財政のほんとうの好循環が実現します。

原発再稼働ストップ、原発ゼロをめざすたたかい

安倍政権は、国民の強い反対を押し切って、原発の再稼働をすすめてきました。しかし、その原発推進政策は、深刻な行き詰まりに直面しています。

東京電力福島第1原発事故から9年目を迎えますが、いまだに多くの人たちが原発の被害に苦しみつづけ、廃炉・汚染水対策など事故収束のメドすらたっていません。核燃料サイクルも破綻し、使用済み核燃料は、処理の見通しもなく増え続けています。

昨年、関西電力の会長、社長らが、福井県高浜町の元助役から多額の金品を受け取っていたことが明らかになり、原発事業への国民の不信と怒りは、いっそう大きくなっています。

さらに、再稼働した原発が、「安全対策の遅れ」から、次々と再停止に追い込まれようとしています。原発へのテロが起きた際の対策のための施設（特重施設）が期限以内に完成しないためです。このことは、原子力規制委員会でさえ、もはや見過ごすことができず、すでに再稼働した原発も、今後、次々に運転停止が命じられる可能性が高くなっています。

電力11社が見積もっている追加の「安全対策費」は5兆4000億円で、さらに膨

なお、この問題に関連して、決議案でも述べていますが、日本共産党は、赤字国債の乱発と日本銀行による直接引き受けなど、野放図な借金を消費税減税などの財源とすることには賛同できないことをあらためて表明しておきます。

消費税に頼らずに、くらしを応援する政治を実現することこそ、希望ある道であることを、正面から訴えてたたかおうではありませんか。（拍手）

らむことが見込まれますが、その「対策」なるものが、どのくらい有効であるかも定かではありません。しかも、そのための巨額の投資は、まるごと電力消費者の負担になってしまいます。

原発再稼働の押しつけは完全に行き詰まりました。原発再稼働を中止し、停止した原発はそのまま廃炉にし、「原発ゼロの日本」をかならず実現しようではありませんか。

安倍9条改憲発議を阻止し、「戦争する国」づくり、米軍基地強化を許さない

安倍首相は、改憲勢力の議席を改憲発議に必要な3分の2割れに追い込んだ、昨年の参院選での民意を無視して、性懲《しょうこ》りもなく、自身の任期中の改憲に執念を燃やしています。数を頼んでの強行のたくらみをいささかも軽視することなく、市民と野党の共闘で、この野望を完全に打ち砕かなければなりません。（拍手）

年明けから「安倍9条改憲NO！全国市民アクション」が新たに、「改憲発議に反対する全国緊急署名」を呼びかけています。この署名に、全力をあげて取り組みましょう。

安倍政権の「戦争する国」づくりを許さない

日米新ガイドラインと安保法制＝戦争法のもとで、日本が、海外でアメリカとともに戦争する危険性が、かつてなく大きくなっています。

年明けに米軍がイラン革命防衛隊司令官を空爆で殺害しました。日本共産党は、トランプ政権による国連憲章と国際法に違反した先制攻撃を厳しく非難します。そもそもイランとの緊張激化の引き金を引いたのは、アメリカのイラン核合意からの一方的離脱です。トランプ政権に対し軍事力行使をやめ、核合意にただちに復帰することを強く求めるものです。

安倍政権が強行した自衛隊の中東沖への派兵は、無謀で、危険きわまりないものです。

自衛隊派兵はただちに中止すべきです。いま日本政府がなすべきは、トランプ米大統領に対してイラン核合意への復帰を説く真剣な外交努力です。

日本の役割は何か。それは断じて、「海外で米国と肩を並べて戦争する国づくり」ではありません。憲法9条をいかした平和外交で、アジアと世界の平和と安定に貢献する国づくりこそ、日本にしかできない、かけがえのない役割ではありませんか。

そのためにも、安保法制＝戦争法を廃止し、集団的自衛権行使容認の閣議決定を撤回することは、いよいよ急務であることをあらためて強調するものです。（拍手）

沖縄の新基地建設を許さず、米軍基地のない日本をめざすたたかい

日米安保条約のもとで、沖縄をはじめ全国に131もの米軍基地が置かれ、住民は日常的に米軍による事件・事故の危険にさらされています。そのうえ安倍政権は、沖縄・辺野古に新たな米軍海兵隊の巨大基地を建設し、世界への「殴り込み」の一大拠点として固定化・強化しようとしています。

しかし、沖縄県民がくりかえし示してきた圧倒的な、「新基地建設ノー」の審判を一顧だにせず、辺野古の海へ土砂投入を強行するような国が、いったい民主主義の国

といえるのか。安倍自公政権に民主主義を名乗る資格はありません。（拍手）

さらに、安倍政権は当初5年としていた工期を9年3カ月、費用を9300億円とする見通しを示しましたが、これにとどまる保証はまったくありません。大浦湾の超軟弱地盤改良のための設計変更には、玉城デニー知事の承認が必要ですが、知事は絶対に新基地をつくらせないと明言しています。

辺野古新基地建設は、政治的にも技術的にも完全に行き詰まりました。

新基地建設の断念を求める「オール沖縄」のたたかいに連帯し、基地のない沖縄を実現しましょう。

そのためにも6月の沖縄県議選はきわめて重要です。総力をあげようではありませんか。（拍手）

米軍の横暴勝手を許している、屈辱的な日米地位協定の見直しも、独立国として当然の要求であり、抜本的な改定を要求してたたかっていきます。

日米安保条約を廃棄し、日米友好条約で日米新時代を切り開く

安倍政権の「戦争する国」づくりと米軍基地強化の根本には日米安保条約があります。そして、トランプ政権は、日本をより深い従属のもとに置こうとしています。

トランプ米大統領は、日米安保条約が「一方的で不公平だ」「日本が攻撃されれば、米国は日本のためにたたかう。しかし、米国が攻撃されても日本はたたかう必要がない」などといいます。

しかし、日本に駐留する米軍は、海兵遠征軍、空母打撃群など、日本の防衛とは無関係の、干渉と介入を専門とする「殴り込み」部隊であり、ベトナム侵略戦争、イラク侵略戦争など、日本が米国の無法な戦争の根拠地とされ、戦争に協力させられてきたのが、厳然たる歴史的事実です。

だいたい、「一方的」で「不公平」な負担を強いられているのは米国ではなく、日本ではありませんか。

日本政府が負担してきた在日米軍駐留経費は、「思いやり予算」に米軍再編関連経費やSACO経費を合わせると、78年以降の43年間で実に10兆円にのぼります。世界での米軍駐留経費全体に占める日本の負担は、他の同盟国の合計を上回る、桁違いのものです。

あまりにも行き過ぎた「思いやり」だと言わねばなりません。

そのうえ、トランプ大統領いいなりの米国製兵器の「爆買い」による大軍拡が、国民のくらしも憲法も押しつぶしています。

20年度予算案で軍事費は6年連続で過去最高を更新し、5兆3千億円を超えました。「いずも」型護衛艦を空母化する経費を計上し、長距離巡航ミサイルを導入することなどは、「攻撃的兵器の保有は、いかなる場合も許されない」としてきた憲法上の立場を蹂躙《じゅうりん》し、自衛隊を軍事力の点でも、海外で武力行使する軍隊へ変貌させるものにほかなりません。

今年は、1960年に日米安保条約が改定されてから60年目となりますが、この条約を背骨とした「異常なアメリカいいなり政治」と国民との矛盾が噴出し、それが、「アメリカ・ファースト」のトランプ政権の下で、ますます害悪をあらわにしています。

日米安保条約を廃棄して、独立・平和・中立の日本をつくり、米国とは対等・平等の立場にもとづく日米友好条約を結ぶことにこそ、日本の未来があります。

日本共産党は、その旗を高く掲げてたたかいます。お互いに力を合わせようではあ

りませんか。（拍手）

自然災害から国民の命と財産を守る政治の実現を

自然災害から国民の命と財産を守ることは、決議案第4章でふれたように、日本の政治の重要な使命です。この間あいついだ災害の中で、わが党は、被災者の苦しみに心を寄せ、国会議員や地方議員と、党支部や地方党機関が、「住民を誰ひとりとして取り残さない」という決意で力を合わせ、被災者支援、救援と復興のために全力をあげてきました。

「住民の苦しみあるところ共産党あり」の立党の原点にたって、引き続き力をつくすことを、心から呼びかけるものです。（拍手）

3、総選挙での勝利・躍進にむけた活動について

つづいて、「総選挙での勝利・躍進にむけた活動について」述べます。

総選挙にむけた「二大目標」をどう統一的に追求するか

第一決議案では、市民と野党の共闘の勝利と日本共産党の躍進をかちとることを「二大目標」とし、二つを一体のものとして取り組もうと呼びかけました。

全党討論では、「二大目標」をどうやって統一的に追求するのかをめぐって、「共産党独自の主張をすると共闘の足並みを乱すのではないか」「共闘しながら党の躍進が果たせるのか、心配だ」などの質問も出され、活発で前向きの議論が行われました。

もちろん、この二大目標を実現するためには、第二決議案が提起しているように、大前提となる根本的課題として、政治任務と党の自力とのギャップを、どうしても克服しなければなりません。

同時に、第一決議案の報告では、討論を踏まえて、次の三つの取り組みを強化し、「二大目標」の統一的追求を成功させることを呼びかけます。

第一は、何よりも、わが党が共闘に真剣かつ誠実に取り組むことです。

この4年半、どんな困難があっても、政治の大局にたって市民と野党の共闘に取り組んできたことが、幅広い市民の中にわが党への信頼を広げていることは間違いありません。

市民と野党の共闘の発展のために揺るがず、誠実に、力をつくそうではありませんか。

第二に、共闘に全力をあげつつ、党の独自の主張を堂々とつらぬくことです。

決議案第3章が示したわが党の「二重の役割」――つまり、直面する緊急の政治課題で共同のたたかいを発展させ、市民と野

党の共闘を発展させるとともに、自民党政治のゆがみをただす根本的改革の展望を明らかにし、国民の多数派をつくっていくという二重の役割を発揮することは、共闘の前進にとっても、党の躍進にとっても、きわめて重要な意義を持っています。

たとえば、安保法制の危険性や、民意を無視した沖縄新基地建設反対などについては野党の共通認識になりつつありますが、これを本当に正そうとすれば、その道をはばむ日米安保条約とぶつからざるを得ません。日本共産党が、安保条約第10条に基づく米国への通告で安保条約を廃棄し、日米友好条約に切り替えるという〝切り札〟を示していることを、共闘を発展させる中でも、正面から訴える努力が必要になってきます。

野党が一致している、くらし応援の政策でも、それを実行しようとすれば、財源を消費税に頼るのか、それとも富裕層・大企業に応分の負担を求めるのかという問題にぶつかり、財界中心政治からの脱却が問われてきます。この点でも、わが党は「消費税に頼らない別の道」という、道理ある答えを持っています。

内政でも外交でも、直面する課題を実行しようとすれば、「アメリカいいなり」「財界中心」という「二つのゆがみ」にぶつかること、そして日本共産党が、そのゆがみをただす改革の展望を示す党であることを、共闘に力をつくすことと一体におおいに語っていきましょう。

市民と野党の共闘の一致点で団結してたたかうことと、各党が独自の主張を行うことは決して矛盾しません。それぞれは別の党であるから、独自の政策を持つのは当然です。違いがあってもお互いに尊重し、リスペクト（尊敬）して、一致点でしっかり協力するという「多様性の中の統一」こそが、一番強い力を発揮する。これが、この間の共闘の4年半で、私たちが学んだ大きな教訓です。

この教訓を糧にして、がんばり抜こうではありませんか。（拍手）

第三に、日本改革の展望や未来社会論など、党綱領の全体を語っていくことです。

共闘の姿勢を支える統一戦線の方針も、21世紀の世界の平和と進歩に貢献する政策と立場も、ジェンダー平等や気候変動抑制など新しい重要な課題も、資本主義を乗りこえる未来社会の展望も、この大会で一部改定される党綱領が、新鮮かつ骨太に示しています。

この全体像を語ることが、日本共産党を躍進させるうえでの決定打となります。

共闘の時代に党躍進をかちとるためには、「他に入れるところがないから共産党」という「消極的支持」にとどまらず、「共産党だから支持する」という積極的支持者をどれだけ増やしていくかが勝負です。決議案の全党討論では、このことが綱領一部改定案の意義と重ねられ、正面から受け止められました。

一部改定される綱領を力に、党の綱領、理念、歴史をまるごと語り、積極的支持者を増やす取り組みに、ありとあらゆる力をつくそうではありませんか。（拍手）

新しい可能性、条件をくみつくし、「850万票、15％以上」の目標に挑戦を

全党討論のなかでは、「850万票、15％以上」という比例目標が「ほんとうにで

きるのだろうか」という率直な声も出されました。

なぜ、「850万票、15％以上」か。この目標は、当面する総選挙で、市民と野党の共闘の勝利とともに、「比例を軸に」党の躍進をかちとり、野党連合政権への道を開く意義があります。さらに、党綱領が掲げた民主的改革を実現する意義を持っています。

そして、この目標には十分な現実性、可能性があることも強調したいと思います。

一つは、情勢がもつ新しい可能性です。市民と野党の共闘の深化のなかで、党と国民との関係に大きな前向きの変化が起こっています。さまざまな課題で運動に取り組む人々にも、若い世代のなかにも、わが党への新しい期待と注目が広がっています。

いま一つは、日本共産党がもつ主体的条件の発展です。党綱領の一部改定案は、すでに大きな注目と影響を広げ、他党の関係者や市民運動の方々からも評価を受けています。国際的視野で日本の政治変革の道すじを示す、綱領の一部改定案を全党員が身につけ語り広げれば、巨大な力を発揮することは間違いありません。

これらの可能性、条件をくみつくし、積極的支持者を広げ、第二決議案が提起している党建設の目標をやりぬき、「850万票、15％以上」の目標に正面から挑戦することを、全党のみなさんに心から呼びかけるものです。（拍手）

ただちに総選挙にむけた活動に踏み出そう

解散・総選挙の時期は流動的ですが、いつ解散となっても「二つの大仕事」を達成できるように、ただちに総選挙にむけた活動に踏み出すことを訴えます。

比例代表選挙では、すでに24人の候補者を発表していますが、「850万票、15％以上」、全国11ブロックのすべてで議席獲得と議席増をかちとるために、各ブロックの政治目標にみあう候補者の決定を急ぎます。小選挙区とともに、女性候補の半数擁立を目標とします。

小選挙区では、野党の選挙協力を成功させるとともに、党の大幅議席増をめざします。小選挙区候補者の擁立にあたっては、与野党の得票が競り合っている選挙区を中心に、野党統一候補擁立の協議をすすめていきます。わが党候補が必勝を期す選挙区は、他党に対し野党統一候補とするように交渉します。その他の選挙区でも、現行の非民主的な選挙制度のもとでは、比例代表での党躍進のためには一定数の候補者を擁立することが絶対に必要であることを、あらためて強調したいと思います。

以上の考え方をもとに、すみやかに候補者の擁立をはかっていきます。

すべての党組織が、「850万票、15％以上」にみあう得票目標と支持拡大目標を決定し、「比例を軸」に、決議案が提起している七つの選挙方針を具体化し、大量政治宣伝や対話・支持拡大に踏み出そうではありませんか。

積極的支持者の拡大は、選挙戦が始まってからでは間に合いません。「毎日が選挙戦」の構えで、今から日本共産党を語る一大運動として、「綱領を語り、日本の未来を語り合う集い」や双方向の「街角トーク」を全国津々浦々で開催し、SNSも活用し、日本共産党を丸ごと語りぬきましょう。

とくに、今度こそ「対話・支持拡大の遅

れ」を繰り返さないことを訴えます。

総選挙勝利にむけて、ただちに対話・支持拡大に踏み出し、その結果を台帳・名簿に反映させ、生きた名簿として日常不断に活用しましょう。

後援会活動の強化について

全党討論では、後援会活動の現状を見直す議論が行われ、「総選挙にむけて、後援会を大きく発展させよう」と、活動強化にむけた取り組みがはじまっています。

いま、支部に対応する単位後援会は支部数の55％、会員数は全国で340万人です。これを「850万票、15％以上」の得票獲得にふさわしく、400万から500万の後援会をめざしていきましょう。

具体的には、すべての支部が、対応する後援会を確立・日常化し、後援会ニュースなどを通じた、心かよう結びつきをつよめていきましょう。職場と分野別の後援会も確立し、支持者みんなが立ち上がる選挙にしましょう。その際、いまわが党に新しい注目を寄せ、応援しようという人々が、参加しやすい後援会活動へと思い切って改善していくことに、知恵と力をそそぐことを呼びかけます。

全党討議では、「なぜ個人後援会を提起したのか」「どのような考え方でつくるのか」といった疑問や質問が寄せられました。

決議案で、個人後援会を必要に応じてつくることを提起したのは、市民と野党の共闘の広がりのなかでの党と有権者の関係の変化に対応したものです。

この間の一連の選挙で、他党支持層や保守・無党派層の立場の人たちとも、選挙を一緒にたたかう経験が広がっています。幅広い人々の中で、党候補を自発的に応援する多彩な活動もうまれています。

こうしたもとで、後援会活動を、広範な人たちが参加しやすい活動へ、いっそう改善・発展させる必要があると考えた提案です。

これは、どの選挙区でも一律に「個人後援会」をつくるということではありません。「比例を軸に」をつらぬき、「日本共産党後援会」としての活動を選挙戦の基本としつつ、「必要に応じて」つくるという提起です。

国政選挙だけではなく、地方選挙でも、条件と必要性に応じてつくることにします。

もちろん、このことによって、いささかも、「比例を軸に」の大方針を弱めてはなりません。「日本共産党後援会」を「個人後援会」におきかえようという提案でもありません。

「必要に応じて」とはどういう手続きが必要なのかという質問も寄せられました。

これは、候補者などの個人の判断にまかされるものではありません。後援会の皆さんとよく相談し、最終的にはその選挙に責任をもつ党機関が判断して決めることにします。

実際の活動では、党候補を応援してくださっている方々の意見をよく聞き、創意性を発揮していただくようにしましょう。もちろん、個人後援会に参加する人にも、比例は日本共産党への支持を広めていただくように、働きかけていきましょう。

なによりも、積極的支持者を増やす主体である党員、党のもっとも親しい友人である「しんぶん赤旗」読者の拡大をすすめることに、全力をあげましょう。

一つ一つの中間地方選挙で勝利し、総選挙必勝にむけて党躍進の流れをつくろう

報告の最後に、中間地方選挙の取り組みについて述べます。

一つ一つの中間地方選挙で、党の上げ潮の流れをつくりだしてこそ、国政選挙での躍進の道が開かれます。

その点で、この間の中間地方選挙で、従来の枠をこえた攻勢的な宣伝組織活動と、無党派層や保守の方々を含む他党支持層との協力・共同を大きく広げて、勝利した経験が生まれていることは貴重なことです。

しかし全体としては、議席も得票も後退傾向にあることを直視しなければなりません。

地方議員数は、党大会議案を発表して以降、7議席後退し、昨年末で2662人となっており、得票も前回比で93・2%にとどまっています。

根本的な要因は、党の積極的支持者を増やす日常不断の取り組みの弱さと、党の自力の後退にありますが、直接的には、宣伝・組織活動が従来よりも狭い活動にとどまったり、候補者決定の遅れなど選挙準備の立ち遅れによる失敗もあります。

現有議席を持ちながら後継候補が立てられず議席を失った自治体や、そのことで新たな党議席空白となった自治体も少なくありません。

力以上の候補者擁立による共倒れや、情勢判断の甘さからせり負けたこともあります。

一つ一つの中間選挙で勝利するためには、早くから候補者を決め、候補者を先頭にした日常的な選挙準備に計画的・系統的に取り組むことが不可欠です。

地方党機関は、早い時期から個別の選挙の状況をリアルにつかみ援助をすすめましょう。

中央も地方党組織と一体に、中間選挙勝利に向けた取り組みをつよめる決意です。

今年（2020年）は、国政にも重大な影響を与える東京都知事選が6月18日告示、7月5日投票で、京都市長選挙は大会直後の1月19日告示、2月2日投票で、そして6月には沖縄県議選もたたかわれます。

全国の力を集めて、かならず勝利をかちとろうではありませんか。（拍手）

全党の同志のみなさん。

草の根から、市民と野党の共闘を広げましょう。強大な党をつくり、積極的支持者を増やして日本共産党躍進の流れをつくりましょう。党創立100周年に向けて、野党連合政権への道を力をあわせて切り開こうではありませんか。（拍手）

以上をもって、第一決議案の中央委員会報告を終わります。（大きな拍手）

（「しんぶん赤旗」2020年1月16日付）

第一決議案（政治任務）の討論
小池書記局長の結語

2020年
1月18日報告
同日採択

第一決議案（政治任務）の討論の結語を行います。

第一決議案については、市民と野党の共闘の発展と、日本共産党の躍進という二大目標を、いかにして統一的に追求するかを中心に、活発な討論が行われ、豊かに深められました。

そして、来たるべき総選挙に勝利して、安倍自公政権を倒し、野党連合政権に道を開く、決意と希望に満ちた感動的な議論となりました。（拍手）

ともにたたかう来賓のみなさんからのごあいさつ

開会直後の、6人の野党各党代表と特別ゲストの皆さんのごあいさつは、市民と野党の共闘の前進をあざやかに示すものになりました。

立憲民主党の安住淳国会対策委員長は、「お互いの距離をさらに縮めて、国会運営や国政選挙で一体感のある協力をしていこう」「そうすれば、自然とその先に政権が見えてくると思う」と呼びかけました。国民民主党の平野博文幹事長は、「志位委員長が触れられた、立憲主義回復、格差解消、多様性の三つの柱は、日本の国を変えていく大きな指針になる」と語りました。

社会民主党の吉川元幹事長は、「9条を無視する安倍政権をみんなの力で倒そう」と訴え、沖縄の風の伊波洋一代表は「あきらめないこと。これが勝利の方法だと沖縄県民は確信している」と語り、碧水会の嘉田由紀子代表は「政権交代の枠組みを、みなさんの足元の一人ひとりの草の根からつくろう」と述べました。

そして、特別ゲストの中村喜四郎衆議院議員は、「まったく共産党とはかけ離れた立場」と切り出しながら、「次の総選挙で小選挙区100議席を勝つには日本共産党の力がなければ絶対に勝てない。力を合わせよう」と迫力満点で訴えられました。

どなたも、真心と決意と覚悟をこめた、連帯のメッセージをおくってくださいました。

野党の共闘が、3年前と比べても、確実に前向きの変化を遂げつつあることを示すものだったのではないでしょうか。（拍手）

ともにたたかう新しい友人と古くからの

友人の皆さんからの激励と連帯のごあいさつも、心のこもった、うれしいものばかりでした。

「総がかり行動実行委員会」の高田健さんは、日本共産党が提案した「安倍政治からの三つの転換の方向」を「断固として支持したい」と力強いエールを送り、「市民連合」呼びかけ人の山口二郎法政大学教授は「野党候補を一本化し、平和と国民生活を守る政権構想を掲げることで、自民党を打ち破ることができる」と語りました。首都圏反原発連合のミサオ・レッドウルフさんは、「全国にいる共産党のみなさんで野党共闘を推進してほしい」と期待を述べました。

立憲主義、格差是正、多様性。この三つを共闘の理念にすえて話し合えば、連合政権の合意をつくりあげることができる。そのことが、くっきりと見えてきたではありませんか。

あらためて、大きな激励を与えてくださった内外の来賓のみなさんに、重ねて感謝を申し上げるものです。（拍手）

この大会期間中も、カジノ疑惑で秋元司・前カジノ担当副大臣が再逮捕され、公職選挙法違反の疑いで自民党の河井前法務大臣夫妻事務所の家宅捜索が行われました。ところが安倍晋三首相は、自ら任命した政務三役に次々噴き出る疑惑に対して、だんまりを決め込んだままです。このような政治には、一日も早く終止符を打たなければなりません。

市民と野党の共闘をさらに前にすすめ、今年こそ安倍政権を倒して、新しい政治への道を開く年にしようではありませんか。

「二大目標の統一的な追求」が合言葉に

大会討論での代議員、評議員の発言は、どれもが教訓に富み、素晴らしいものでした。

第一決議案の「二大目標」をめぐっては、共闘の発展に誠実に力をつくすとともに、日本共産党の独自の主張を堂々とつらぬくことで、党への信頼が広がっていることが、さまざまな実践に裏付けられて語られました。

衆議院比例代表北海道ブロック予定候補の畠山和也代議員は、共闘に誠実に努力するとともに、ＴＰＰや日欧ＥＰＡによる農業つぶしやＪＲ北海道の鉄路廃止、カジノ誘致などに反対するたたかいで、「党独自の主張や活動を遠慮せずに堂々と貫いたことで、潜在的に党への信頼が広がっていった」と、自らの経験をもとに語りました。

昨年の参院選で野党統一候補を勝利させ、比例代表でも過去最高に次ぐ得票率を実現した岩手県委員長の代議員は、「市民と野党の共闘に誠実に努力したことが、政党間の信頼を広げるだけでなく、有権者の信頼を広げた」と述べ、野党共闘勝利に全力を注ぐ取り組みを土台に、「がめつく比例を獲得する」活動の重要性を語りました。

ほかの野党と共闘関係にある中でたたかう選挙では、「ほかに入れるところがないから共産党」とはなかなかなりません。党の政策を堂々と語り、いつでもどこでも「比例は共産党」と、それこそ「がめつく」支持を訴えなければ、党の躍進はぜったいに実現しません。

決議案でも報告でも強調しましたが、市民と野党の共闘の課題を実現しようと思えば、「アメリカ言いなり」「財界中心」という日本政治のゆがみにぶつからざるを得ません。党の民主的改革の政策は、安倍政権を倒したいという市民の願いを実現するために不可欠のものであることを、堂々と語っていきましょう。

党躍進のためには、「共産党だから支持する」という積極的支持者をどれだけ増やせるかが勝負です。

畠山さんは、党綱領の全体像を語ることについて「日本と北海道の未来を骨太に、希望を持って語れるのは日本共産党しかありません」と語りました。

神奈川県委員長の代議員は、「今回の綱領一部改定案は、党をまるごと理解し、支持してもらう上で、あらゆる問題で豊かな材料を提供してくれています。全党が綱領改定の内容を学び、みんなが自分の思いで語れるようになれば、積極的支持者を広げることは、必ずできます」と力を込めました。

一部改定される綱領を力に、党の綱領、理念、歴史をまるごと語る取り組みを、ただちに開始しましょう。

積極的支持者の中心は、党員と「しんぶん赤旗」読者です。二大目標をやりとげるためには、どうしても党の自力をつけなければなりません。過去3回の共闘選挙で繰り返した「共闘勝利と党躍進の両方を実現するためには、党の自力が足りなかった」という総括に、ピリオドを打つためにも、第二決議案が提起している党建設の目標をかならずやりとげましょう。

討論では、共闘の勝利と党の躍進という二大目標を「統一的に追求しよう」が、合言葉になりました。

二つの目標を、いつでもどこでも握ってはなさず、かならず実現しようではありませんか。

「積極的支持者」は一日にしてならず――「集い」、「街角トーク」の開催と後援会の強化を

積極的支持者を増やすために「毎日が選挙戦」の構えで、今から日本共産党を語る一大運動を広げようという呼びかけも正面から受け止められ、具体化に向けた決意がこもごも語られました。

積極的支持者を増やすために大きな力を発揮しているのが「綱領を語り、日本の未来を語り合う集い」や、双方向の「街角トーク」の開催です。

衆議院比例代表東北ブロック予定候補のふなやま由美代議員は、仙台市議を辞職して2017年総選挙に挑んだものの、日本共産党の躍進をかちとれなかった「悔しさをバネに」、積極的支持者を増やそうと、ある時は「赤旗」読者さんのお茶の間で、ある時は職場で「ゆみカフェ」と名付けて綱領を語る「集い」を開き、これまでに36人の新しい仲間を党に迎えた経験を語りました。「『党は自衛隊や天皇制をどうしようとしているのか』とか、『中国や旧ソ連のような一党独裁ではないのか』などの共産党への疑問や誤解がどんどん解けていって、参加する方々が笑顔でほっとする姿を見たときには、快感すら覚えた」とのことでした。

「積極的支持者は一日にしてならず」です。「綱領を語り、日本の未来を語り合う集い」を、全国津々浦々で、大中小さまざ

まな規模で開催し、それを後援会活動へとつなげ、積極的支持者をうまずたゆまず広げていきましょう。

決議案で新しい発展を呼びかけた後援会活動を、選挙を日常化し、積極的支持者をたえず広げていく組織活動のカナメにすえることが大切です。後援会は、選挙をともにたたかう基本組織であり、党と支持者の結びつきを強め、広げていくうえで、大きな力を発揮しています。後援会ニュースや、季節の行事などを通じた、心かよう結びつきを強め、支持者みんなが立ち上がる選挙にしていきましょう。

神奈川県北部地区委員会の代議員は、後援会ニュース読者の拡大と配布に力を入れ、市議選挙ごとに後援会員を増やし、激戦の中でも、高位当選を果たしている経験を報告しました。

埼玉県中部地区委員長の代議員は、1万3千人の後援会員と後援会ニュースで結びつき、訪問して手渡しする作戦で、県議選に勝利した経験を語りました。「ニュース読者はあったかいなと感じた」「いつもはポストインするだけだったけど、実際に顔を見て『広げてください』とお願いすることで信頼関係が深まった」という感想が寄せられたそうです。「楽しく元気の出る後援会活動」だと思います。地区党は、比例目標に見合うよう、後援会員の倍加に取り組むことを目標にしたとのことでした。

第二決議案報告では、現在全国で340万人の後援会員を、「850万票、15%以上」の得票獲得にふさわしく、400万から500万の後援会をめざすことを当面の目標として呼びかけました。

得票目標に見合う後援会の確立へ、それぞれの地域で、職場で、目的意識的で持続的な取り組みを強めようではありませんか。

生き生きと活躍する若い世代の議員——支部と機関が温かく支えよう

討論では、若い地方議員や議員をめざす同志、党歴の短い地方議員のみなさんが、住民の要求実現のために生き生きと活動している発言が相次ぎました。

活動の「見える化」を徹底して、住民要求実現と党建設に奮闘する千葉市議。お兄さんの命と尊厳を奪った国への怒りを胸に沖縄県議選に挑戦する代議員。入党1年で党議席空白を克服した香川県宇多津町議。サッカー界から地域おこし経由で共産党へ、高校生とも腹割って話す茨城県利根町議。入党半年で立候補を決意し、綱領を力に議会活動にも党建設にも大奮闘している岡山県倉敷市議。トランスジェンダーであることをカミングアウトし、共感と理解を広げた新宿区議。空白を克服し議会も町も変え党支部も再建した愛知県東栄町議。

全国各地に広がる、きら星のごとき活動に、代議員・評議員のみなさんも大いに励まされたのではないでしょうか。（拍手）

そして、そうした地方議員の活動に、支部や地方党機関、ベテランの議員が親身な援助を行っていることも、とても重要なことでした。

若い議員や党歴の短い議員にとって、その地域の「党の顔」として活動したり、他党からの攻撃を受けたり、議場で自治体当局を追及したりすることは、もちろんやりがいもありますが、同時にたいへんな重圧にさらされる役目でもあります。

決議案では「苦労しながら議員活動をすすめていることをふまえ、温かいヒューマニズムとリスペクトの立場で、議員を支え成長への援助を続ける」ことを強調しました。

若い世代もベテラン議員も、生き生きと活動できるように、中央も地方党機関も支部も努力を重ねようではありませんか。（拍手）

決議案の修正・補強について

つぎに、全党討論、中央委員会報告、大会での討論をふまえて修正・補強した決議案を提案します。

決議案の修正・補強提案は、お手元に文書で配布してあります。傍線の部分が修正・補強する箇所です。

大会にむかう全党討論で寄せられた意見・提案の多くは決議案の内容を歓迎し、よりよいものに練り上げる立場のものでした。それらの一つひとつを吟味したうえで提案します。

可能な限り、修正・補強提案に反映させる立場で作業を行いました。

主な修正・補強箇所はつぎのとおりです。なお、字句上の若干の修正は、文書でご覧ください。

――第2章第1節の⑥。維新の会がたくらむ、「都構想」の名による大阪市の廃止、分割をねらう再住民投票について加筆しました。

――第2章第4節。全党討論の中で、労働組合運動の役割についての記述を求める意見が寄せられています。報告でも、「野党連合政権への道を開く、国民のたたかい」のところで、労働組合運動の重要な役割について述べましたが、第一決議案でも、その趣旨の記述を加えることにしました。

――第3章第3節の③。決議案発表後に明らかになった2019年のジェンダーギャップ指数が、さらに低下したので、「153カ国中121位」という新しい数字に換えます。

ジェンダー平等については、綱領改定案、第一決議案、第二決議案で、それぞれ位置付けられたことは、全党から大きく歓迎されました。そのなかで、性と生殖に関する健康・権利（リプロダクティブ・ヘルス／ライツ）の保障などの課題も触れてほしいという意見がありました。そこで、第一決議案に、ジェンダー平等をめざす運動をともにすすめるという日本共産党の立場と運動の課題として、簡潔に述べることにしました。

――第4章第1節の②。安倍政権の農業つぶしの政治、日米FTAをはじめ農林水産物の輸入自由化など、この分野の運動は、食の安全という意味でも全国民的な課題ですし、保守的な立場の方たちとの幅広い共同もすすんでおり、重要な意義を持っています。

そこで、消費税減税、改憲反対、原発ゼロや災害などのたたかいの課題に加えて、農林漁業の問題を書き加えることにしました。

さらに、災害から国民の命とくらしを守ることが、国政の最重要課題の一つであることも明記しました。

――第4章第2節の①。地方政治でのたたかいに、「公的責任を放棄した行政サービスの民営化」を加えました。

――同じく第4章第2節の②では、地方議員数などを、最新の数字に置き換えました。

以上が、主な修正・補強点です。

総選挙勝利へ、ただちに立ち上がろう

全党のみなさん。

総選挙勝利にむけて、なすべきことは明確です。

中央段階では、野党連合政権の合意をつくるために全力をあげます。国民に希望あるメッセージとなる、野党の魅力ある共通政策をつくるために力をつくします。

比例代表中国ブロック予定候補の大平喜信評議員は、「総選挙に勝利し安倍政権を倒すことは、被爆者の命がけの訴えにこたえる私たちの責務だと胸に刻み、中国ブロックでの議席奪還を必ず果たす」と述べ、四国ブロック予定候補の白川容子評議員は「綱領一部改定案を力に、必ず四国の議席をかちとる決意です」と力を込めました。

「比例を軸に」をつらぬき、「850万票、15％以上」の実現を目指して、比例代表での躍進を、何が何でもかちとろうではありませんか。（拍手）

小選挙区では、野党共闘の勝利とともに、わが党の候補を野党統一候補に押し上げ、小選挙区での党議席の大幅増を実現しようではありませんか。

みなさん。

ただちに、総選挙に向けて日本共産党の躍進への政治的勢いをつくりだす活動にとりくみましょう。党の政治的勢いをつくりだすことは、市民と野党の共闘を本格的な共闘にしていくうえでも、きわめて重要です。

そして何よりも、共闘の勝利と、日本共産党の躍進という「二大目標」をやりとげる根本的な力は、党員と読者を増やし、党の自力を強く大きくすることです。政治任務と党の自力とのギャップを克服することは、待ったなしの課題となっています。

そして、その一番の推進力となるのは、一部改定される綱領です。綱領で党を語り、綱領を力に、強大な党づくりを成功させ、来たるべき総選挙に勝利しようではありませんか。（拍手）

高知県知事選挙という高知県での「政権交代選挙」を、市民とオール野党の代表として、大善戦、大健闘した松本顕治代議員は、自らの実感を込めてこう語りました。

「『本気の共闘』というのは短い言葉ですけれども、市民や野党が、それぞれ壁や葛藤もありながらも、それでも、『安倍政権をかえたい』『県民の願いにこたえる県政をつくりたい』と一歩を踏み出す。そういう覚悟や決意が、この短い言葉の奥にある」

私たちも覚悟と決意を持って、ただちに立ち上がろうではありませんか。（拍手）

全党の同志のみなさん。

来たるべき総選挙で、野党と市民の共闘を成功させるとともに、日本共産党の躍進を必ずかちとろうではありませんか。

戦後最悪の安倍自公政権を倒し、党創立100周年に向けて、野党連合政権への道を切り開こうではありませんか。（拍手）

以上をもって、中央委員会を代表しての第一決議案の討論の結語とします。

（「しんぶん《しんぶん》赤旗」2020年1月20日付）

第二決議（党建設）

2020年
1月18日採択

目次

第1章　党建設をめぐる歴史的情勢――いまこそ後退から前進へ

(1)日本共産党をとりまく客観的条件に、大きな変化が生まれた

日本共産党が、党建設で後退から前進に転じる歴史的情勢が生まれている。

党建設の現状を歴史的視野でみると、1980年ごろをピークにして後退が続いてきた。しかし、その大きな要因となった客観的条件に、大きな変化が生まれた。

国内的には、1980年の「社公合意」を契機に、「日本共産党を除く」という壁が築かれ、「オール与党」体制が敷かれたことが、党建設で前進をはかるうえでも大きな障害となって作用した。日本共産党を政界から排除し、その存在をないものかのように扱う反共作戦が大掛かりに開始された。しかし今日、国民のたたかいによって、「日本共産党を除く」壁は崩壊した。市民と野党の共闘で政治を変える新しい時代が始まり、そのなかで日本共産党は重要な地位を占めている。

国際的には、1990年前後の旧ソ連、東欧諸国の支配体制の崩壊によって、わが党は厳しい逆風を体験した。しかし、一部改定された綱領が明らかにしているように、ソ連崩壊は、世界の平和と社会進歩の流れを発展させる新たな契機となるとともに、21世紀の今日、植民地体制の崩壊による「世界の構造変化」が、平和と社会進歩を促進する生きた力を発揮し、希望ある流れが生まれている。人類史上はじめて核兵器を違法化した核兵器禁止条約の成立は、それを象徴するものだった。わが党は、こ

うした世界の流れを国内外で促進する役割を果たしている。

（2）難しい条件のもとで、陣地をもちこたえてきた意義はきわめて大きい

この間、わが党が、どんな難しい条件のもとでも、党建設にうまずたゆまず力を注ぎ、党の陣地をもちこたえてきたことの意義はきわめて大きいものがある。

後退したとはいえ、全国の地域・職場・学園に27万人余の党員、100万人の「しんぶん赤旗」読者をもち、国民と草の根で結びついた自前の組織、政党助成金や企業・団体献金に頼らない自前の財政をもっている政党は他に存在しない。

今日の党は、1960年代、70年代に入党し、長年にわたって党を支える中心を担ってきた世代をはじめ、全党の不屈のたたかいによって支えられてきたものである。第28回党大会は、党を強く大きくする仕事に、全力をあげて奮闘してきたすべての同志に、心からの敬意を表する。

いま、党づくりで前進する新しい条件が、大きくひろがっている。わが党の持つあらゆる力を注いで、党建設で後退から前進に転じよう。野党連合政権への道をひらき、日本共産党の躍進を支える、強く大きな党をつくろう。

第2章　党建設の現状をどう見るか――危機とともに大きな可能性が

党建設で前進に転じ、わが党の歴史的任務をやりとげる強く大きな党をつくるためには、党建設の現状をリアルに共通の認識にするとともに、前進の可能性と条件がどこにあるかを、具体的につかむことが不可欠である。

全国の地区委員長から寄せられたアンケートには、党づくりの危機的状況が切迫感をもって報告されている。同時に、それを打ち破って前進する新たな可能性と自らの決意が生き生きと語られている。

（1）党組織の現状と打開すべき課題について

党づくりの現状をみると、次のような点が全党の共通の課題となっている。

――わが党の事業を、若い世代に継承することは、緊急で死活的な課題となっている。少なくない地域支部で、支部長を70代以上の党員が担うなど、一部の高齢党員に

負担が集中している。高齢党員の献身的な奮闘はわが党の宝だが、このまま推移すれば支部活動が困難に陥ってしまう状況が広がっている。職場支部数が減少し、重要な職場で党の灯が消えている。職場支部が中心の地区のなかには、地区委員会そのものの存続の危機が迫っているところもある。さまざまな分野の運動団体を支えてきた党員の減少も、打開すべき課題である。

――「支部が主役」の自主的、自発的な活動、原則的な支部活動や党生活の確立も、多くの支部の課題となっている。職場支部では多忙化と長時間・過密労働によって、地域支部では高齢化などによって、支部会議の出席や開催に苦労がある。新しい党員を迎えても、新入党員教育ができない、支部会議に結集できないなど、「党員の成長をはかれる自信がない」という悩みも共通している。

――「『しんぶん赤旗』中心の党活動」の現状を打開することは党の前途にとって急務である。「しんぶん赤旗」読者の後退は、国民と党との結びつきの弱まりや、党財政の危機に直結している。配達・集金活動を高齢党員が懸命に支えているもとで、配達・集金ができない事態に陥りかねない地域も少なくない。週7日間休みなく日刊紙を配達する地区委員長や地方議員もいるなど、中心的活動家の過重負担の克服、配達・集金活動の困難の打開は急務となっている。

――党機関の体制強化、党の現状にあった機関活動への抜本的改善が求められる。常勤常任委員が3人未満の地区が6割を超え、少ない専従者に複数の専門部の仕事と実務が集中し、「支部に援助に入りたいが、入れない」という悩みが多く出されている。党費や募金の減少、機関紙誌読者の後退が、党機関財政の困難をもたらし、党機関や議員の後継者をつくる障害となっている。「地区委員会を支える幹部党員の採用に踏み出せない」「このままでは後任が見当たらず、地区常任委員会自体が構成できなくなる」という実態がある。

いずれも胸の痛む事態であり、国民に対する責任を果たすためにも、全党が力をあわせて打開すべき課題である。中央委員会は、現状打開の先頭に立つ。

(2) 党建設で前進する客観的可能性と主体的力について

こうした現状を打開することはできるか。いま、党建設で前進する客観的可能性と、それを実践する党の主体的な力が存在していることに、目を向けることが大切である。

①「日本共産党を除く」壁が崩壊し、党と国民との関係が変化している

「日本共産党を除く」壁が崩壊したもとで、党と国民との関係が大きく変化している。

4年にわたる市民と野党の共闘を通じて、新しい絆、新しい友人、新しい信頼が広がった。「孤立している」「独善的」「力がない」などのわが党への見方は大きく変わり、これまで党と距離のあった方々からの「しんぶん赤旗」の購読や入党の申し込みが続いている。国民のためにひたむきに奮闘し、ぶれずに共闘に献身する姿に、これまでにない広範な文化人・知識人から、共感と激励が寄せられている。労働運動のナショナルセンターの違いをこえた協力・共同や、農漁民、商工業者、保守の方々との信頼関係も生まれている。

若い世代も決して例外ではない。党と若者との間にこれほど「壁」のない時代はかつてなかった。若者のなかで、党はいわば“白紙状態”であり、マイナスイメージはほとんどない。学費無償化、気候変動の抑制、ジェンダー平等社会へ、若者が勇気をもって声をあげはじめ、運動に力をあわせる党の姿に共感が広がっている。

先の参議院選挙では、448万人の方に日本共産党に一票を投じていただいた。党勢と比較して、わが党の政治的影響力は、はるかに大きい。

②わが党は、危機を打開する主体的な力をもっている

わが党は、危機を打開していく主体的な力ももっている。

世代的継承の問題は、党づくりの最大の弱点だが、同時に、いま60年代、70年代に入党した世代が党の中核的な力となって党を支え、頑張っていることは党の誇りであり、さまざまな社会的経験を積んできた強みを発揮できる。新しい世代が、国政でも地方政治でも、清新な力を発揮し、党の前進の先頭に立っていることは、大きな希望である。

わが党には1万8千の支部があり、小学校数に匹敵する全国の網の目のネットワークがある。「しんぶん赤旗」読者と後援会員を中心に、党を支持し、ともに政治変革を進める多くの友人をもっている。2600人を超える地方議員が、全国津々浦々で日常的に住民の要求を実現し、災害時には自ら被災しながら懸命に救援活動にあたるなど、住民の利益を守って活動していることは、党の宝である。

党員の半数は女性、地方議員では女性第1党であり、党活動のさまざまな分野で女性が貴重な役割を発揮している。ジェンダー平等の実践という点でも、努力を積み重ねている。

党綱領と科学的社会主義という政治的・思想的土台をもち、党規約という団結の確かな絆で結ばれていることは、私たちの最大の生命力である。

わが党が、他にはない潜在力、先駆的な力をもっていることに、深い確信をもとう。

③党綱領一部改定は、党建設で前進する新たな力となる

第28回党大会で行った党綱領の一部改定は、党建設においても新たな力となるものである。

他国に覇権主義をふるい、人間抑圧の社会へと変質して崩壊した旧ソ連だけでなく、近年、中国にあらわれた新しい大国主義・覇権主義、深刻化している人権問題によっても、日本共産党に対する誤解・偏見が少なからず生まれている。

しかし、わが党は、今回の綱領一部改定で、「社会主義をめざす新たな探究の開始」が「二一世紀の世界史の重要な流れの一つとなろうとしている」という規定を、今日の実態をふまえてあらためた。さらに、「発達した資本主義国での社会主義的変革」こそ、「社会主義・共産主義への大道」であり、この道には、特別の困難性とともに豊かな可能性があることを明らかにした。

綱領の一部改定を力に、旧ソ連や中国などと結びつけられたわが党への誤解・偏見を解き、躍動する21世紀の世界とわが党の役割、日本における未来社会の壮大な展望を語り広げるならば、これまでの枠を超えた人々に新鮮な共感が広がることは間違いない。

強く大きな党づくりは、いま歴史的岐路を迎えている。

一方で、野党連合政権の実現、日本共産

党の躍進という歴史的任務も、現在日本社会で果たしている党の役割も果たせなくなる危機に直面している。

他方では、党をとりまく客観的条件の変化、党と国民との関係の前向きの変化のもとで、党づくりを後退から前進へと転ずる大きな可能性と条件が存在している。

今日の新しい可能性をくみつくし、党の潜在力をあまさず発揮し、党づくりで新たな躍進の時代をきりひらこうではないか。

第3章　党創立１００周年までに、野党連合政権と党躍進を実現する強大な党を

第28回党大会は、党創立１００周年までに野党連合政権と党躍進を実現する強く大きな党の建設をめざして、次の目標を達成することをよびかける。

①党員拡大と、「しんぶん赤旗」読者拡大を、持続的な前進の軌道に乗せ、第28回党大会時比１３０％の党をつくる。

②青年・学生と労働者、30代〜50代など、日本社会の現在とこれからを担う世代のなかで党をつくることに特別の力を注ぎ、この世代で党勢を倍加する。同盟員の倍加を掲げている民青同盟の建設を、党と民青の共同の事業としてやりとげる。

③空白の職場・地域・学園や、社会のさまざまな分野で活動する人たちのなかに党の支持をひろげ、党をつくる。

④新入党員の成長が保障され、一人ひとりの初心、可能性が生きる党をつくる。

⑤すべての党員が、党綱領と科学的社会主義を学習し、誇りと確信をもって党を語れるようになる。

この目標は、党づくりの現状をふまえた達成可能な目標であると同時に、野党連合政権と党躍進の実現というわが党の政治任務にふさわしい、大志ある目標である。

また、党建設の現状に照らせば、党の量的前進をつくることと、党の質的建設とを、日常不断に一体的に追求してこそ、党建設を確かな前進の軌道に乗せ、強大な党をつくることができる。

わが党はいま、野党連合政権への道を本格的に追求しつつ、日本共産党の躍進をかちとるという、かつてない挑戦をしている。いよいよ大きくなるわが党の政治任務と、党の自力とのギャップを、なんとしても克服しなければならない。

党創立１００周年にむけて党勢の上げ潮をつくりだすことは、２０２１年までに必ず行われる総選挙、２０２２年の参議院選

挙で、野党連合政権への道を開き、「850万票、15％以上」の政治目標をやりぬいて党躍進を果たす最大の保障となる。

いま、強く大きな党をつくりあげることは、日本の進路を左右する国民的意義をもっている。

党創立100周年にむけ、全党が一つになって、新たな目標に挑戦しよう。

第4章　基本方針を堅持しつつ、党づくりの改革・発展に挑戦を

（1）大会決定で明らかにされてきた党建設の基本方針

党建設の方針は、第22回党大会での党規約改定と、第22回党大会決定から第27回党大会決定で、その基本は明らかにされている。

――すべての支部が「政策と計画」を持ち、「支部が主役」の活動を行う。

――国民の要求実現のたたかいにとりくみつつ、党建設・党勢拡大の独自の追求をはかる「車の両輪」の活動をすすめる。

――党員拡大を、党建設・党勢拡大の根幹にすえて、一貫して追求する。

――党規約どおりの入党の働きかけを行い、新入党員教育の修了、「党生活確立の3原則」（支部会議への参加、日刊紙の購読、党費の納入）を大切にし、一人ひとりが成長することに責任を負う。

――「『しんぶん赤旗』中心の党活動」を発展させる。

――全党が、綱領学習と科学的社会主義の古典学習にとりくむことを、日常の気風とする。

――「綱領を語り、日本の未来を語り合う集い」を、あらゆる党活動の推進軸にすえ、日本列島の津々浦々で開く。

――市民道徳と社会的道義を大切にした党づくりにとりくむ。

以上のような、党規約と党大会決定にもとづく党づくりの法則的発展の努力をさらに強めることが重要である。

同時に、今日の情勢のもつ客観的可能性と党の現状にふさわしく、党活動・党建設の改革・発展に挑戦する。雇用の非正規化や貧困・格差の広がり、職場や教育における競争主義・成果主義、社会の分断とバッシング、自発的な市民運動の発展やインターネットの発達など、変化する人々の要求や社会生活にそくしてどう党建設をすすめるかも、全党の探求課題である。

次の方向で、党建設の改革・発展をはかることをよびかける。

（2）変化する国民、新しい運動、新しい層に目を向け、足を踏み出そう

政治への不満を強め、わが党への見方を変えている国民や、さまざまな課題で運動にとりくむ人びと、若い世代のなかに、党の影響力を広げ、党をつくるために、次のような努力を強めよう。

①党員が国民と結びつくこと自体を励ましあう

一人ひとりの党員が国民と結びつくことは、それ自体に意義がある。国民にとっては、要求実現のよりどころとなり、党にとってはあらゆる活動を発展させる出発点となる。支部は、党員がもっている多種多様な結びつきに光をあて、さらに新しい層や若い世代のなかに結びつきを広げることを励ましあおう。国民の声と願いを党活動に生かそう。

②新しい運動、新しい層のとりくみに、思い切って参加する

党機関も支部も、一人ひとりの党員が、地域・職場・学園のさまざまなとりくみ、新しい市民運動、若い世代の自主的活動に参加することを重視する。町内会、老人会、ＰＴＡ、保護者会など、世話役活動も重要である。その場に身を置き、声を聞くことで、新たな発見があり、党活動を発展させる力となる。〝相手から学ぶ〟姿勢を大切に、相互に多様性を尊重して力をあわせよう。

③国民との結びつきを、党としての結びつきに発展させる

「集い」の開催や後援会活動、要求アンケートなどにとりくみ、国民との結びつきを、党としての結びつきに発展させる意識的努力が大切である。支部で、知恵や経験を交流し、結びつきへの支持拡大、演説会・「集い」のお誘い、「しんぶん赤旗」や『女性のひろば』購読のお願いなど、〝踏み切り〟を支えあおう。

（3）一人ひとりの党員の初心と可能性が生きる党になろう

一人ひとりの党員の初心と可能性が生きる党、新入党員とともに成長する党になるために、新入党員教育の修了や「党生活確立の3原則」の定着に一貫して努力するとともに、次の改善・改革にとりくもう。

①ともに学び、ともに成長する姿勢で、入党を働きかける

綱領と規約から離れた党員拡大のあり方を改善し、「支部が主役」に徹して、ともに学び、ともに成長する姿勢で働きかける。このことは、労働者や若い世代を大胆に党に迎えていくためにも、新入党員に支部活動に参加してもらうことができず育てられなかった苦い経験を克服するためにも重要である。

入党の働きかけに失敗はない。人間的信頼関係をきずくとともに、一緒に綱領を学び、党員の活動や生き方を伝え、ためらいや不安をのりこえて決意に至るまでの一回一回の働きかけに大切な意味がある。支部も党機関も、党員拡大の系統的努力の過程

に光をあて、励まし合ってとりくもう。

②「楽しく元気の出る支部会議」の努力を発展させる

第27回党大会がよびかけた「楽しく元気の出る支部会議」の努力をさらに発展させ、新入党員が生き生きと成長し活動できる支部になるために、次のことを重視する。

――党員の入党の初心をリスペクト（尊敬）し、その意欲を尊重して、支部活動をすすめる。要求活動、機関紙活動、党勢拡大をはじめ、新入党員が初めてチャレンジした活動を支部で共有し、励ましあい、党活動を実践する喜びと自信を育もう。一人ひとりの党員を大切にする、あたたかい人間集団をきずこう。

――支部での政治討議や集団学習を重視し、双方向で語り合う学習にしていく。支部指導部や講師からの一方的な解説で終わらせず、疑問や気になることも率直に聞ける場、党員の生きがいや党活動のやりがいを語り合える場にするために、工夫と努力をはらおう。

――支部長とともに副支部長、支部委員会を確立し、近況交流や学習、決定の具体化などをどうすすめるのか、支部委員会でよく相談して支部会議をすすめる。会議で全員が発言できるようにする、荷を分かち合って活動するなど、支部が民主的でみんなの力が発揮できる集団になるために知恵と力をつくそう。

③支部と党機関が協力して、若い世代の成長と活動の場を保障する

労働者や若い世代を党に迎えた際、働いている職場、学んでいる学園に党支部がない場合は、その職場・学園に党をつくる展望をもって、党機関と当面所属する支部がよく相談し、新入党員の成長と活動の場を保障する。青年党員については、一律に青年支部の所属とせず、地域支部、職場支部も含めて、その成長を最もよく支えることができる支部で活動する。

新入党員が支部にいる党員と世代が離れている場合、学習を活動の中心にすえ、長い目で見てその成長を支え、同世代の要求にこたえる活動や後援会活動などにのびのびととりくみ、結びつきを広げ、同世代の人びとを党に迎える活動をみんなで保障し、支えよう。都道府県・地区委員会が、同世代の党員が学び交流する場を積極的につくることも重視しよう。

④市民道徳と社会的道義を守り、ハラスメントを根絶する

市民道徳と社会的道義を守ることを規約で掲げている党として、その努力をいっそう強め、個人の尊厳とジェンダー平等などの社会的・国際的到達点を学び、あらゆるハラスメントを根絶する。

（4）「しんぶん赤旗」を守り、発展させるために二つのことを訴える

①新しい読者を増やし、「しんぶん赤旗」発行の危機を打開しよう

安倍政権のメディア支配が強まり、巨大メディアが権力を監視するジャーナリズムとしての役割を果たしているとはいえないもとで、〝タブーなく真実を伝える、国民共同の新聞〟――「しんぶん赤旗」の値打ちが輝いている。若い世代の中にも、ネットでの断片的情報の氾濫やフェイクニュー

スへの危機感から、「真実を知りたい」「ニュースの深掘りがほしい」という人々が多くいる。

一方、読者数の後退によって、中央も地方党機関も財政の困難が増大し、「しんぶん赤旗」の発行そのものができなくなる危機に直面している。いま、全党の力で読者を増やし、この危機をなんとしても打開しなければならない。

「しんぶん赤旗」の新たな読者を思い切って広げるために、長年築いてきた結びつきとともに、ナショナルセンターの違いをこえた労働組合、さまざまな市民運動で結びついた人々の中に読者を増やし、さらに読者から同僚、友人に購読を広げてもらうことを追求しよう。中央は、そのための思い切った紙面改善にとりくむ。

紙の日刊紙を基本にしつつ、新しい層に「赤旗」電子版の購読を広げよう。

②条件のあるすべての党員が、配達・集金活動に参加することを訴える

「配達・集金活動は、粘り強さ、持続性、不屈性がもとめられる、地道で貴い活動である。どの他党もまねができない、わが党ならではの財産でもある。これに携わっている同志の努力の営々とした積み重ねこそが、社会変革を根本から準備している」（第22回党大会決議）。

配達・集金を通じて、国民との顔の見える結びつきを強め、読者と協力してたたかいと党活動を発展させることは、草の根から市民と野党の共闘の発展をはかり、野党連合政権を支える全国的ネットワークをきずき、日本共産党の躍進をかちとるうえで、かけがえのない役割を担っている。

第28回党大会は、毎日、毎週、毎月の配達・集金活動に不屈にとりくんでいる党員のみなさんに心からの敬意と感謝を表する。

配達・集金活動の困難を打開するカギは、今日の「『しんぶん赤旗』中心の党活動」のもつ歴史的役割を深く学び、支部と党員の誇りにして、いま4割の党員によって担われているこの活動に参加する党員を増やしていくことにある。

困難を打開している党組織では、日刊紙の配達を支部で議論し集団配達の体制をつくって荷を分かちあう、地区委員長や地方議員の過重負担を党組織全体の認識にして協力を広げるなど、現状を率直に共有して議論している。

条件のあるすべての党員のみなさんに、この貴い活動に参加されることを心からよびかける。

（5）党への誇り、変革への確信あふれる党をつくろう

市民と野党の共闘にとりくみながら、党躍進をかちとる「二つの大仕事」をやりとげるには、理論的・政治的にも強い党をつくり、党員一人ひとりが党の綱領・理念・歴史を国民に語れる党になることが重要である。

第28回大会期の一大事業として学習教育活動を強めよう。

①一部改定が行われた党綱領の一大学習運動にとりくむ

党員が、どんな複雑な情勢が展開しても世界と日本の前途への展望と確信をもって活動し、日本共産党ならではの魅力を語り広げる最大の力となるのは、党綱領の学習である。

「20年後の地区党をイメージし、昨年来、40歳以下の在籍党員70人を対象に地区党学校を36回開催。42％が綱領を修了した」など、綱領で党をつくる努力が始まっていることは重要である。

すべての支部が、綱領本文を読みあわせて質疑と討論で理解を深める「綱領講座」、綱領一部改定についての第27回党大会8中総提案報告・第28回党大会報告の学習にとりくもう。中央として、党綱領一部改定を踏まえた学習講座を開催する。

②「党綱領」「科学的社会主義」「党史」「規約と党建設」——四つの内容を位置づける

党員が学ぶ喜びをつかみ、新たな支部指導部、機関役員、議員候補者の育成がはかられている党組織では、「党綱領」とともに、「科学的社会主義」「党史」「規約と党建設」を含めた四つの内容を学習している。県・地区党学校や支部での学習会をくりかえし開催するとともに、それぞれの県・地区に自前の講師団をつくり、4課目の学習にとりくもう。

「科学的社会主義」——綱領を深くつかむうえでも、社会発展の法則や、人間の自由で全面的な発展が可能となる未来社会の展望を学ぼう。新版『資本論』の普及と学習をすすめよう。

「党史」——わが党は2年半後に党創立100周年を迎える。第27回党大会決定が明らかにした「歴史が決着をつけた三つのたたかい」をはじめ、党の歴史への誇りと確信をはぐくもう。

「規約と党建設」——党の潜在力を発揮し、すべての党員の力で強く大きな党をつくるために、党活動・党建設の基本を身につけよう。

中央として、中央党学校、地方議員研修交流講座、学生党員特別講座、若手専従者対象の特別党学校にとりくむ。

党の発行する定期雑誌（『前衛』『月刊学習』『議会と自治体』『女性のひろば』）の編集改善と普及に力をつくし、『経済』の普及にも協力しよう。

（6）日本社会の未来を担う党をつくろう——職場、青年・学生のなかでの党づくり

①職場の矛盾、労働者の要求のなかに、党をつくる展望がある

職場では、慢性的な人手不足、異常な長時間労働が広がり、労働者の命と健康がおびやかされる事態が進行している。職場の党支部と党員が、長時間労働の是正など労働者の切実な要求をとりあげてたたかうなら、党の大小、労働組合の有無やナショナルセンターの違いにかかわらず、労働者の共感と支持を獲得し、党員拡大の条件も広がるという経験が、さまざまな分野で生まれている。

若い労働者の、仕事への誇りと働きがいを求める願いに、ベテラン党員が寄り添い、励まし、要求にもとづく学習を重ねるなかで、成長する若い労働者を着実に党に迎えている職場支部も生まれている。

職場の矛盾、労働者の要求のなかに、党をつくる展望がある。矛盾と要求を全面的にとらえて、労働者のなかでの党づくりに力をつくそう。

職場支部の活動を発展させるうえで、2006年以来の一連の「職場講座」で強

調した、「出発点はあいさつから」など、労働者と日常的に結びつき、人間的信頼関係をつくることを、党活動の根本に位置づけることは、いよいよ重要である。

参議院選挙では、職場門前での党の宣伝に、労働者から強い共感が寄せられた。地域支部で入党した労働者のつながりで党員が増え、新たな職場支部が結成される経験も各地で生まれている。第27回党大会が提起した、全党の結びつきを生かし、空白の職場に党支部をつくる事業に、文字通り全党が挑戦しよう。

②青年・学生の模索を、綱領と科学的社会主義の学習で希望と展望に

青年・学生の中で党をつくる巨大な条件が広がっている。

いま、多くの青年・学生が、高学費と奨学金返済、長時間労働や不安定な働き方、ジェンダー平等とかけ離れた社会のもとで、切実な願いや不安を強めている。格差と貧困の広がり、気候変動など世界と日本の進路への関心を強め、行動にたちあがる青年も生まれている。

2019年10月26日に行われた「全国青年・学生党員決起集会」では、若者の切実な要求が、日本の政治の二つのゆがみに結びついていること、さらには資本主義という体制の矛盾と結びついていることを知ったときに、青年・学生が大きく成長する姿が語られた。綱領と科学的社会主義は、青年・学生の模索にこたえる科学的力をもっていることが、生き生きと報告された。

青年・学生の願いと模索を、希望と展望につなぐカギ——綱領と科学的社会主義の学習を青年・学生のなかで広げ、「社会は変わるし、変えられる」「政治はあなたのためにある」と働きかけるとりくみに、全党が力をつくそう。綱領と科学的社会主義の学習を、青年党員、学生党員の活動の中心にすえ、援助を強めよう。

第27回党大会決定が提起した「三つの柱」の探求のなかで、民青同盟と党との協力が強まっていること、学生分野で、新入生歓迎運動での民青同盟員の拡大が前進していることは重要である。

民青同盟への援助は、綱領と科学的社会主義の学習を中心にすえ、同盟員倍加の目標達成に力を合わせるとともに、民青の班をつくり、リーダーを育成し、都道府県委員会の確立・強化をはかることに民青と協力してとりくもう。同盟員の生き方、活動について日常的な相談相手となるための体制をつくる努力を強めよう。

学生分野では、学園での対話を広げ、民青班づくりをすすめるとともに、学生党員の拡大、学生支部の結成を前進の軌道にのせることが大事な課題となっている。学園に根ざして学生の要求や知的関心にこたえた活動に踏み出し、自らの進路や生き方と重ねて綱領と科学的社会主義を学習し、党員が誇りをもって党を語れるよう、援助しよう。

(7) 支部と党員がもつ力を引き出せる党機関になろう

わが党のもつ主体的な力を引き出していくには、党機関の活動の重点を支部の援助におき、「政策と計画」をもった「支部が主役」の党活動を広げ、すべての支部、すべての党員が自覚的に参加する活動をつくっていくことが必要である。そのための系統的努力ができるように党機関の活動の刷新と体制強化をはかることが不可欠である。

次の方向で刷新・改革をはかる。

①「地区委員会活動の四つの教訓」を堅持し、さらに発展させる

第27回党大会決議が提起した「地区委員会活動の四つの教訓」――①「わが地区をこう変える」という大志とロマンある生きた目標をみんなのものにしている、②決めた目標を何があっても中断せず、一貫性と系統性をもって追求している、③支部に出かけ、支部から学び、一緒に知恵と力をつくすリーダーシップが発揮されている、④地区常任委員会、非常勤を含む地区委員のチームワークが発揮されている――をふまえ、機関活動の改善・強化に、次の努力を強める。

第一に、党機関が、直面する課題だけでなく、たえず中長期の視野にたって、党づくりをすすめる。党大会決定と中央委員会総会決定にもとづく大志ある政治目標、都道府県・地区の「総合計画」をみんなで決め、みんなで実践する気風をつくる。党機関とその責任者が、自主性を発揮して活動方針を練り上げることを大切にし、オリジナリティー(独創性)のある地区委員会の活動をつくろう。

第二に、学習と政治討議を第一義的課題にすえ、機関役員が自覚をもって任務にあたり、「支部が主役」の活動を指導・援助する力をつけることを重視する。都道府県・地区委員会総会を、時間をとって開催し、出席率を向上させる。総会の民主的運営を重視し、みんなが率直に意見をのべ、積極的経験とともに困っていることも交流し、打開の方向をともに探求する会議にしよう。

②中央委員会の指導・活動の抜本的改善をはかる

中央委員会は、都道府県委員会・地区委員会・支部に足を運んで、その努力と苦労、実情と課題をありのままにつかみ、党づくりの方向をともに探求・開拓していくことを最優先の活動姿勢とする。

党組織の活動を短期的・一面的な課題だけで評価することや、頻繁な電話による指導・点検などを改善し、党活動の力点や方針の提起は「しんぶん赤旗」で行うことを基本にすえる。中央から都道府県への指導は、幹部会・常任幹部会が行い、日常的には書記局を通じて行う。「日報」は選挙戦など全党が力を集中する特別な時期に限定的に行い、都道府県・地区委員会の負担を軽減する。都道府県・地区委員会とともに選挙指導に習熟した幹部をつくる努力を行い、中央からの中間選挙の支援要請は党機関の体制をよく考慮に入れて行うよう改善する。

中央委員会は、これまでにも指導改善を提起しながら、それが貫ききれなかった歴史を絶対に繰り返さず、指導改革を断固やりぬく構えで改革をはかる。

③新しい幹部を育成し、女性幹部を増やし、機関体制の強化をはかる

都道府県委員会は7人、地区委員会は、少なくとも3人以上の常勤常任委員を配置することに挑戦する。退職党員、地方議員経験者をはじめ、今ある条件をくみつくして緊急に機関体制の強化をはかるとともに、計画的に若い幹部の抜てきをすすめよう。新しい幹部の育成のために、若い世代の活動の援助を抜本的に強め、学習と実践のなかで〝自分たちが今後の党をつくる〟という気概と力量を育むことを重視しよう。

中央委員会も、都道府県・地区委員会

も、党員の構成にふさわしく、女性幹部を積極的に登用し、党機関での意思決定の場に女性の参加を高めよう。

退職後に職場支部に在籍している党員は、党機関や支部とよく相談し、地域支部に転籍することを基本にしつつ、条件や意欲によっては党機関でその力を発揮してもらう。職場での活動に敬意を表しつつ、培った豊かな経験を新たな場所で発揮してもらうことを、心を込めてよびかけよう。

④党機関財政を確立し、全党の力で専従者を支える

若い世代が、専従者になる決意をもてるようにするためにも、給与、休暇をはじめとする活動条件の改善、党機関財政の確立をすすめる。党員拡大を根幹とした党づくりの前進とともに、「財政活動の4原則」（党費、機関紙誌収入、募金、節約）にもとづく財政活動の強化が、党機関財政の確立の大道である。専従者を、わが党と日本社会の宝として、その生活保障と新たな配置のための財政を全党の力で確立しよう。

第5章　発達した資本主義国での強大な党建設は世界史的意義をもつ

私たちは、安倍自公政権を倒し、野党連合政権の実現をはかるとともに、「アメリカいいなり」「財界中心」の自民党政治そのものを終わらせ、民主主義革命と民主連合政府の樹立をめざしている。さらには資本主義の矛盾を乗り越え、社会主義・共産主義社会へとすすむことを展望している。

発達した資本主義国から社会主義・共産主義への道は、人類がまだ経験したことのない前人未到の道である。一部改定された綱領が示したように、それは特別の困難性をもつとともに、豊かで壮大な可能性をもっている。

その扉を開く最大のカギは、支配勢力が張り巡らせた緻密な支配の網の目、巨大メディアの影響を打ち破るだけの力を持った社会変革の主体――国民の間に深く根を下ろし、国民の利益実現のために献身する党と、統一戦線の発展にある。いま党建設で新たな躍進の時代をきりひらくことは、21世紀の世界で新しい社会への道を開く世界史的意義をもつ。

大志とロマンをもち、新たな意気込みで強く大きな党づくりに挑戦しよう。

（「しんぶん赤旗」2020年1月19日付）

第二決議案についての中央委員会報告

幹部会副委員長　山下　芳生

2020年1月15日報告
18日採択

目　次

ワークの力を発揮する
・「支部が主役」の活動をひろげる努力を貫く
・ジェンダー平等の立場で、女性幹部を増やし、意思決定の場に女性の参加を高める

第二決議案についての中央委員会の報告を行います。

党建設について、党大会で独立した決議案として提案するのは今回が初めてのことであります。〝わが党にとって、いまが党建設でなんとしても後退から前進に転ずる歴史的時期である〟との認識と決意にたってのものでしたが、第二決議案は全体として歓迎され、党建設への新たな意欲が生まれています。

報告は、全党討論を通じて第二決議案がどう受け止められ、実践が始まっているか、決議案を力に党建設で生まれている新しい前進の芽に着目して行います。

「党勢拡大大運動」の到達点について

はじめに、昨年9月の7中総決定が呼びかけた「第28回党大会成功をめざす党勢拡大大運動」の到達点について述べます。

党大会にむけて、全党は大会議案の全党討論とともに、第27回党大会現勢の回復・突破を目標として、「大運動」にとりくんできました。

党員拡大では、「大運動」通算で、2533人の新しい党員を迎えました（拍手）。党大会として、この間入党された新しい党員のみなさんに心より祝福と歓迎のメッセージを送りたいと思います。（拍手）

「しんぶん赤旗」読者の拡大は、9月以降4カ月連続で前進し、「大運動」の通算で日刊紙1865人、日曜版8464人、電子版317人、あわせて1万646人の増勢となりました。（拍手）

前大会現勢を回復・突破したのは、党員では福岡県と37地区、日刊紙では沖縄県と10地区、日曜版では4地区となっています。

前大会で倍加をめざすことをよびかけた『女性のひろば』は、大会後の3年間に5369人の前進となり、徳島県と8地区が倍加を達成しました。

こうした前進は、全党のみなさんの大奮闘によるものであります。中央委員会として、心から敬意を表します。

党勢の現状は、党員は27万人余、「しんぶん赤旗」読者は、日刊紙、日曜版、電子版をあわせて約100万人となっています。

「大運動」の期日は1月末です。この党大会を跳躍台に、目標総達成のために全力をつくそうではありませんか。そして、2月以降も、この前進の流れを絶対に中断させることなく、党創立100周年をめざす党建設の目標にむけて、末広がりに党勢拡大運動を発展させようではありませんか。

第1章「党建設をめぐる歴史的情勢」、第2章「党建設の現状をどう見るか」について

決議案第1章、第2章の討論を通じて、全党が一つになって危機を打開し、党建設で前進に転じようという一体感、連帯感が生まれています。「私たちの苦労と努力が決議案に盛り込まれている」「みんなで打開しようという決意を感じた」という声がたくさん寄せられました。全党を信頼し、党組織の実態をつぶさに明らかにしましたが、それがしっかりと受け止められ、情勢と党のリアルな現状に立脚し、地に足のついた決意が広がっています。

決議案は、「危機とともに大きな可能性がある」という点に目を向けることを訴えました。全党討論では、「危機は感じているが、可能性は本当にあるのか」との率直な思いも出されています。いま全党が、党づくりで前進する「客観的可能性」と「主体的な力」について深くつかむことが重要です。

（1）党と国民との関係の変化が劇的に進展

決議案第1章は、党建設の現状を歴史的視野でとらえ、党勢の後退が続いた大きな要因として、1980年の「社公合意」によって「日本共産党を除く」壁が築かれたこと、1990年前後の旧ソ連・東欧諸国の支配体制の崩壊によって厳しい逆風を受けたことを述べたうえで、今日、国民のたたかいによって、わが党をとりまく客観的条件に大きな変化が生まれていることを強調しました。

そして第2章では、「日本共産党を除く」壁の崩壊が、党と国民との関係に大きな変化をもたらしていることを、いくつかの角度から示しました。

決議案発表後も、党と国民との関係の変化が、劇的な形で示されています。

新しい友人との絆、信頼がいっそう深くなっている

昨年11月、立憲民主党の議員の質問中に、安倍首相が自席から「共産党」とヤジを飛ばしました。言語道断のヤジですが、驚いたのは、党外のたくさんの方々が、安倍首相による共産党攻撃を、日本の民主主義への攻撃ととらえて、これに反撃したことであります。ハッシュタグ（#）をつけて「#共産党は私だ」「#共産党は仲間だ」とSNSで多くの方が発信し、マスメディアからも注目されました。

共闘でともにたたかっているある衆院議員が、「天皇制反対の共産党と一緒に集会

に出るのか」というツイッターでの言いがかりに対し、「共産党の2004年綱領をお読みください」「不正確なレッテル張りはお控えください」と、公然と反論したことも話題となりました。

これらは、市民と野党の共闘の中から生まれている信頼の深まりを示すものではないでしょうか。

若い世代に党へのマイナスイメージはない

若い世代に党へのマイナスイメージがなく、いわば「白紙状態」であることも明らかになっています。

昨年11月の高知県知事選挙では、党県委員の松本顕治さんが「オール野党」の候補者として奮闘しました。4割の得票を獲得する大健闘をし、投票日の出口調査によれば20代の得票では相手候補を上回りました。

若い世代と党との間に「壁」がないことは、高知県に限ったことではありません。昨年12月、「NHK政治マガジン」が、ある大学教授による政党への感情を聞く意識調査（1800人）を紹介しました。共産党への「感情温度」を「好き」を100、「嫌い」を0としてたずねたものですが、20代、30代は、わが党への支持が比較的高い60代、70代よりも高い数値となっています。若い世代には、党が十分知られてはいないものの、同時に拒否感も少ないことがあらわれています。

労働運動、国民運動でも「壁」が崩れ、共同が進んでいる

国民のさまざまなたたかいにおいても、「日本共産党を除く」壁の崩壊によって新たな変化が生まれています。労働運動のナショナルセンターを超えた共同が一歩ずつすすみ、わが党も参加する統一行動が広がっています。連合系労組の幹部が公然と日本共産党の候補を応援し、わが党の幹部と一緒に連合の役員がならんで野党統一候補勝利のための訴えを行うなどの光景が、各地に生まれています。ジェンダー平等、気候変動の抑制をはじめ、さまざまな課題で自発的な市民運動が起こり、わが党との信頼関係が生まれています。

決議案でも述べましたが、1980年の「社公合意」によって築かれた「日本共産党を除く」壁は、わが党が党建設で前進するうえでの大きな障害となりました。この「壁」は、労働運動、平和運動をはじめ、国民のたたかいにも分断をもたらし、職場や若い世代の党建設にとりわけ否定的影響を与えました。

しかし、いまや「壁」は崩壊しました。市民と野党の共闘で政治を変える新しい時代が始まり、その中で重要な役割を果たしているわが党に、これまでの枠を超えた広い層から、新たな期待と信頼が寄せられています。まさにいま、「日本共産党が、党建設で後退から前進に転じる歴史的情勢が生まれている」のです。

重要なことは、こうした「歴史的情勢」は自動的に生まれたものではないということであります。「日本共産党を除く」壁が立ちはだかっていた時代にも、わが党の同志たちは、国民と結びつき、各分野の切実な要求を実現するために不屈にたたかいました。党建設の努力を営々として続けてきました。そうした奮闘、努力の積み重ねの上に、国民のたたかいと相まって、今日の新しい情勢はきりひらかれました。

いま一つ、「歴史的情勢」は現在進行形であるということも重要です。第一決議案で述べているように、また、昨日の各党、

各会派の代表、ゲストのあいさつにも示されたように、４年半前に始まった市民と野党の共闘は大きく前進し、いまも発展中です。その中で、安倍政治と厳しく対決するとともに、共闘発展のために真剣に誠実に力をつくす、日本共産党への信頼は日々高まっています。

　自らきりひらいた、そして日々進行している「歴史的情勢」を、なんとしても党建設、党勢拡大での前進に実らせるために、全党が心ひとつに奮闘しようではありませんか。（拍手）

（２）党建設で前進をきりひらく主体的力はある

決議案は、党建設で前進していく主体的力があることを明らかにし、「わが党が、他にはない潜在力、先駆的な力をもっていることに、深い確信をもとう」とよびかけました。

　１９６０年代、70年代に入党した世代が、さまざまな社会的経験、党員としての蓄積を生かし、全党をけん引するかけがえのない役割を果たしています。「大運動」でも、大会議案に励まされ、数年ぶり、十数年ぶりに党勢拡大にたちあがり、結びつきで次々と「赤旗」読者を増やす党員が生まれるなど、この世代が元気に活動していることはわが党にとって誇りであり、大きな力です。

　２６００人を超える地方議員が、日々住民の利益を守って活動していることが、国民の苦難軽減とともに、党づくりの力ともなっています。この間も多くの人々が、地方議員の献身的活動に触れ、〝共産党への見方が変わった〟と結びつき、信頼を強め、入党しています。

（３）綱領一部改定案が、国民の探求にこたえ、誤解・偏見を解く力に

「大運動」の実践を通じて、綱領一部改定案が、党と国民との関係を前進させる大きな力になることが、共通した確信となっています。

　とりわけ若い世代の中では、一部改定案が、入党の決意を引き出す最大の力となっています。資本主義を乗り越えて、すべての人間の自由で全面的発展が可能となる未来社会をめざす綱領に感動して入党した学生、気候変動の問題を、資本主義というシステムの根本的変革が問われる問題と位置づけた一部改定案に強く共感して入党を決意した若い農業者など、綱領一部改定案は、日本と世界の前途への展望を示す科学的文書として、若い世代の探求と響きあっています。

　保守層にも、綱領の内容が伝われば、党への見方が大きく変わります。一部改定案は、中国などに関わる誤解と偏見を解き、新鮮な共感に変える力をもっています。

　綱領一部改定案を力に、党と国民との関係をいっそう発展させ、党建設でなんとしても前進をきりひらこうではありませんか。

　このように、客観的可能性においても、主体的力においても、いま党建設で前進に転じる条件はおおいにあることを強調したいと思います。

　強く大きな党づくりは、いま歴史的岐路

を迎えています。一方では、現在日本社会で果たしている党の役割が果たせなくなるような危機に直面しています。しかし他方では、後退から前進へと転ずる大きな可能性が存在しています。この両面を深くとらえて、党づくりで新たな躍進の時代をきりひらくために、ともに力をつくそうではありませんか。

第3章「党創立100周年までに、野党連合政権と党躍進を実現する強大な党を」について

決議案第3章で提起した党建設の「五つの目標」は、「100周年に向けた新たな挑戦に喜びを感じる」「これをやらなければ未来は開けない」と、大変歓迎され、正面から受け止められています。「五つの目標」にそくして、支部の「政策と計画」、県・地区の「総合計画」をつくろうとの議論もはじまっています。

報告では、この目標のもつ意義について述べたいと思います。

野党連合政権と党躍進を実現する大志とロマンを込めた目標

第一に、「五つの目標」は、野党連合政権に道を開き、党躍進を実現するという大志とロマンが込められた目標です。

第一決議案が提起した、市民と野党の共闘の発展と日本共産党の躍進をかちとるという「日本の政治を変える二つの大仕事」をやりぬくには、どうしても党の自力をつけなければなりません。共闘勝利と党躍進を一体的に追求してたたかった過去3回の国政選挙の最大の教訓は、共闘勝利と党躍進の両方をかちとるには「党の自力が足らない」ということでした。とりわけ、「850万票、15％以上」の比例目標をやりぬくには、少なくとも、目標①で掲げた「党員拡大と、『しんぶん赤旗』読者拡大を、持続的な前進の軌道に乗せ、第28回党大会時比130％の党をつくる」ことが、絶対不可欠です。

党綱領で掲げた民主的改革の課題を、いよいよ現実のものとするために、どうしても必要な党建設の目標が「五つの目標」です。全党が、その大志とロマンを胸に奮闘しようではありませんか。（拍手）

世代的継承を軸にすえ、党勢を着実な前進の軌道に乗せる目標

第二に、世代的継承を軸にすえ、党勢を着実な前進の軌道に乗せる目標です。

決議案は、目標の②で、「青年・学生と労働者、30代～50代など、日本社会の現在とこれからを担う世代のなかで党をつくることに特別の力を注ぎ、この世代で党勢を倍加する」こと、「同盟員の倍加を掲げている民青同盟の建設を、党と民青の共同の事業としてやりとげる」こと、そして目標

の③で、「空白の職場・地域・学園や、社会のさまざまな分野で活動する人たちのなかに党の支持をひろげ、党をつくる」ことをよびかけました。この提起は、わが党の現状から言えば、若い世代のなかでの党づくりが、党建設全体の成否を左右する死活的な課題となっているという認識に立ってのものです。

世代的継承を成功させ、党建設で後退から前進に転じるという歴史的事業をやりきるならば、新たな自信と確信を全党にもたらすことになるでしょう。「850万票、15%以上」の得票目標はもちろん、さらに「どの都道府県、どの自治体・行政区でも10%以上の得票率を獲得する」という新しい峰も見えてくるでしょう。当面の野党連合政権と党躍進をかちとるだけでなく、未来にわたって社会変革をすすめる党への大きな転換点となるでしょう。

そうした長期的展望をひらくうえでも、世代的継承を軸にすえ、党創立100周年までに必ず党勢を前進の軌道に乗せようというのが、決議案の提起です。

党の質的建設を抜本的に強める目標

第三に、党の量的前進と一体に、質的建設を抜本的に強めていく目標です。

党建設の目標では、④で、「新入党員の成長が保障され、一人ひとりの初心、可能性が生きる党をつくる」こと、⑤で、「すべての党員が、党綱領と科学的社会主義を学習し、誇りと確信をもって党を語れるようになる」ことを提起しました。

党の現状は、党員数や「赤旗」読者数の後退とともに、原則的な支部活動や党生活の崩れ、配達・集金活動や党機関財政の困難など、党の質的強化が求められている課題が少なくありません。

また、市民と野党の共闘を成功させながら、日本共産党ならではの役割を発揮し、積極的支持者を広げ、党躍進をかちとるためには、党の理論的・政治的力を高めることがどうしても必要となります。

決議案がよびかけた党綱領の一大学習運動は、情勢を主導的にきりひらく強く大きな党をつくるうえで、要をなす課題となっています。

いま、質的建設を抜本的に強めてこそ、党建設の危機を打開し、わが党の政治任務を果たすことができる――このことを肝に銘じて奮闘しようではありませんか。（拍手）

第4章「基本方針を堅持しつつ、党づくりの改革・発展に挑戦を」について

決議案第4章には、「この内容をみんなで議論し、具体化すれば前進できると、明るい気持ちになった」「具体的にどう党建

設をすすめていくのか、これまで以上に発展させていて、党建設への展望が持てた」など積極的な受け止めが寄せられています。

さっそく、支部会議で、それぞれの党員の趣味や参加しているサークル活動、さまざまな運動への参加が交流され活発な議論になっています。支部の現状にむきあって、支部長や支部委員会を選出する、全員が話せる支部会議にする、配達・集金活動の分担、綱領学習会の開催など、決議案を生かした支部活動の前進がはかられています。

8中総では、中央として、こうすれば前進できるというできあがった答えを持っているわけではない、全党のみなさんと一緒に探求・開拓するなかで答えを見つけていきたいと述べましたが、全党討論と「大運動」を経て、決議案第4章が、支部、地区、都道府県の探求・開拓の確かな指針となることが明らかになっています。

報告は、①わが党の事業を、若い世代に継承する課題をいかにしてやり遂げるか、②支部と党員がもつ力を引き出す要である、党機関の活動をいかに発展させるか、この2点に絞って、中央として全党の経験から学んだことを中心に行います。

（1）わが党の事業を、若い世代に継承する課題を、いかにやり遂げるか

党建設の「五つの目標」で提起した「青年・学生と労働者、30代～50代など、日本社会の現在とこれからを担う世代のなかで党をつくることに特別の力を注ぎ、この世代で党勢を倍加する」という目標に向かって、前進を開始した党組織がうまれています。そこには全党が学び、生かすべき貴重な教訓があります。

多種多様な結びつきを生かして、若い世代を党に迎えている

決議案は、「党員がもっている多種多様な結びつきに光をあて、さらに新しい層や若い世代のなかに結びつきを広げることを励ましあおう」と提起しました。若い世代から多くの党員を迎えているところでは、党員や支部・グループのもつ多種多様な結びつきが出発点となっています。

埼玉・さいたま地区委員会は、8中総後の地区委員会総会で、地区委員長から、50代以下の倍加で１０００人、20代以下は3倍化をめざすことを次の「総合計画」に具体化したいと提起しました。支部がもつ対象者のなかで、50代以下に目が向くようになり、「大運動」で迎えた32人の入党者のうち、14人が50代以下となっています。入党した人は、「無農薬野菜をつくる会」の結びつき、労働組合の役員、元市議の学童指導員の時代のつながり、党員の近所づきあいや兄弟などで、まさに一人ひとりの結びつきと、参加している自主的活動から党に迎えています。こうした結びつきが、現在のわが党の主力となっているベテランの党員の活動から生まれていることも重要であります。

東京のある地区委員会では、各市委員会に地方議員などによる青年学生担当を配置したことを力に、昨年春の時点では、民青同盟員1人だった大学で、8人の同盟員、4人の党員を迎え、民青班と党支部を結成しました。その最初のきっかけは、40代の市議が、「子どもの貧困」への支援活動で

学生たちと結びつき、「赤旗」読者になってもらい、1人の学生党員を迎えたことです。その後、新歓でも民青への加盟が広がり民青班を結成、学習と成長を支えるなかで、5月に党支部を結成しました。さらに、参院選では、学生党員が「社会は変えられる」「政治は自分たちのためにある」と学生に支持を訴えるようになり、共産党に好意的だった学生を次々民青に迎えています。

この間、インターネット・SNSでつながった若い世代が、地域・職場・学園の党組織と結びつき、入党しています。中央としても、「しんぶん赤旗」電子版無料お試しキャンペーンなど、新しい努力を始めていますが、ネットを活用して結びつきを広げる努力をさらに発展させていきたいと思います。

党員拡大のあり方を変える努力が、若い世代を迎える力となっている

決議案は、「綱領と規約から離れた党員拡大のあり方を改善し、『支部が主役』に徹して、ともに学び、ともに成長する姿勢で働きかける」ことを強調しました。この方向での努力が、さまざまな結びつきを生かし、若い世代を党に迎える力となっています。

青森県委員会は、これまでの党員拡大が、「すぐに入りそうな人だけ」「綱領は渡しておけばいい」という拡大だったことを真剣に反省し、2回、3回、4回と働きかけて党に迎える努力を強めるなかで、「大運動」で入党された33人中17人が50代以下となっています。ある病院党組織では、参院選で、「選挙に行かなかった」「誰に入れたらいいかわからなかった」という職員が多数いたことを衝撃的に受け止め、党に迎えたい人を各支部でだしあうと50人にのぼり、「ミニ集い」を開いて入党を働きかけました。入党のよびかけは1回で終わりにせず働きかけた内容を共有し、「次はこういう話をしよう」とくりかえし働きかけて、「大運動」では30代、40代の3人を迎えています。

大阪・木津川南地区委員会は、かつて入党の基準をあいまいにした党員拡大によって、迎えた入党者の多くが離党になり、支部にさまざまな困難を背負わせたことへの深い反省にたって、規約どおりの「支部が主役」の党づくりに一貫して努力し、前党大会以降、5割を超える支部が入党者を迎えました。地区は、支部で対象者をだしあい支部が働きかけること、綱領と規約を認めてもらうこと、「四つの大切」を理解し納得してもらうこと、日刊紙購読の位置づけを強めること、などにこだわって党員拡大をすすめ、党機関の側に「支部が主役」の党員拡大とはいえない弱点があったときには、機関としての反省を述べて、支部と話し合って解決するようにしています。「大運動」では、第二決議案を実践し、〝断られたら終わり〟〝働きかけたら嫌われる〟などのためらいを乗り越える支部への援助を重視し、12月は前大会後、党員を迎えていなかった四つの支部が新たに入党者を迎え、9人中5人が50代以下になっています。

若い党員の成長が、同世代での党づくり、党活動に活路を開いている

決議案は、「一人ひとりの党員の初心と可能性が生きる党になろう」とよびかけ、「支部と党機関が協力して、若い世代の成長と活動の場を保障する」ことの重要性を強調しました。この方向で努力し、若い世代のなかでの党づくりに実った経験も生まれています。

千葉中部地区委員会・千葉市緑区の党組織では、2015年の市議選で若い市議が当選しましたが、それを前後して、30代、40代の若い世代を対象とした後援会をつくり、カフェなどでの市政報告会、バーベキューなどで結びつきを広げ、50代以下が7人入党しています。入党者から地方議員に立候補した同志も生まれています。ある支部では、50代以下の支部員が35％になり、支部の主役となって、日刊紙の配達を担っています。支部会議は、労働者や若い世代は、日曜日に班会議をもち、ネットを使って日常的な連絡・連帯網を築いています。

三重・南部地区委員会は、30代後半から49歳の党員を対象にした「真ん中世代党員会議」を3年間継続して開催してきました。綱領と科学的社会主義、大会決定など、毎回の学習を通じて成長した党員が、「集い」にとりくみ、仕事で悩んでいる幼なじみ、学生時代にいじめにあっていた同級生などに働きかけ、6人を党に迎えるとともに、それぞれ地区委員、支部委員、そして、国民運動団体の若手幹部などとなって力を発揮しています。

紹介したこれらの経験は、決議案第4章の方向で奮闘し、いまもっている党の主体的力が発揮されるなら、若い世代に働きかけ、若い世代に党をつくることは可能であることを示していると思います。

このあとの討論でも探求と開拓を交流し、学びあい、わが党の事業を若い世代に継承する仕事を、全党の力で必ず成功させようではありませんか。

（2）支部と党員のもつ力を引き出す要――党機関の活動をいかに発展させるか

決議案は、「わが党のもつ主体的な力を引き出していくには、党機関の活動の重点を支部の援助におき、『政策と計画』をもった『支部が主役』の党活動を広げ、すべての支部、すべての党員が自覚的に参加する活動をつくっていくことが必要である。そのための系統的努力ができるように党機関の活動の刷新と体制強化をはかることが不可欠である」としています。

どのようにしてすべての支部と党員の力を引き出せる党機関をつくりあげるのか、そのための党機関の体制強化をどのようにして行うかは、全国共通の課題であり、悩みでもあります。

これらを打開していくうえで、地区委員会の活動と体制を強化している全国の経験に学んで、三つのことを強調したいと思います。

リスペクトの姿勢を大切に、チームワークの力を発揮する

第一は、リスペクトの姿勢を大切に、チームワークの力を発揮することです。

京都・北地区委員会は、非常勤の常任委員を増やし、支部指導や専門部活動を中断させない体制をつくっています。16年末に5人だった常任委員を9人に増やしましたが、ここでは3人のベテランの女性が非常勤の常任委員を引き受け、行政区を担当しています。この3人の方は、教員、大企業勤務、女性運動などでの経験も生かして丁寧な援助に力を発揮し、地域支部から大変歓迎されています。常勤の地区委員長と副委員長は、職場支部や青年・学生への援助

を、選挙中も中断することなく行い、ベテランと若手の地区委員、支部が力をあわせて、世代的継承の努力を強め、前大会後14人の青年・学生と29人の労働者を党に迎えています。ここでは3年前に7割台だった党費納入率が、19年参院選では8割台に、現在は9割に前進していると伺いました。

大阪・北福島地区委員会は、前党大会後、「退職党員の転籍は、党員が増えることと同等に大切なこと」と位置づけ、系統的にとりくみ、45人の退職党員が居住地域に転籍しました。地区で「転籍推進チーム」をたちあげ、退職党員の在職時代の党活動に敬意をもって話し合い、その思いや不安に耳を傾け、地域支部への紹介状をつくるなど転籍する党員の状況を事前に伝える努力もして、安心して転籍できるよう手だてをつくしました。こうした努力によって、地域支部で転籍した退職党員が役割を発揮し始めるとともに、職場支部の現役労働者のなかでの活動が強まって、連合系の職場のなかに党をつくる活動に粘り強くとりくんでいます。

地区委員会の主体的な力がどこにあるかをよく討議し、リスペクトの姿勢を大切にして、常勤と非常勤、ベテランと若い世代など、党がもつあらゆる力を結集し、地区委員会と支部の活動を強化していくことは、党建設で後退から前進に転じるカギを担っています。党綱領実現をめざす大志とロマンのもとに、みんなの多様な力が生き生きと発揮される、日本共産党らしい〝ワンチーム〟をつくりあげようではありませんか。（拍手）

「支部が主役」の活動をひろげる努力を貫く

第二は、「政策と計画」をもち、要求活動や党勢拡大に自覚的にとりくむ支部をひろげる努力、「支部が主役」の活動をひろげる努力を貫くことです。

名古屋東・北・西・中地区委員会は、支部が国民の願いにこたえる活動や党勢拡大にとりくむことにこだわって支部を援助し、9割をこえる支部が「政策と計画」をもっています。6年ほど前まで、地区内の職場支部で週1回支部会議を開く支部は5％でしたが、現在は13％が週1回、8割以上の職場支部が月1回以上の会議を定例化しています。地域支部では支部長会議への結集が強まり、「集い」の開催が広がり、結びつきを生かした「赤旗」の新規読者の拡大も増えています。

この地区が大事にしていることは、とにかく支部会議に足を運び、それぞれの支部の問題意識やエネルギーを引き出して、「これをやろう」と確認し応援することです。地区委員長は、「『政策と計画』にもとづく活動を通じて、職場や地域での党支部の存在意義を党員が実感し、生き生きと活動するようになってくる」と語っています。

直面する課題をあいまいにしないでやりぬきつつ、同時に、いかにして法則的な活動を貫き、「支部が主役」の活動をうまずたゆまず広げていくか。これは全国の党機関が探求しているテーマだと思います。都道府県・地区委員会が「支部が主役」の活動を広げる法則的努力を貫けるように、中央委員会として決議案が示した指導改革を必ずやりぬく決意です。

ジェンダー平等の立場で、女性幹部を増やし、意思決定の場に女性の参加を高める

第三は、ジェンダー平等の立場にたって、積極的に女性幹部を増やし、意思決定の場に女性の参加を高めることです。ジェンダー平等の立場で女性幹部を増やすこと

は、女性に対し、男性と同等の権利と機会を保障し、平等な地位をもって、組織の運動と活動に責任を果たそうというものであります。女性も、男性も、多様な性をもつ人々も、平等に、尊厳を持って、自らの力を存分に発揮できる党をつくろうではありませんか。

現在、党員の女性比率は49・0％ですが、地区役員の女性比率は28・7％、都道府県役員の女性比率は27・1％、中央役員の女性比率は22・4％となっています。県・地区の常任委員に一人も女性がいない党機関も残されています。これまでも女性幹部を増やす努力はしてきたものの、現状は、なお大きな弱点となっているといわなければなりません。

女性が介護・育児などの多くを担っているという社会的状況の改善をはかりつつ、党として、女性幹部を増やし、女性が力を発揮できる党機関へと活動改善をすすめましょう。

女性幹部を増やし、意思決定の場に女性の参加を高めている党組織では、結果として、党のもつ力が、全面的に、生き生きと発揮される経験も生まれています。

女性幹部の比率を抜本的に高め、みんなが知恵と力を発揮できる党機関をつくりましょう。ジェンダー平等社会をめざす党として、世界の到達、さまざまな運動の到達に学び、この面からも、党活動の自己改革をはかろうではありませんか。（拍手）

同志のみなさん。

党大会にむかう全党討論と「大運動」では、経験豊かなベテラン党員の奮起も、若い世代の新鮮な意欲も広がり、決議案にもとづいて全党が新しい挑戦に踏み出しました。わが党のもつすべての力、綱領と規約で結ばれた全世代の力を一つに集め、党建設で新たな躍進の時代をきりひらき、党創立100周年を迎えようではありませんか。

活発な討論をよびかけて、報告を終わります。（大きな拍手）

（「しんぶん赤旗」2020年1月17日付）

第二決議案（党建設）の討論
山下副委員長の結語

2020年
1月18日報告
同日採択

中央委員会を代表して、第二決議案についての討論の結語を行います。

討論は、どれも教訓と決意に満ちた素晴らしい発言で、全体として決議案と中央委員会報告を、全国の実践によって豊かに練り上げるものでした。ここでは、特に学びあいたい点を述べておきたいと思います。

党建設の意義が、自らの大志とロマンを込めて語られた

まず、党建設の意義が、自らの大志とロマンを込めて語られたことであります。〝地域、職場、学園をこう変える〟という決意は、どれも胸を打つものでした。

東京の学生の代議員は、2017年に入党してから3年の間に、民青同盟員を倍加、党員を3倍化し、支部で選挙活動や要求実現運動にとりくめるようになった教訓を語りました。注目したのは、「党員拡大に対する自分自身の構えが変化した」と語ったことです。はじめ党員拡大にはあまり前向きでなかった、それは党員拡大を、「党の消滅を回避するもの」ととらえていたからだ、しかし一昨年の「党勢拡大特別月間」で、「党員拡大は野党連合政権実現への最大の力だ。党員が増えれば増えるほどその可能性が強まっていく」と認識が変わり、入党を率直によびかけ、楽しく入党者を迎えられるようになったという発言でした。彼は最後にこう言いました。「みなさん、私には夢があります。私が在学中に、野党連合政権を実現させ、大学の学費を半額にすることです。そのためにも党支部を倍加し、もっとパワーアップしていきます」。学生党員の変革への熱い思いに、みんなでこたえて奮闘しようではありませんか。（拍手）

関西のある職場党組織の代議員は、「大運動」で各支部が1人以上の党員を迎える目標が提起されたとき、最低でも7～8人に訴えないと無理だと最初は途方にくれたけど、41人の入党対象者に26回訴えて2人を党に迎え、「赤旗」読者でも、昨年は541部の減紙をのりこえて48部の増勢をかちとったと発言しました。この代議員も、自分たちのロマンを語りました。「損

保産業の精神、『一人は万人のために、万人は一人のために』は、私たち党員の魂でもあります」「『発達した資本主義国での社会主義的変革は、特別の困難性をもつとともに、豊かで壮大な可能性をもった事業である』という一節には魂が震えます。発達した資本主義国、日本。その中の金融、損保産業の大企業の中で、豆粒のような存在の私たちですが、気概だけは負けません。100周年までに3割増しの党勢を築く運動にまい進します」と、損保で働く労働者の誇りをかけて党建設にとりくむ決意を語りました。

福岡・直鞍地区委員会は、第26回党大会、第27回党大会に続いて、今大会に向かう「大運動」でも党員拡大目標を達成し、前大会時比124％の党をつくっています。ここでも、その奮闘の根本には、地区の政治目標実現への大志がありました。地区委員長の代議員は、「(2市2町)それぞれ2議席の各自治体の議席を3議席にする。小選挙区でも勝利する党になる。これがわが地区の政治目標です」と述べ、「この政治目標実現のために、あらゆる党活動、党建設の根幹である党員拡大を最重要課題と位置づけ、系統的にとりくんでいます」と語りました。

支部でも、地区でも、困難に負けずに前進している党組織は、党建設の事業に大志とロマンを込めていることが共通していたのではないでしょうか。党大会での報告では、第二決議案が提起した「五つの目標」の意義について述べました。この目標をそれぞれの「地域、職場、学園をこう変える」という展望と結びつけて、党創立100周年にむけた党建設の目標をやりとげようではありませんか。(拍手)

わが党の事業の世代的継承について深められた

討論では、わが党の事業を、若い世代に継承する課題をいかにしてやりとげるかについて、それぞれの実践をふまえて深められました。

前大会後の3年間で23人の学生を民青同盟に迎え、8年ぶりに学生班を再建し、その中から4人の学生党員を迎えて12年ぶりに学生支部を再建したある県の常任委員の代議員は、「3年のとりくみを通して痛感していることがあります。それは、青年・学生にとってこそ、民青同盟や党は宝物だということです。『党の世代的継承』とは、〝党の仕事や重い荷物を引き継いでもらう〟ということではなく、〝新しい世代にこそ必要な宝物を、われわれの世代で途切れさせることなく、受け渡していく〟ということでしょう」と述べました。若い世代に「重い荷物」でなく「宝物」を継承する——とても大事な心構えではないでしょうか。

討論では、「民青に来て自分の考えをもてるようになりました。悩んで助けてほしかった頃の自分に民青を教えてあげたい」「こういうことを話せる場がないので民青の活動は大事だと思う。1年生の時に出会いたかった」などの声が紹介されました。若い世代は、党や民青との「出会い」を待っています。

地区の青年学生部の体制を強化し、民青との懇談をくりかえし行い、党のもつ「つながりのポテンシャル」を生かし、民青の活動を全力でサポートすることで、2年間に18人の加盟者を迎え、二つの民青班と二つの準備班を結成、12人の10代、20代の入党者を迎えた経験を報告した大阪・阪南地区委員会の青年学生部長の代議員は、次のように語りました。「青年はいま、進学・就職で過度な競争にさらされたり、ギスギスした人間関係があったり、長時間・過密労働で落ち着いて話をする機会が奪われています。そんななかで、なんでも話せて、学んで、仲間に出会える民青の魅力はいっそう輝いています。野党連合政権への展望が切りひらかれ、改定された綱領を手にするいま、その魅力と役割はますます輝いています」。

青年が、党や民青との「出会い」を待っているのは、その置かれた状態に根拠があります。若い世代と党との間には「壁」がないどころか「出会いを待っている」。青年の模索と探求にこたえることができる科学的社会主義と党綱領をもつ党、それを学ぶ民青の魅力が輝いていることに確信をもって、党の側から、青年との「出会い」をどんどん広げていこうではありませんか。

三重・南部地区委員会の地区委員長の代議員が紹介した「真ん中世代党員会議」の活動はたいへん教訓的だったと思います。大事だと思ったのは、このとりくみが、30代、40代の若い党員からも、また若い党員が所属する地域支部からも、待たれていたということであります。地域支部に1人で所属している30代、40代の党員の声を聞くと、「一番話をしたい仕事や子育てのことが、支部では世代が離れすぎていて、話題にすらできない」ということだった。とくに民青や青年支部でがんばってきた党員からは「支部の中に同世代の人がいないだけでなく、30代、40代になると、仕事も子育てもさらに大変になり、まともに活動もできなくなっている。高齢の党員ががんばっている中で、自分はこのまま党員でいてもいいのかとさえ思ってしまう」という声が出された。地区委員長は「世代的継承の遅れによって、こんな思いをこの世代の党員にさせていたのかと、胸が締め付けられる思い」と語りました。一方、こうした30代、40代の党員が1人で所属している支部のどの支部長からも「仕事や子育てで忙しい若い党員とどう一緒に活動を進めていくのか、いつも迷っていた」「若い人が1人でかわいそうと思っていた」との声が出され「真ん中世代党員会議」が歓迎されました。双方の世代から歓迎されている。同様の努力をしている京都や愛媛の代議員の発言も学ぶべき多くの教訓に満ちていたと思います。

第二決議案は「都道府県・地区委員会が、同世代の党員が学び交流する場を積極的に重視しよう」と提起しましたが、これらの経験は、30代、40代の党員の生き生きした活動を保障するうえでも、また同世代の中で党をつくるうえでも、この提起がきわめて重要であることをうきぼりにしてくれたと思います。全党が、30代、40代の党員一人ひとりに寄り添って、こうしたとりくみにチャレンジしようではありませんか。

討論では、若い世代と多種多様な要求で結びつくことに踏み出してみると、党との関係が驚くような発展をみせるという経験が交流されました。

徳島・阿南地区委員会の地域支部の代議員は、12月の「集い」で30代のコンビニオーナーが入党した経験を紹介しました。きっかけは、党のコンビニ緊急提言とアンケートを県内すべてのコンビニオーナーに郵送したことからでありました。

茨城・南部地区委員会の町議の代議員

は、プロサッカー選手をめざしていた自分がどうして共産党の議員になったのか、認識の発展過程をリアルに報告し、地域づくりの活動にとりくむ若者にぜひ声をかけてほしいと訴えました。

共通していたのは、こうした若い世代が、党に出会ったときに感じた印象であります。30代のコンビニオーナーは「みなさん良い方ばかりで話しやすく、こういった仲間なら一歩ずつ確実に前に進めると思った」と語っていたそうです。サッカー選手だった町議の代議員は「このような温かい方たちと出会ったことなどなかった」と語りました。国民の苦難軽減のために、草の根で奮闘する党支部と党員の存在と活動は、若い世代にも、困った人を放っておかない、温かい、魅力ある人間集団として映ります。自信をもって、多種多様な要求で、若い世代と結びつこうではありませんか。（拍手）

党機関の活動の発展について交流された

党機関の体制と活動をどう強めるか、全国の豊かな経験が交流されたことも討論の特徴だったと思います。

北海道・札幌豊平・清田・南地区委員会の地区委員長の代議員は、前大会後の3年間に、党員を迎えた支部は85・4％、毎月の読者拡大の成果支部率は平均68％となっていることを報告しました。党員拡大について、くりかえし討議し、〝入党の働きかけに失敗はない〟〝たとえ入党に至らなくても信頼は必ず深まる〟ということを実際の経験を踏まえて強調するなかで、党員拡大にとりくむ支部を広げたとのことでした。

地区委員長は「8割を超える支部で入党者を迎えた背景に、党機関の活動改善と体制強化の努力がある」として、補助指導機関の確立を強化し、毎月の地区委員会総会と、月2回の行政区別支部長会議を軸に活動を推進していること、前大会後、専従者を2人から3人に増員し、毎年4回の「地区党学校」を開き、のべ100人が参加するなど学習の努力を強めてきたことを紹介しました。3年間で390回にのぼる地区党ニュースを発行し、支部を励ます努力を強めてきたことも教訓的だと感じました。

決議案は、「支部と党員がもつ力を引き出せる党機関になろう」と提起しましたが、この地区の経験は、決議案が提起した一つ一つの方針を着実に実践するなら、すべての支部の力を引き出せる党機関に前進できることを示していると思います。

党建設にとっても一部改定される綱領が大きな力に

討論では、党建設にとっても一部改定される綱領が大きな力を発揮していることが語られました。

高知の民青同盟県委員長の代議員は、綱領には、「人を主権者としてエンパワーする力がある」と語りました。参院選・県知事選を通じて1700人の青年たちと対話し、「投票へはいかない」、そのことを「申し訳ない」という青年たちの思いをありのままにつかみ、「その願いを実現するために投票へ」とよびかけてきたが、「それができたのは、綱領を学ぶことで、青年が置かれている実態が、あなたのせいではなく政治の責任だと言えるから」だと述べ、「私たちの党には、青年の切実な願いにこたえられる力があります。それは綱領の力であり、傷つけられた人を放っておかない、みなさんの存在です。実態に耳を傾け、綱領を語って、一緒に政治を変える青年を迎えていきましょう」と訴えました。頼もしい訴えでした。

討論では、他にも民青同盟で活動する若い同志のみなさんからたくさんの発言がありました。綱領と科学的社会主義を学び、青年の願いを希望と展望につなぐ、かけがえのない役割を発揮していると、胸を熱くして発言を聞きました。大会に参加している、そして全国でがんばっている民青同盟員のみなさんにエールを送りたいと思います。（拍手）

前回党大会以降、20代～40代の党員8人を迎えてきた京都の介護職場の代議員は、一人ひとりの思いに寄り添った支部会議の努力とともに、いま職場の矛盾が広がり、福祉がないがしろにされている政治のもとで、綱領が、希望の光になっていると語りました。この間働きかけ入党した30代の女性は、綱領を知るなかで、「大変なのは自分のせいではなかったんだ。政治を変えたい。安倍政治を変えたい」と語ったことが紹介されました。

討論では、綱領一部改定案を学習し、〝人民のたたかいが歴史をつくる〟〝いまの私たちのたたかいは地続きで未来社会へとつながっている〟とつかんで、党員が元気になっている姿もたくさん紹介されました。

一部改定される綱領は、党づくりの最大の理論的・政治的推進力となるに違いありません。全党が綱領の一大学習運動にとりくみ、綱領の力を全面的に発揮させて、強く大きな党をつくろうではありませんか。（拍手）

党勢拡大の独自追求を握って離さず

党活動の総合的な推進をはかりつつ、党勢拡大の独自追求を握って離さないことの大切さも、討論から学ぶことができたと思います。

東京・北多摩東部地区委員会の副委員長の代議員は、大運動目標にこだわって、党大会直前に、拡大数で日曜版の前党大会現勢を回復突破したことを報告しました。11月、12月、1月と、現勢回復まであと何部か、くりかえし目標にたちかえり、さまざまな理由で後退を余儀なくされても、再びとりかえして前進をめざす執念に学びたいと思います。同時にこの地区では、独自追求を、何よりも支部の力を引き出すことにこだわって進めていることも重要だと感じました。副委員長は「目標達成には、地区の目標だけでなく、支部に目標を自覚してもらうことです。支部ごとの拡大数、大会残数が、いつもわかるようにし、指導に生かしました。『何としてもやりきる』と決意した支部には工夫や努力がありました」と語りました。支部を基礎に、目標と期日にこだわって党勢拡大の独自追求を貫いていることは大変重要だと思います。

党勢拡大は党活動の中でも一番力のいる仕事であり、党員拡大も、「しんぶん赤旗」読者拡大も、独自追求がなければ、自然成長では絶対に進みません。全党がこうした経験に学んで、独自追求を握って離さない姿勢を貫こうではありませんか。

第二決議案の修正について

ここで、決議案発表後の全党討論、寄せられた意見、この大会での討論をふまえて、修正・補強した決議案を提案したいと思います。内容にかかわる修正は、2点です。

一つは、第4章（3）②。「…新入党員が初めてチャレンジした活動を支部で評価し、励ましあい、党活動を実践する喜びと自信を育もう」という決議案でしたが、この場合、「共有し」の方がふさわしいのであらためました。

二つは、第4章（6）②。民青同盟への援助の内容として、学習とともに、同盟員の生き方の相談相手となること、そのためにも援助体制をつくることが大事ではないかという意見が寄せられました。この大会でも、東京の書記長の代議員から教訓が発言されたように、これは大事だと思います。そこで、民青同盟への援助について述べた部分に「同盟員の生き方、活動について日常的な相談相手となるための体制をつくる努力を強めよう」という一文を加えたいと思います。

そのほかの修正については、決定となるにあたっての、字句上の修正であります。

同志のみなさん。第二決議案の討論は、経験豊かな同志の力も、入党間もない若い同志の新鮮な力も、わが党の誇りであることを生き生きと示すものだったと思います。第二決議案は、「大運動」と全党討論、そして大会での討論によって、立派に練り上げられ深められました。この決議案を、全党が党建設の探求と開拓の指針にして、野党連合政権と党躍進を実現する強く大きな党をつくろうではありませんか。（拍手）

党創立100周年までに、後退から前進に転じる党建設は、毎月毎月が勝負です。まずこの1月、「大運動」の目標総達成のために全力をあげましょう。そして2月以降も、この前進の流れを絶対に中断させることなく、100周年をめざす党建設の「五つの目標」をなんとしてもやりとげるために力をつくすことを心から訴えて、討論の結語といたします。（拍手）

（「しんぶん赤旗」2020年1月20日付）

第28回党大会における中央委員会の選出基準と構成について

2020年
1月17日報告

一　中央委員会の選出基準について

① 党規約第13条にもとづき、党歴2年以上を必要とする。

② 品性、能力、経歴を客観的、総合的に評価して選考する。

二　中央委員会の構成について

第28回党大会決定を遂行するために、つぎのような構成にする。

① 中央委員会の選出基準にかない、綱領と第28回党大会決定の実践と指導に責任と気概をもつ同志たちによって構成する。構成にあたっては、中央役員とその部署は、党規約に定められた任務の分担であって、身分的序列ではないという党の一貫した立場を堅持する。

② 「戦後かつてない新しい共闘の流れが始まり、いよいよ綱領が規定した民主的改革の課題を現実のものとしていく時代」を迎えているもとで、それにふさわしく中央委員会の革命的な伝統と理論・政治水準を継承発展させ、正確で機敏な指導性を発揮できる安定した指導体制を確立する。

その立場から、中央・地方党機関の現状を直視し、一定の年齢に達している同志であっても、中央委員会、都道府県委員会で果たしている役割、蓄積された経験と知恵を生かすため、健康、家庭などの条件が許す場合、ひきつづき中央役員に推薦する。退任を申し出ている同志でも積極的に慰留する。同時に、中央、地方の各分野で力を発揮している新しい幹部、若い幹部の抜てきにも努力する。

③ 女性幹部を中央役員に積極的に登用し、中央委員会での女性の比率をさらに高めるよう努力する。

④ 国会議員団および地方議員団の果たす役割と任務は、いっそう重要性を増しており、国会議員、地方議員を中央委員会の構成にひきつづき加える。

⑤ 准中央委員は、第25回党大会以来確認してきた「中央委員の候補期間として活動実績を評価し、次期党大会で自動的に中央委員に推薦することはせず、こだわりなく交代をはかる」立場を継承する。

⑥ ひきつづき全都道府県委員会に中央役員を配置する。

⑦ 中央役員の推薦にあたっては、能力とともに、市民道徳と社会的道義をまもり、あらゆるハラスメントを根絶する立場から、品性について重視する。

⑧ 以上の諸点を重視して、中央委員会の構成にあたる。第27回党大会選出の中央役員総数を大きく超えないようにする。その際、党中央の財政状況も考慮する。

⑨ 健康、家庭などの諸事情で、中央役員を退任する同志も、それぞれの条件を生

かし、適切な任務につき、積極的な役割を果たしてもらえるようにする。

（「しんぶん赤旗」2020年1月18日付）

中央委員会が推薦する中央役員候補者名簿の提案にあたって

幹部会副委員長　浜野　忠夫

2020年1月17日報告

中央委員会が、党規約第13条にもとづいて推薦する、次期中央委員会の候補者名簿の提案について報告します。

中央委員会が党大会に提案する、中央委員会の名簿案は、中央委員193人、准中央委員28人、合計221人となっています。みなさんに配布されている中央役員候補者名簿のとおりです。

名簿案作成の基本的考え方、そのいくつかの特徴、作成にあたって留意したことについて説明します。

中央委員会構成の名簿案作成にあたっては、先に承認された「第28回党大会における中央委員会の選出基準と構成について」を基本的な考え方として、これをふまえておこないました。

第28回党大会では、「綱領一部改定案」と「政治任務」「党建設」の二つの決議案を決定することになります。党の歴史上でも特別の意義をもつ党大会となります。

第28回党大会で選出する新しい中央委員会は、改定される綱領と二つの決議の具体化と実践、その指導に責任をもち、この党大会で決定される歴史的任務遂行にふさわしく、正確、機敏、安定した指導性を発揮できる構成にする必要があります。

綱領一部改定案報告は、発達した資本主義国である日本での革命の事業には特別に困難な条件があることをあきらかにしました。

その日本で、革命の事業を成功させるためには、中央委員会が、正確で、機敏で安定した指導性を発揮することがもとめられます。そして、革命的伝統にそって、党のひきつづく確固たる路線を継承・発展させなければなりません。

そのためには、わが党の従来からの幹部政策である「長い経験と豊かな知恵をもつ試されずみの幹部」と「将来性のある若い新しい幹部」の結合という原則を堅持し、ベテランの幹部と若い新しい幹部の双方が最大限に力を発揮できる構成となるよう名簿案を作成しています。

この点は、9中総でも、第28回党大会に推薦する「中央役員候補者」を決める論議のなかで討論になり、次の点を中央委員会総会として確認しました。

日本共産党は、日本の政治を根底から変

革する民主主義革命を任務とし、さらにすすんで社会主義・共産主義社会を築くことを目標にかかげる変革の党であり、革命政党です。

階級闘争は、多くの困難がともなうものであり、支配勢力は、つねにすきあらば、日本共産党をつぶすことを虎視眈々《こしたんたん》と狙っている。そのもとで、長年の経験と豊かな知恵をもつ試されずみの同志の知恵と力が必要になります。

したがって、わが党は、ある一定の年齢に達したという理由だけで、機械的に年齢で区分する立場はとらず、能力もあり、健康な同志には、その条件もふまえながら、大いに党のために力を発揮してもらうことが、革命政党の立場であること、そもそも年齢だけの基準で、党の任務を果たせるか、果たせないのかを判断するのは、科学的な立場ではないことを確認しました。

そして、中央役員とその部署は、党規約で定められた任務の分担であって、身分的序列ではないという党の一貫した立場を堅持することを確認して構成案作成に当たりました。

提案している中央委員会構成案のいくつかの特徴について説明します。

第1に、構成の内容ですが、

① 中央委員に推薦する同志は193人です。内訳は、

・ひきつづき中央委員に推薦する同志　149人

・准中央委員から中央委員に推薦する同志　28人

・直接中央委員に推薦する同志　16人

② 准中央委員に推薦する同志は28人です。

・ひきつづき准中央委員に推薦する同志　17人

・新たに准中央委員に推薦する同志11人です。

第2に、7中総で全中央役員から「自己の進退について」希望を出していただきました。40人を超える同志から、中央役員退任の希望が出されました。党の一貫した幹部政策の基本をふまえ、また、党中央・地方の党機関の現状を直視し、これらの同志とは、個別に面談し中央委員会構成の基本的立場を伝え、積極的に慰留しました。その結果、健康や家庭の条件などやむを得ない事情で、どうしても中央役員継続が困難な同志を除いて、一定の年齢に達している同志を含めて、多くの同志が退任希望を撤回し、中央役員としてひきつづき頑張る決意をしていただきました。

第3に、党大会第2決議案で「中央委員会も、都道府県・地区委員会も、党員の構成にふさわしく、女性幹部を積極的に登用し、党機関での意思決定の場に女性の参加を高めよう」と強調しています。この立場で、中央委員会の構成に女性幹部を加えるように積極的に努力をした結果、第27回党大会の48人から13人増え61人となり、女性役員の占める率は22・4％から27・6％へと5・2％高まっています。人数・率とも党史上最高を更新しています。しかし、党員に占める女性の率は49％であり、まだまだ不十分であります。ひきつづき女性幹部の養成と登用の努力を強めなければなりません。中央委員会に女性幹部を登用していくためには、都道府県と地区委員会の幹部、とりわけ専従常任委員に女性幹部を登用することが重要だと思います。中央・地方ともに一層の努力が必要です。

第4に、国会議員団と地方議員（団）の果たしている役割と任務はいっそう重要性を増しており、構成案では、衆・参の国会議員25人全員を、また地方議員は新たに11人を加え、28人の地方議員を中央委員に推

薦する案となっています。

第5に、今回、准中央委員に28人を推薦していますが、新たに准中央委員に推薦しているのは11人です。第27回党大会で准中央委員に選出された同志で、今回もひきつづき准中央委員に推薦している同志が17人ふくまれています。また、5人の同志が推薦されていません。これは、第25回党大会以来確認してきた「准中央委員は中央委員の候補期間として活動実績を評価し、次期党大会で自動的に中央委員に推薦することはせず、こだわりなく交代をはかる」立場を継承したものです。また、「第27回党大会選出の中央役員数を大きく超えないようにする」ことを考慮したこともあります。

今回推薦されなかった同志も、党のつぎの世代を担う幹部であることに変わりはありません。それぞれの部署で幹部として頑張っていただきたいと思います。

第6に、中央委員と准中央委員に新たに27人の同志を推薦する案になっていますが、そのうち18人が地方党組織の同志たちです。今回も地方党組織からの中央役員の推薦を重視しています。

また、ひきつづき、すべての都道府県委員会に中央役員を適切に配置するとともに、特定の都道府県委員会に偏った配置にならないよう配慮した案にしています。

第7に、党規約は党員の権利と義務として「市民道徳と社会的道義をまもり、社会にたいする責任をはたす」ことを定めています。さらに、党大会第2決議案でも「市民道徳と社会的道義をまもり、ハラスメントを根絶する」ことを提起しています。この見地から、中央役員の推薦にあたっては、能力とともになによりも品性を重視しました。市民道徳、社会的道義に問題のある同志、謙虚さに欠け、粗暴なふるまいのある同志は、推薦しない立場で構成案を作成しています。

第8に、第27回党大会選出の中央委員会の構成数を大きく超えないよう努力しましたが、先に述べた諸点を重視して構成案を作成した結果、第27回党大会選出数２１４人より7人増える構成案となりました。しかし、中央財政の事情を十分考慮した構成案となっています。

第9に、健康、家庭などのやむを得ない事情で、今回中央委員を退任する同志は15人です。それぞれの条件を生かし、党本部や地方で適切な任務につき、積極的役割を果たしていただくことにします。

なお、この間、幹部会委員だった佐々木陸海同志が昨年12月に亡くなっています。

以上が、中央委員会が、第28回党大会に推薦する中央役員候補者名簿案です。ご検討ください。

つぎに、党規約第28条にもとづき、党大会に報告し承認を受ける名誉役員の名簿についての提案です。

今回退任される中央委員のうち中央役員歴20年以上の同志は8人ですが、その中で6人を新たに名誉役員に推薦しています。1人はひきつづき党本部で任務につくことになっています。この同志は、本部勤務を退職されるときに名誉役員に推薦したいと思います。1人は名誉役員になることを辞退されました。

第27回党大会で名誉役員に承認された58人のうち、この間、青木正彦、和泉重行、上原清治、梅田勝、神戸照、立木洋、西井教雄、松本善明、柳浦敏彦、雪野勉の10人の同志が亡くなりました。

したがって、48人の同志をひきつづき名誉役員に推薦することになります。

今回新たに推薦する6人の同志と合わせて54人を名誉役員として推薦し、党大会に報告し、承認を求めるようにしたいと思います。

以上が党大会にかかわる人事についての提案です。ご検討いただくようお願いします。

（「赤旗《しんぶん》」2020年1月18日付）

1中総で決定した新しい中央委員会人事の選出の経過についての報告と紹介

中央委員　浜野　忠夫

2020年1月18日報告

第1回中央委員会総会で決定した新しい中央委員会の人事の選出の経過についての報告と紹介をおこないます。

先ほど開かれた第1回中央委員会総会では、党規約第13条の精神にもとづき、第27回党大会期の常任幹部会の責任で三役案を提案しました。

1中総ではこの提案を検討し、全員一致で三役を選出しました。三役を紹介します。

（略）

山下さんは、筆頭副委員長として、書記局長と同等の立場で委員長を補佐します。

（略）

なお、1中総のあと、常任幹部会をひらき、次の人事を決めました。

政策委員会責任者　田村智子さん

ジェンダー平等委員会責任者　倉林明子さん

ただいま紹介しました三役の8人で、ただちに会議をひらき、協議のうえ、幹部会委員の名簿を作成し、1中総に提案、64人の方々が選出されました。

新しい幹部会は会議をひらき、常任幹部会を選出しました。また、書記局員、中央機関紙編集委員を任命しました。再開された1中総では、幹部会の提案で、訴願委員、規律委員、監査委員を任命しました。

新しい常任幹部会は、26人で構成します。なお、常任幹部会は、女性が前回の4人から8人になり、構成上3割をこえました。

（略）

次に常任幹部会構成員以外の幹部会委員の38人の氏名を紹介します。

（略）

最後に、小池晃書記局長を責任者とする書記局の構成員、書記局次長、書記局員の氏名を紹介します。

（略）

これをもって、1中総で決定した新しい中央委員会の人事の選出経過の報告と紹介を終わります。

（「赤旗《しんぶん》」2020年1月19日付）

第28回党大会での志位委員長の閉会あいさつ

2020年1月18日

代議員および評議員のみなさん。いよいよ大会は最後の議事を迎えました。

私は、選出された新しい中央委員会を代表して、第28回党大会の閉会のあいさつを申し上げます。（拍手）

（1）

この大会は、日本でも、世界でも、特別の歴史的時期に開かれました。

日本で、私たちは、いま、市民と野党の共闘の力で、安倍政権を終わりにし、野党連合政権をめざす、98年の党の歴史でも初めての歴史的挑戦にとりくんでいます。

世界は、複雑な逆流をはらみながらも、植民地体制の崩壊という「構造変化」が平和と社会進歩の希望ある新たな発展をつくりだし、資本主義の矛盾の深まりのもとで、この体制の存続の是非が問われる時代となっています。

そうした特別の歴史的時期に、この大会が、党の進路をさししめす羅針盤となる綱領を21世紀の現代にふさわしいものに改定し、直面する党の政治任務を全面的に明らかにした第一決議、強く大きな党づくりの大方針を示した第二決議を、全党の英知を結集して練り上げ決定したことは、きわめて大きな意義をもつものであります。（拍手）

私は、全党の努力と奮闘によって、第28回党大会が歴史的成功をおさめたことを、みなさんとともに心から喜びたいと思います。（拍手）

全党の同志のみなさん、決定された改定綱領と二つの大会決議を、一刻をあらそって全党員のものとし、それを力に日本共産党の新たな躍進をかちとろうではありませんか。（大きな拍手）

（2）

この大会には、内外から多数の来賓の方々に参加していただきました。来賓の方々は、この大会をどうみたか。感想が寄せられていますので紹介します。

連帯のあいさつをいただいた3政党・2会派・ゲストのみなさんからは、異口同音に大会の雰囲気がとても熱く、温かいものだったという感想が寄せられました。ある方は、「大会の雰囲気は素晴らしく、穏やかでとても良い雰囲気で話しやすかった」との感想を語りました。ある方は、「熱心なまなざしを感じ、思わずトーンがあがってしまった」と語りました。ある方は、「すごい。しっかり聞いてもらえる。勉強熱心、真面目な姿は感心する。それにしても5日間も山道がよく往復できますね」（笑い）との感想を寄せました。

この大会に野党代表が集い、温かい、リスペクトに満ちたエールの交換が行われ、信頼の絆がさらに強まったことは、野党共闘をさらに前進させるうえで重要な貢献になったといえるのではないでしょうか。（拍手）

各国大使館からの来賓の方々の感想についても紹介しておきたいと思います。次のような感想が寄せられました。

――「各野党のあいさつがとても面白かった。どの党も壇上から自由に共産党との違いを表明しながら（笑い）、そのうえで、共産党をリスペクトし、協力が不可欠だという。共産党の側に自信があるからこうなっているのだと思います」（拍手）

――「想像していたものと全然違った。日本共産党はユニークです。中国について検討した結果、改定綱領になったことはいいことだと思います」（拍手）

――「報告を聞いて、もっとも印象的だったのは、ソ連にも中国にも間違いをただす独立心の強い党だということです。対外関係での強力な自主性の表明には大きな共感をもちました。それを知っただけでも、参加してよかったと心から思いました」（拍手）

――「笑いや拍手が自然に起こるから、気づいたら無意識に私も一緒に拍手していました（笑い）。大会自体が〝多様性〟に満ちあふれていたと思います」（拍手）

外交官の方というのは、基本的に拍手をしないというのが通例ですが、拍手をしてくださった方が少なくありませんでした。

――「日本共産党の主張は、国民を一つにまとめてしまうなどということではなく、〝すべての国民の声を聞く〟という姿勢が感じられました。すべての観点において賛同できます。典型的な他国の共産党と違う見解をもっていたから（笑い）正直驚きました」（拍手）

――「大会が、世界で最も先進的な課題であるジェンダー平等と気候変動を重視していることに注目しました。世界の変化に敏感に対応している政党だと感じました」

大会の特徴を実によくとらえていただき、温かい評価を寄せていただいたことは、たいへんにうれしいことではないでしょうか。

内外の来賓のみなさんに、重ねてお礼を申し上げたいと思います。（拍手）

（3）

党大会は、全党の先頭に立って綱領と大会決定を実行する、新しい中央委員会を選出しました。新しい中央委員会は、先ほどご紹介したように、新しい指導機構を選出しました。

これらの新しい体制の最大の特徴は、ジェンダー平等を綱領に掲げた党にふさわしく、女性幹部を積極的に起用することに、現状で最大の努力をしたことにあります。

中央委員会のうち女性役員数は、前大会の48人から13人増え61人となり、女性役員の占める比重は22・4％から27・6％へと高まりました。まだまだ不十分であり、引き続き努力が必要ですが、人数・率とも党史上最高を更新したことは前進であります。（拍手）

日常的に全国的な指導責任を果たす機関である常任幹部会は、女性がこれまでの4人から8人に倍増し、女性の占める比重が初めて3割を超えました。なお努力が必要ですが、これも重要な前進だと考えるものです。（拍手）

もちろんジェンダー平等のとりくみは、

女性だけの仕事ではありません。新中央委員会のすべてのメンバーが、「ジェンダーの視点」にたって、党活動を発展させ、日本社会を変革するために力をつくす決意を申し上げるものです。（拍手）

党の三役の体制としては、第1回中央委員会総会で、ご紹介いただいた体制が選出されました。田村智子副委員長は、新たに政策委員会責任者についていただくことになりました（拍手）。新たに副委員長に選出された倉林明子同志には、新設したジェンダー平等委員会責任者についていただくことになりました（拍手）。全党の期待にこたえる素晴らしい活躍をされることは、間違いないと確信するものであります。（拍手）

私は、新しい中央委員会の責任者として、全国の草の根でがんばっておられる同志のみなさんの声をよく聞き、暮らしと平和に不安をもち切実な願いをつのらせている国民の声をしっかりうけとめて、持てるすべての力をそそいで、その職責を果たすことを、お誓いするものであります。（拍手）

（4）

この大会の成功は、内外の来賓のみなさんの激励、代議員・評議員のみなさんの奮闘によるものであるとともに、各分野で献身的に働いていただいた多くの要員のみなさんに支えられたものであります。私は、新しい中央委員会を代表して、大会を支えてくださったすべてのみなさんに、熱い感謝を申し上げるものです。（拍手）

同志のみなさん。全党の英知を結集してつくりあげた改定綱領、二つの決議を手に、その全面実践にとりかかろうではありませんか。

来たるべき総選挙にむけ、市民と野党の共闘をさらに大きく発展させ、日本共産党の躍進を必ずかちとり、戦後最悪の反動政権・安倍政権を一刻も早く倒し、野党連合政権への道を開こうではありませんか。（大きな拍手）

党創立100周年にむけ、大会で決めた強く大きな党づくりの目標と方針を必ずやりぬき、国民と深く結びつき、温かい連帯の絆で結ばれた日本共産党を建設しようではありませんか。（大きな拍手）

以上で、第28回党大会の閉会のあいさつを終わります。（大きな拍手）

（「しんぶん赤旗」2020年1月19日付）

大会で選出された新中央委員会

（50音順、○印は新）

中央委員（193人）

青山　慶二（65）
赤嶺　政賢（72）
秋元　邦宏（64）
○天下みゆき（63）
鮎沢　聡（55）
○荒木由美子（60）
○池内　沙織（37）
石黒　良治（60）
石山　淳一（54）
伊勢田良子（45）
板橋　利之（54）
市田　忠義（77）
市谷　知子（51）
○伊藤　岳（59）
井上　和好（68）
井上　哲士（61）
猪原　健（43）

今田　真人（73）
今田　吉昭（62）
岩井　鐵也（74）
岩切　幸子（62）
○岩永　尚之（63）
岩中　正巳（67）
○岩渕　友（43）
植木　俊雄（73）
上田　俊彦（66）
○上野　高志（55）
植本　完治（60）
内田　裕（63）
○梅村早江子（55）
浦田　宣昭（77）
○江尻　加那（46）
大久保健三（72）
太田　善作（72）

大嶽　隆司（58）
大幡　基夫（68）
○大平　喜信（41）
大山とも子（64）
岡　宏輔（72）
○岡嵜　郁子（49）
緒方　靖夫（72）
荻原　初男（66）
奥谷　和美（67）
○小倉　忠平（58）
笠井　亮（67）
○加藤　あい（44）
金森　亨（63）
紙　智子（65）
上村　秀明（61）
神山　悦子（64）
川田　忠明（60）
神田　米造（70）
吉良　佳子（37）
○工藤　充（53）

久保田　仁（63）
倉林　明子（59）
小池　晃（59）
小木曽陽司（65）
穀田　恵二（73）
小菅　啓司（69）
後藤　勝彦（51）
小林　年治（67）
駒井　正男（52）
小松崎久仁夫（73）
小村　勝洋（65）
○斉藤　和子（45）
○坂井　希（47）
佐藤　登（75）
佐藤　文明（70）
佐藤　正美（79）
沢田　博（69）
志位　和夫（65）
椎葉　寿幸（43）
塩川　鉄也（58）

柴岡　祐真（35）
○島津　幸広（63）
○清水　忠史（51）
下角　力（67）
庄子正二郎（64）
白川　容子（53）
菅原　則勝（61）
○須増　伸子（53）
○関口　達也（60）
大門実紀史（64）
○高瀬菜穂子（59）
高橋千鶴子（60）
○高柳　幸雄（54）
田川　実（55）
○武田　良介（40）
田代　忠利（66）
辰巳孝太郎（43）
田中　悠（38）
田邊　進（71）
田邊　良彦（55）
○谷本　諭（49）
田村　一志（57）
○田村　貴昭（58）
田村　智子（54）
田母神　悟（71）

千葉　隆（62）
塚地　佐智（63）
辻　慎一（55）
堤　文俊（60）
鶴渕　賢次（70）
寺沢亜志也（66）
土井　洋彦（57）
土肥　靖治（67）
中井作太郎（71）
中島　康博（66）
長瀬由希子（51）
○中祖　寅一（57）
○中谷　浩一（59）
長久　理嗣（72）
○成宮真理子（50）
○西澤　亨子（60）
仁比　聡平（56）
練木　恵子（57）
○能勢みどり（47）
野村　節子（66）
野元　徳英（70）
長谷川忠通（75）
畑中　孝之（56）
畑野　君枝（62）
畠山　和也（48）

花田　仁（58）
浜野　忠夫（87）
林　紀子（57）
林田　澄孝（69）
春名　直章（60）
○比嘉　瑞己（45）
土方　明果（69）
火爪　弘子（64）
平兼　悦子（71）
広井　暢子（72）
樋渡士自夫（66）
藤井　正人（69）
節木三千代（61）
藤田　文（62）
藤田　健（59）
藤野　保史（49）
○藤本　哲也（49）
藤森　毅（59）
藤原　正明（47）
不破　哲三（89）
紅谷　有二（76）
細野　歩（62）
細野　大海（68）
堀江ひとみ（60）
本間　和也（65）
前屋敷恵美（69）
増子　典男（79）
○真下　紀子（63）
○真島　省三（57）
○町田　和史（43）
松岡　清（69）
○松岡　勝（46）
松崎　真琴（61）
松田　隆彦（61）
松原　昭夫（63）
南　秀一（70）
宮本　岳志（60）
宮本　徹（47）
○三輪　由美（64）
武藤　明美（72）
村上　昭二（72）
村上　亮三（63）
○村主　明子（48）
○本村　伸子（47）
盛　美彰（65）
森原　公敏（70）
柳下　礼子（73）
柳　利昭（64）
柳沢　明夫（82）
山口　富男（65）
山口　典久（59）
山下　満昭（67）
山下　芳生（59）
○山添　拓（35）
○山中　智子（57）
山村　糸子（69）
山村　幸穂（64）
○山本　豊彦（57）
山谷富士雄（72）
結城　久志（72）
吉岡　正史（45）
吉田　秀樹（66）
○吉俣　洋（46）
米田　吉正（72）
○来住　一人（74）
若林　義春（69）
和田　一男（66）
渡辺　和俊（68）
渡辺ゆり子（67）

准中央委員（28人）

浅賀　由香（39）
○浅野　史子（49）
阿藤　和之（49）
○大井　伸行（49）
垣内　京美（53）
金倉　昌俊（45）
○上敷領　誠（62）
河江　明美（54）
小越　進（58）
○小林　俊哉（44）
小山　農（32）
坂本　伸子（49）
佐藤　彰（58）
○須山　初美（41）
祖父江元希（44）
多川　正（60）
田川　豊（51）
○竹本　恵子（55）
○地坂　拓晃（46）
○堤　由紀子（55）
○土井　誠（54）
中野　武史（45）
姫井　二郎（48）
○舩山　由美（51）
宮本　次郎（44）
矢加部裕哉（61）
○山田　優子（62）
渡部　結（38）

日本共産党中央委員会の機構と人事

幹部会委員長、書記局長、幹部会副委員長

第1回中央委員会総会が選出した幹部会委員長、書記局長、幹部会副委員長はつぎのとおりです。（○印は新）

幹部会委員長
志位　和夫
書記局長
小池　晃
幹部会副委員長・筆頭
山下　芳生
同　市田　忠義
同　緒方　靖夫
同　○倉林　明子
同　田村　智子
同　浜野　忠夫

第1回中央委員会総会のあと、常任幹部会をひらき、つぎの人事を決めました。

政策委員会責任者
田村　智子
ジェンダー平等委員会責任者
倉林　明子

常任幹部会（26人）

幹部会が選出した常任幹部会はつぎのとおりです。（50音順、○印は新）

市田忠義、岩井鐵也、浦田宣昭、太田善作、○岡嵜郁子、緒方靖夫、笠井亮、紙智子、○吉良佳子、○倉林明子、小池晃、小木曽陽司、穀田恵二、志位和夫、高橋千鶴子、田中悠、田村智子、寺沢亜志也、中井作太郎、浜野忠夫、広井暢子、○藤田文、不破哲三、山下芳生、○山添拓、○若林義春

幹部会（64人）

第1回中央委員会総会が選出した幹部会はつぎのとおりです。（50音順、○印は新）

青山慶二、赤嶺政賢、鮎沢聡、市田忠義、井上哲士、今田吉昭、岩井鐵也、岩中正巳、植木俊雄、○内田裕、浦田宣昭、大久保健三、太田善作、大幡基夫、○大山とも子、○岡嵜郁子、緒方靖夫、荻原初男、○小倉忠平、笠井亮、紙智子、○吉良佳子、○倉林明子、小池晃、小木曽陽司、穀田恵二、○坂井希、沢田博、志位和夫、○塩川鉄也、高橋千鶴子、田中悠、田邊進、○田邊良彦、田村一志、田村智子、田母神悟、堤文俊、寺沢亜志也、土井洋彦、中井作太郎、長谷川忠通、浜野忠夫、土方明果、広井暢子、藤井正人、藤田文、○藤田健、藤野保史、不破哲三、紅谷有二、増子典男、松田隆彦、○本村伸子、森原公敏、柳利昭、山口富男、山下芳生、○山添拓、山村糸子、○山本豊彦、山谷富士雄、若林義春、渡辺和俊

書記局（19人）

第1回中央委員会総会が選出した書記局長を責任者とし、幹部会が任命した18人の書記局員で構成される書記局はつぎのとおりです。（○印は新）

書記局長　小池晃
書記局次長（筆頭）中井作太郎、田中悠、○土井洋彦、○若林義春
書記局員　○岡嵜郁子、大幡基夫、○坂井希、沢田博、田川実、田村一志、辻慎一、堤文俊、寺沢亜志也、土方明果、藤井正人、藤田健、藤野保史、山谷富士雄

訴願委員会、規律委員会、監査委員会

第1回中央委員会総会が任命した訴願委員会、規律委員会、監査委員会はつぎのとおりです。（50音順、○印は新）

訴願委員会

責任者　太田善作

副責任者　紅谷有二

委員　○岩切幸子、武村拓三、姫井二郎、平兼悦子、吉田秀樹

規律委員会

責任者　田邊進

委員　○板橋利之、貝瀬正、○坂井希、○祖父江元希、成中春樹、福島敏夫、○星野大三、米沢幸悦、柳沢明夫、○吉岡正史、○吉武秀郷

監査委員会

責任者　広井暢子

委員　○奥谷和美、三羽和夫

中央機関紙編集委員会（24人）

幹部会が任命した中央機関紙編集委員会（24人）はつぎのとおりです。（50音順、○印は新）

責任者　小木曽陽司

委員　○秋野幸子、石渡博明、○伊藤紀夫、稲田達、金子豊弘、工藤徹也、○栗原千鶴、近藤正男、坂本伸子、菅原啓、高柳幸雄、竹本恵子、堤由紀子、中祖寅一、西澤亨子、深山直人、藤田健、星野大三、松井信嗣、○三浦誠、宮澤毅、○村崎直人、山本豊彦

大会で承認された名誉役員

今大会で新たに承認された名誉役員（6人）

浮揚幸裕（70）、遠藤いく子（71）、岡野隆（72）、田村守男（70）、西口光（71）、水谷定男（72）

前大会からひきつづき承認された名誉役員（48人）

相羽健次（83）、足立正恒（81）、阿部幸代（71）、有坂哲夫（78）、石井郁子（79）、石井妃都美（69）、石坂千穂（71）、石灰睦夫（86）、今井誠（75）、岩佐恵美（80）、上田均（85）、大内田和子（76）、大塚一敏（85）、岡崎万寿秀（90）、奥原紀晴（74）、金井武雄（75）、金子逸（73）、河邑重光（80）、木谷八士（85）、工藤晃（93）、小池潔（77）、小島優（92）、児玉健次（86）、五島寿夫（88）、小西武雄（88）、佐々木憲昭（74）、佐々木季男（90）、佐藤庸子（79）、菅生厚（93）、瀬古由起子（72）、棚橋裕一（73）、反保直樹（70）、寺前巖（94）、成田悧（87）、新原昭治（88）、花房紘（80）、林通文（79）、古堅実吉（90）、細野義幸（94）、堀井孝生（81）、最上清治（70）、八島勝磨（93）、山口勝利（75）、山手叡（93）、吉井英勝（77）、吉川春子（79）、吉村吉夫（75）、若林暹（93）

日本共産党規約

（第22回党大会　２０００年11月24日改定）

第一章　日本共産党の名称、性格、組織原則

第一条　党の名称は、日本共産党とする。

第二条　日本共産党は、日本の労働者階級の党であると同時に、日本国民の党であり、民主主義、独立、平和、国民生活の向上、そして日本の進歩的未来のために努力しようとするすべての人びとにその門戸を開いている。

党は、創立以来の「国民が主人公」の信条に立ち、つねに国民の切実な利益の実現と社会進歩の促進《そくしん》のためにたたかい、日本社会のなかで不屈の先進的な役割をはたすことを、自らの責務として自覚している。終局の目標として、人間による人間の搾取《さくしゅ》もなく、抑圧《よくあつ》も戦争もない、真に平等で自由な人間関係からなる共同社会の実現をめざす。

党は、科学的社会主義を理論的な基礎とする。

第三条　党は、党員の自発的な意思によって結ばれた自由な結社であり、民主集中制を組織の原則とする。その基本は、つぎのとおりである。

（一）　党の意思決定は、民主的な議論をつくし、最終的には多数決で決める。

（二）　決定されたことは、みんなでその実行にあたる。行動の統一は、国民にたいする公党としての責任である。

（三）　すべての指導機関は、選挙によってつくられる。

（四）　党内に派閥・分派はつくらない。

（五）　意見がちがうことによって、組織的な排除をおこなってはならない。

第二章　党　員

第四条　十八歳以上の日本国民で、党の綱領と規約を認める人は党員となることができる。党員は、党の組織にくわわって活動し、規定の党費を納める。

第五条　党員の権利と義務は、つぎのとおりである。

（一）　市民道徳と社会的道義をまもり、社会にたいする責任をはたす。

（二）　党の統一と団結に努力し、党に敵対する行為はおこなわ

ない。

（三）党内で選挙し、選挙される権利がある。

（四）党の会議で、党の政策、方針について討論し、提案することができる。

（五）党の諸決定を自覚的に実行する。決定に同意できない場合は、自分の意見を保留することができる。その場合も、その決定を実行する。党の決定に反する意見を、勝手に発表することはしない。

（六）党の会議で、党のいかなる組織や個人にたいしても批判することができる。また、中央委員会にいたるどの機関にたいしても、質問し、意見をのべ、回答をもとめることができる。

（七）党大会、中央委員会の決定をすみやかに読了し、党の綱領路線と科学的社会主義の理論の学習につとめる。

（八）党の内部問題は、党内で解決する。

（九）党歴や部署のいかんにかかわらず、党の規約をまもる。

（十）自分にたいして処分の決定がなされる場合には、その会議に出席し、意見をのべることができる。

第六条　入党を希望する人は、党員二名の推薦《すいせん》をうけ、入党費をそえて申し込む。

いちじるしく反社会的で、党への信頼をそこなう人は入党させることができない。

入党は、支部で個別に審議したうえで決定し、地区委員会の承認をうける。

地区委員会以上の指導機関も、直接入党を決定することができる。

第七条　他の政党の党員は、同時に日本共産党員であることができない。

他党の党員であった経歴をもつ人を入党させる場合には、都道府県委員会または中央委員会の承認をうける。

第八条　党組織は、新入党者にたいし、その成長を願う立場から、綱領、規約など、日本共産党の一員として活動するうえで必要な基礎知識を身につけるための教育を、最優先でおこなう。

第九条　転勤・転職・退職・転居などによって所属組織の変更が必要となる場合、党員と党組織はすみやかに転籍の手続きをおこなう。

第十条　党員は離党できる。党員が離党するときは、支部または党の機関に、その事情をのべ承認をもとめる。支部または党の機関は、その事情を検討し、会議にはかり、離党を認め、一級上の指導機関に報告する。ただし、党規律違反行為をおこなっている場合は、それにたいする処分の決定が先行する。

一年以上党活動にくわわらず、かつ一年以上党費を納めない党員で、その後も党組織が努力をつくしたにもかかわらず、党員として活動する意思がない場合は、本人と協議したうえで、離党の手続きをとることができる。本人との協議は、党組織の努力にもかかわらず不可能な場合にかぎり、おこなわなくてもよい。

第十一条　党組織は、第四条に定める党員の資格を明白に失った党員、あるいはいちじるしく反社会的な行為によって、党への信頼をそこなった党員は、慎重《しんちょう》に調査、審査のうえ、除籍することができる。除籍にあたっては、本人と協議する。党組織の努力にもかかわらず協議が不可能な場合は、おこなわなくてもよい。除籍は、一級上の指導機関の承認をうける。

除籍された人が再入党を希望するときは、支部・地区委員会で審議し、都道府県委員会が決定する。

第三章　組織と運営

第十二条　党は、職場、地域、学園につくられる支部を基礎とし、基本的には、支部——地区——都道府県——中央という形で組織される。

第十三条　党のすべての指導機関は、党大会、それぞれの党会議および支部総会で選挙によって選出される。中央、都道府県および地区の役員に選挙される場合は、二年以上の党歴が必要である。

選挙人は自由に候補者を推薦《すいせん》することができる。指導機関は、次期委員会を構成する候補者を推薦する。選挙人は、候補者の品性《ひんせい》、能力、経歴について審査する。

選挙は無記名投票による。表決は、候補者一人ひとりについておこなう。

第十四条　党大会、および都道府県・地区・支部の党会議は代議員の過半数（支部総会は党員総数の過半数）の出席によって成立する。中央委員会、都道府県委員会、地区委員会の総会も、委員の過半数の出席によって成立する。

第十五条　党機関が決定をおこなうときは、党組織と党員の意見をよくきき、その経験を集約、研究する。出された意見や提起されている問題、党員からの訴えなどは、すみやかに処理する。党員と党組織は、党の政策・方針について党内で討論し、意見を党機関に反映する。

第十六条　党組織には、上級の党機関の決定を実行する責任がある。その決定が実情にあわないと認めた場合には、上級の機関にたいして、決定の変更をもとめることができる。上級の機関がさらにその決定の実行をもとめたときには、意見を保留して、その実行にあたる。

第十七条　全党の行動の統一をはかるために、国際的・全国的な性質の問題については、個々の党組織と党員は、党の全国方針に反する意見を、勝手に発表することをしない。

地方的な性質の問題については、その地方の実情に応じて、都道府県機関と地区機関で自治的に処理する。

第十八条　新しく支部および地区組織をつくったり、地区組織の管轄《かんかつ》をかえたりする場合は、一級上の指導機関に申請し、その承認をうける。

都道府県委員会は、必要に応じて、大都市など、いくつかの地区にわたる広い地域での活動を推進するために、補助指導機関をもうけることができる。

また、地区委員会および都道府県委員会は、経営や地域（区・市・町村）、学園にいくつかの支部がある場合、必要に応じて、補助的な指導機関をもうけることができる。

補助指導機関を設置するさいには、一級上の指導機関の承認を必要とし、構成は、対応する諸地区委員会および諸支部からの選出による。

補助指導機関の任務と活動は、自治体活動やその地域・経営・学園での共同の任務に対応することにあり、地区委員会や都道府県委員会にかわって基本指導をになうことではない。

第四章　中央組織

第十九条　党の最高機関は、党大会である。党大会は、中央委員会によって招集され、二年または三年のあいだに一回ひらく。特別な事情のもとでは、中央委員会の決定によって、党大会の招集を延期することができる。中央委員会は、党大会の招集日と議題をおそくとも三カ月前に全党に知らせる。

中央委員会が必要と認めて決議した場合、または三分の一以上の都道府県党組織がその開催をもとめた場合には、前大会の代議員によって、三カ月以内に臨時党大会をひらく。

党大会の代議員選出の方法と比率は、中央委員会が決定する。代議員に選ばれていない中央委員、准中央委員は評議権をもつが、決議権をもたない。

第二十条　党大会は、つぎのことをおこなう。

（一）中央委員会の報告をうけ、その当否を確認する。

（二）中央委員会が提案する議案について審議・決定する。

（三）党の綱領、規約をかえることができる。

（四）中央委員会を選出する。委員会に准中央委員をおくことができる。

第二十一条　党大会からつぎの党大会までの指導機関は中央委員会である。中央委員会は、党大会決定の実行に責任をおい、主としてつぎのことをおこなう。

（一）対外的に党を代表し、全党を指導する。

（二）中央機関紙を発行する。

（三）党の方針と政策を、全党に徹底《てってい》し、実践する。その経験をふまえてさらに正しく発展させる。

（四）国際問題および全国にかかわる問題について処理する責任をおう。

（五）科学的社会主義にもとづく党の理論活動をすすめる。

（六）幹部を系統的に育成し、全党的な立場で適切な配置と役割分担をおこなう。

（七）地方党組織の権限に属する問題でも、必要な助言をおこなうことができる。

（八）党の財政活動の処理と指導にあたる。

第二十二条　中央委員会総会は、一年に二回以上ひらく。中央委員の三分の一以上の要求があったときは中央委員会総会をひらかなければならない。准中央委員は、評議権をもって中央委員会総会に出席する。

第二十三条　中央委員会は、中央委員会幹部会委員と幹部会委員長、幹部会副委員長若干名、書記局長を選出する。また、中央委員会議長を選出することができる。

中央委員会は必要が生じた場合、准中央委員のなかから中央委員を補《おぎな》うことができる。また、やむをえない理由で任務をつづけられない委員・准委員は、本人の同意をえて、中央委員会の三分の二以上の多数決で解任することができる。その場合、つぎの党大会に報告し承認をうける。

第二十四条　中央委員会幹部会は、中央委員会総会からつぎの中央委員会総会までのあいだ中央委員会の職務をおこなう。

幹部会は常任幹部会を選出する。常任幹部会は、幹部会の職務を日常的に遂行《すいこう》する。

幹部会は、書記局長を責任者とする書記局を設《もう》け、書記局員を任命する。書記局は、幹部会および常任幹部会の指導のもとに、中央の日常活動の処理にあたる。

幹部会は、中央機関紙の編集委員を任命する。

第二十五条　中央委員会は、訴願《そがん》委員を任命する。訴願委員会は、党機関の指導その他党活動にかかわる具体的措置《そち》にたいする党内外の人からの訴え、要望などのすみやかな解決を促進《そくしん》する。

第二十六条　中央委員会は、規律委員を任命する。規律委員会は、つぎのことをおこなう。

（一）党員の規律違反について調査し、審査する。

（二）除名その他の処分についての各級党機関の決定にたいする党員の訴えを審査する。

第二十七条　中央委員会は、監査委員を任命する。監査委員会は、中央機関の会計と事業、財産を監査する。

第二十八条　中央委員会は、名誉役員をおくことができる。中央委員会が、名誉役員をおくときは、党大会に報告し承認をうける。

第五章　都道府県組織

第二十九条　都道府県組織の最高機関は、都道府県党会議である。都道府県党会議は、都道府県委員会によって招集され、一年に一回ひらく。特別な事情のもとでは、都道府県委員会は、中央委員会の承認をえて、招集を延期することができる。

都道府県委員会が必要と認めて決議した場合、または三分の一以上の地区党組織がその開催をもとめた場合には、前党会議の代議員によって、すみやかに臨時党会議をひらく。

都道府県党会議の代議員の選出方法と比率は、都道府県委員会が決定する。

代議員に選ばれていない都道府県委員、准都道府県委員は評議権をもつが、決議権をもたない。

第三十条　都道府県党会議は、つぎのことをおこなう。

（一）都道府県委員会の報告をうけ、その当否を確認する。

（二）党大会と中央委員会の方針と政策を、その地方に具体化して、都道府県における党の方針と政策を決定する。

（三）都道府県委員会を選出する。委員会に准都道府県委員をおくことができる。

（四）党大会が開催されるときは、その代議員を選出する。

第三十一条　都道府県党会議からつぎの都道府県党会議までの指導機関は都道府県委員会である。都道府県委員会は、都道府県党会議決定の実行に責任をおい、主としてつぎのことをおこなう。

（一）その都道府県で党を代表し、都道府県の党組織を指導する。

（二）中央の諸決定の徹底《てってい》をはかるとともに、具体化・実践する。

（三）地方的な問題は、その地方の実情に応じて、自主的に処理する。

（四）幹部を系統的に育成し、適切な配置と役割分担をおこなう。

（五）地区党組織の権限に属する問題でも、必要な助言をおこなうことができる。

（六）　都道府県党組織の財政活動の処理と指導にあたる。

第三十二条　都道府県委員会は、委員長と常任委員会を選出する。また必要な場合は、副委員長および書記長をおくことができる。

常任委員会は、都道府県委員会総会からつぎの総会までのあいだ、都道府県委員会の職務をおこなう。

都道府県委員会は、必要が生じた場合、准都道府県委員のなかから都道府県委員を補《おぎな》うことができる。また、やむをえない理由で任務をつづけられない委員・准委員は、本人の同意をえて、都道府県委員会の三分の二以上の多数決で解任することができる。その場合、つぎの都道府県党会議に報告し、承認をうける。

都道府県委員会は、その会計と事業、財産を監査するために監査委員会をもうけることができる。

第三十三条　都道府県委員会は、名誉役員をおくことができる。都道府県委員会が、名誉役員をおくときは、都道府県党会議に報告し承認をうける。

第六章　地区組織

第三十四条　地区組織の最高機関は、地区党会議である。地区党会議は、地区委員会によって招集され、一年に一回ひらく。特別な事情のもとでは、地区委員会は、都道府県委員会および中央委員会の承認をえて、招集を延期することができる。

地区委員会が必要と認めて決議した場合、または三分の一以上の支部がその開催をもとめた場合には、前党会議の代議員によって、すみやかに臨時党会議をひらく。

地区党会議の代議員の選出方法と比率は、地区委員会が決定する。

代議員に選ばれていない地区委員、准地区委員は評議権をもつが、決議権をもたない。

第三十五条　地区党会議は、つぎのことをおこなう。

（一）　地区委員会の報告をうけ、その当否を確認する。

（二）　中央および都道府県の党機関の方針と政策を、その地区に具体化し、地区の方針と政策を決定する。

（三）　地区委員会を選出する。委員会に准地区委員をおくことができる。

（四）　都道府県党会議が開催されるときは、その代議員を選出する。

第三十六条　地区党会議からつぎの地区党会議までの指導機関は地区委員会である。地区委員会は、地区党会議決定の実行に責任をおい、主としてつぎのことをおこなう。

（一）　その地域で党を代表し、地区の党組織を指導する。

（二）　中央および都道府県の党機関の決定の徹底《てってい》をはかるとともに、具体化・実践する。

（三）　地区的な問題は、その地区の実情に応じて、自主的に処理する。

（四）　支部活動を指導する直接の任務をもつ指導機関として、支部への親身な指導と援助にあたる。

（五）　幹部を系統的に育成し、適切な配置と役割分担をおこなう。

(六)　地区党組織の財政活動の処理と指導にあたる。

第三十七条　地区委員会は、委員長と常任委員会を選出する。また必要な場合は、副委員長をおくことができる。常任委員会は、地区委員会総会からつぎの総会までのあいだ、地区委員会の職務をおこなう。

地区委員会は、必要が生じた場合、准地区委員のなかから地区委員を補《おぎな》うことができる。また、やむをえない理由で任務をつづけられない委員・准委員は、本人の同意をえて、地区委員会の三分の二以上の多数決で解任することができる。その場合、つぎの地区党会議に報告し承認をうける。

第七章　支　部

第三十八条　職場、地域、学園などに、三人以上の党員がいるところでは、支部をつくる。支部は、党の基礎組織であり、それぞれの職場、地域、学園で党を代表して活動する。

状況によっては、社会生活・社会活動の共通性にもとづいて支部をつくることができる。

党員が三人にみたないときは付近の支部にはいるか、または支部準備会をつくる。

第三十九条　支部の最高機関は、支部の総会または党会議である。支部の総会または党会議は、すくなくとも六カ月に一回ひらく。

支部の総会または党会議は、つぎのことをおこなう。

(一)　活動の総括《そうかつ》をおこない、上級の機関の決定を具体化し、活動方針をきめる。

(二)　支部委員会または支部長を選出する。

(三)　地区党会議が開催されるときは、その代議員を選出する。

第四十条　支部の任務は、つぎのとおりである。

(一)　それぞれの職場、地域、学園で党を代表して活動する。

(二)　その職場、地域、学園で多数者の支持をえることを長期的な任務とし、その立場から、要求にこたえる政策および党勢拡大の目標と計画をたて、自覚的な活動にとりくむ。

(三)　支部の会議を、原則として週一回定期的にひらく。党費を集める。党大会と中央委員会の決定をよく討議し、支部活動に具体化する。要求実現の活動、党勢拡大、機関紙活動に積極的にとりくむ。

(四)　党員が意欲をもって、党の綱領や歴史、科学的社会主義の理論の学習に励むよう、集団学習などにとりくむ。

(五)　支部員のあいだの連絡・連帯網を確立し、党員一人ひとりの活動状況に目をむけ、すべての支部員が条件と得手《えて》を生かして活動に参加するよう努力するとともに、支部員がたがいに緊密に結びつき、援助しあう人間的な関係の確立をめざす。

(六)　職場の支部に所属する党員は、居住地域でも活動する。

第四十一条　支部総会（党会議）からつぎの支部総会（党会議）までの指導機関は、支部委員会である。支部委員会は支部長を選出する。ただし、党員数が少ない支部は、支部長を指導機関とする。どちらの場合にも状況に応じて副支部長をおくことができる。

支部には、班をもうけることができる。班には、班長をおく。

第八章　党外組織の党グループ

第四十二条　各種の団体・組織で、常任役員の党員が三人以上いる場合には、党グループを組織し、責任者を選出することができる。

党グループは、その構成と責任者の選出について対応する指導機関の承認をうけ、またその指導をうけて活動する。活動のなかで、その団体の規約を尊重することは、党グループの責務である。

党グループは、支部に準じて、日常の党生活をおこなう。

第九章　被《ひ》選出公職機関の党組織

第四十三条　国会に選出された党の議員は、国会議員団を組織する。

国会議員団は、中央委員会の指導のもとに、必要な指導機構をもうけ、国会において党の方針、政策にもとづいて活動する。その主なものは、つぎのとおりである。

（一）　国民の利益をまもるために、国会において党を代表してたたかい、国政の討論、予算の審議、法案の作成、そのほかの活動をおこなう。

（二）　国会外における国民の闘争と結合し、その要求の実現につとめる。

（三）　国民にたいして、国会における党の活動を報告する。

党の議員は、規律に反し、また国民の利益をいちじるしく害して責任を問われた場合は、決定にしたがって、議員をやめなければならない。

第四十四条　各級地方自治体の議会に選挙された党の議員は、適切な単位で必ず党議員団を構成する。すべての議員は、原則として議員団で日常の党生活をおこなう。党議員団は、対応する指導機関の指導のもとに活動する。

党の地方議員および地方議員団は、第四十三条の国会議員団の活動に準じて、地方住民の利益と福祉のために活動する。

都道府県委員会および地区委員会は、地方議員および地方議員団を責任をもって指導する。

第十章　資　金

第四十五条　党の資金は、党費、党の事業収入および党への個人の寄付などによってまかなう。

第四十六条　党費は、実収入の一パーセントとする。党費は、月別、または一定期間分の前納で納入する。

失業している党員、高齢または病気によって扶養《ふよう》をうけている党員など生活の困窮《こんきゅう》している党員の党費は、軽減し、または免除することができる。

第四十七条　中央委員会、都道府県委員会、地区委員会は、それぞれの資金と資産を管理する。

第十一章　規　律

第四十八条　党員が規約とその精神に反し、党と国民の利益をいちじるしくそこなうときは規律違反として処分される。

規律違反について、調査審議中の党員は、第五条の党員の権利を必要な範囲で制限することができる。ただし、六カ月をこえてはならない。

第四十九条　規律違反の処分は、事実にもとづいて慎重《しんちょう》におこなわなくてはならない。

処分は、警告、権利（部分または全面）停止、機関からの罷《ひ》免《めん》、除名にわける。

権利停止の期間は、一年をこえてはならない。機関からの罷免は、権利停止をともなうことができる。

第五十条　党員にたいする処分は、その党員の所属する支部の党会議、総会の決定によるとともに、一級上の指導機関の承認をえて確定される。

特別な事情のもとでは、中央委員会、都道府県委員会、地区委員会は、党員を処分することができる。この場合、地区委員会のおこなった処分は都道府県委員会の承認をえて確定され、都道府県委員会がおこなった処分は中央委員会の承認をえて確定される。

第五十一条　都道府県、地区委員会の委員、准委員にたいする権利停止、機関からの罷免、除名は、その委員会の構成員の三分の二以上の多数決によって決定し、一級上の指導機関の承認をうける。この処分は、つぎの党会議で承認をうけなくてはならない。

緊急にしてやむをえない場合には、中央委員会は、規律違反をおこなった都道府県・地区機関の役員を処分することができる。

第五十二条　中央委員会の委員、准委員の権利停止、機関からの罷免、除名は、中央委員会の三分の二以上の多数決によって決定し、つぎの党大会で承認をうけなくてはならない。

第五十三条　複数の機関の委員、准委員を兼《か》ねている党員の処分は、上級の機関からきめる。

第五十四条　除名は、党の最高の処分であり、もっとも慎重《しんちょう》におこなわなくてはならない。党員の除名を決定し、または承認する場合には、関係資料を公平に調査し、本人の訴えをききとらなくてはならない。

除名された人の再入党は、中央委員会が決定する。

第五十五条　党員にたいする処分を審査し、決定するときは、特別の場合をのぞいて、所属組織は処分をうける党員に十分意見表明の機会をあたえる。処分が確定されたならば、処分の理由を、処分された党員に通知する。各級指導機関は、規律の違反とその処分について、中央委員会にすみやかに報告する。

処分をうけた党員は、その処分に不服であるならば、処分を決定した党組織に再審査をもとめ、また、上級の機関に訴えることができる。被《ひ》除名者が処分に不服な場合は、中央委員会および党大会に再審査をもとめることができる。

付　則

第五十六条　中央委員会は、この規約に決められていない問題については、規約の精神にもとづいて、処理することができる。

第五十七条　綱領、規約の改定は、党大会によってのみおこなわれる。

この規約は二〇〇〇年十一月二十四日から効力をもつ。

—M E M O—

—ＭＥＭＯ—

—ＭＥＭＯ—